예이츠, 아일랜드, 그리고 문학

이니스프리에서 델피까지

한국예이츠학회 창립 30주년 기념문집

예이츠, 아일랜드, 그리고 문학

이니스프리에서 델피까지

한국예이츠학회 엮음

도서출판 동인

란정, *시를 낭송하는 1908년 1월의 젊은 예이츠*, 2021. 53×41cm. 캔버스에 유화
(Ranjong, *Yeats reciting his poetry in January 1908*, 2021. Oil on canvas)

PHOTO BY JOON SEOG KO
예이츠 후기시의 산실, 투르 발릴리

PHOTO BY JOON SEOG KO
Lady Gregory의 쿨 장원

PHOTO BY JOON SEOG KO
Lady Gregory의 쿨 장원과 쿨 호수

PHOTO BY YOUNG SUCK RHEE
슬라이고 앞바다와 불벤산

PHOTO BY JOON SEOG KO
불벤산

PHOTO BY SUNG SOOK HONG

켈트 문화의 유산, 슬라이고 입구의 마법의 성

PHOTO BY JOONG EUN AHN
글렌카 폭포

PHOTO BY JOON SEOG KO
로지즈 곶과 불벤산

PHOTO BY JOON SEOG KO
로지즈 곶

PHOTO BY JOON SEOG KO
W. B. 예이츠 부부의 무덤이 있는 드럼클리프 교회

PHOTO BY JOON SEOG KO
리사델

PHOTO BY SUNG SOOK HONG
아일랜드의 전통 오두막집

PHOTO BY JOON SEOG KO
더블린 중앙우체국

PHOTO BY JOON SEOG KO
길 호수와 이니스프리 호수섬

발간사

예이츠가 우리나라에 알려진 것은 그의 시 「그는 하늘의 옷감을 원한다"He Wishes for the Cloths of Heaven"」가 발표된 지 20여 년 만에 김억金億, 1896-?에 의해 「쉼」이라는 제목으로 번역되어 『태서문예신보』 1918년 12월호에 게재된 데서 비롯되었다. 그리고 그로부터 정확히 73년 뒤인 1991년 12월에 "한국예이츠학회"가 창립되어 올해로 30주년을 맞이하였다.

비록 시작은 미미하였으나, 매년 회원 수가 증가함에 따라 학회의 연구역량이 크게 축적되어 다양한 분야의 수준 높은 연구가 이루어졌음은 물론이다. 1991년 학회지 『한국예이츠저널*The Yeats Journal of Korea*』이 창간된 이래 부단히 발행되어 금년에 66호가 발행될 예정인 바, 회원들에게는 연구 성과를 발표하고 새로운 방향을 모색하는 기회를 제공하고 후학들에게는 훌륭한 연구 지침서가 되어 왔다. 이로써 우리 학회는 소위 "한국의 예이츠 산업"이 급속히 성장하는 기반을 마련하는 데 기여했음을 자부한다. 뿐만 아니라, 우리 학회가 주관하여 십수 년간 매년 개최해온 국제학술대회를 통하여, 해외 학자들과의 폭넓은 교류로 우리 학회의 위상을 대내외적으로 드높여왔음은 주지의 사실이다.

한편, 1923년도 노벨 문학상을 수상한 세계적인 시인이자 극작가인 예이츠를 전문 학자들만의 전유물로 삼는 것은 옳지 않기에, 우리 학회에서는 이미 여러 해 전부터 학생들과 일반 독자들을 대상으로 시와 희곡의 번역전집을 펴낸 바 있다. 그리고 이번에는 학회창립 30주년을 맞이하여 기념 수필집을 내놓는다.

본시 수필이라는 것이 제재題材나 형식의 제약을 받지 않고 붓 가는 대로 쓰는 글이니만큼, 수필집 발간위원회에서는 회원들에게 몇 개의 범주만을 제시하고 평소의 생각과 경험을 자유롭게 개진하도록 의뢰하였다. 그런데 유난히 무더운 여름인데다가, 특히 현직에 있는 회원들은 연구와 2학기 개강 준비에 시간이 부족했을 텐데도, 기대 이상으로 다수의 회원이 다양한 주제의 흥미롭고 값진 글을 보내 주셨다. 방학인데도 충분한 휴식도 취하지 못한 채 소중한 연구 시간을 할애하여 옥고를 작성해 주신 회원들의 열정과 학회 사랑에 깊이 감사한 마음을 전한다.

이 수필집에 실린 글들은 모두 회원들이 강의실에서 학생들을 지도하면서 겪은 체험과 예이츠와 관련된 현장들을 직접 답사하면서 체득한 생생한 경험담을 소개하고 있다. 독자들은 아마도 이 책을 통해서 예이츠와 아일랜드의 면면을 소상히 알 수 있게 될 뿐만 아니라, 예이츠의 발길이 닿았던 아일랜드의 조그만 섬 이니스프리Innisfree에서 저 멀리 그리스 신탁의 장소 델피Delphi까지 친절하고 자상한 안내자를 둔 예이츠 문학 여행을 즐길 수 있으리라 믿는다.

끝으로 이 뜻깊은 문집의 발간을 회원 여러분과 함께 자축하며, 이 발간사업을 발의하고 전폭적으로 지원해 주신 김주성 예이츠학회 회장님과 기획과 편집을 맡아 시종일관 수고해 주신 고준석 부회장님께 특별히 감사한다. 그리고 옥고를 보내 주시고 수차례에 걸쳐 원고 수정을 해 주신 필자 여러분들과 소중한 사진 자료와 함께 여러 가지 조언을 해 주신 회원들께도 심심한 감사의 말씀을 전한다.

2021년 12월

예이츠학회 창립 30주년 기념문집 발간위원회

위원장 이 세 순

| 차례 |

3장 예이츠와의 만남

4장 예이츠 시와 희곡, 그리고 사랑

5장 창작시: 예이츠, 아란섬

1장

아일랜드는 어떤 나라인가?

PHOTO BY JOON SEOG KO
하프

__ 예이츠의 모국 아일랜드는 어떤 나라인가?

한일동

유럽 대륙의 서쪽 끝자락에 있는 작은 섬나라 아일랜드. 중세에는 화려한 켈트 문화를 꽃피우며 '성자와 학자의 나라The Land of Saints and Scholars'로 널리 알려졌고, 세계 문화사에 빛나는 수많은 예술가를 배출해온 '문화 강국' 아일랜드. 목가적인 아름다운 자연 풍광에 대기근·가난·이민·해외 이산離散, Diaspora 등의 쓰라린 슬픔과 한恨이 서려 있는 슬프고도 아름다운 나라 아일랜드. 근 750년 동안 영국의 식민통치에 맞서 독립과 자존을 추구해왔으며, 1980년대 이후에는 놀라운 경제성장을 이뤄냄으로써 '켈트 호랑이Celtic Tiger'로 포효하고 있는 '작지만 강한 나라' 아일랜드.

더블린Dublin의 오코넬 거리O'Connell Street에 우뚝 서 있는 '더블린 첨탑The Spire of Dublin'은 새롭게 도약하고 있는 아일랜드의 기상을 보여주고 있으며, 2004년 영국의 경제 전문지 『이코노미스트*The Economist*』는 세계 111개 나라 가운데 아일랜드를 '세계에서 가장 살기 좋은 나라'로 선정했다. 낮은 실업률, 비약적인 경제성장, 정치적 안정, 가정생활 등이 전통적 가치와 성공적으로 조화를 이룬 나라라는 이유에서다. 반면에 아일랜드를 거의 750년 동안 식민 통치했던 영국은 29위를 차지했다. 한동안 '거지의 나라', '하얀 껌둥이의 나라', '유럽의 지진아' 등으로 불렸던 아일랜드가 고도성장을 통해 후진국에서 선진국으로 도약하고, 오늘날 1인당 국민소득 7만 5천 달러를 달성하여 영국을 앞지른 과정은 가히 '리피강 Liffey River의 기적'이라 할 만하다.

21세기에 들어 한국에서도 '아일랜드 따라 배우기'가 한창이다. 신문과 잡지는 물론이고 텔레비전에서도 아일랜드를 다루는 특집 프로가 부쩍 늘었다. 교육계에서는 유연하고 개방적 사고思考를 지닌 엘리트 양성을 통해 부강해진 아일랜드를 본보기로 삼아야 한다고 역설한다. 우리나라가 벤치마킹하여 2016년부터 시행하고 있는 '자유학기제'의 원조가 바로 아일랜드가 1974년부터 도입한 '전환학년제Transition Year System'이다. 경제계에서는 개방적인 외자 유치 정책과 노사정勞使政 화합에 기초한 유연하고 실용적인 아일랜드 경제성장의 비결을 배워야 한다고 주장한다.

지금 아일랜드는 '켈트 호랑이'의 등에 올라 유례없는 경제 호황과 물질적 풍요를 누리고 있다. 이 때문에 아일랜드식 모델에 대한 동경의 물결이 우리 사회에도 일렁이고 있다.[1] 과거에는 '유럽의 인도'로, 최근에는 '작지만 강한 나라'로 부상하여 전 세계인의 이목을 끌고 있는 아일랜드는 과연 어떤 나라인가?

우리가 보통 '그레이트 브리튼Great Britain'이라고 말할 때, 여기에는 '잉글랜드England', '스코틀랜드Scotland', 그리고 '웨일스Wales'가 포함되고, '연합 왕국The United Kingdom'이라고 말할 때는 '잉글랜드', '스코틀랜드', '웨일스', 그리고 '북아일랜드Northern Ireland'를 합쳐서 지칭하는 것이다. 따라서 영국의 정식 영어 명칭은 'The United Kingdom of Great Britain and Northern Ireland'이다. 그러나 보통 줄여서 'GB' 또는 'UK'라고 한다.

---

1) 송현옥, 「동아일보 문화 칼럼」(2006. 10. 25.), 동아일보사.

아일랜드는 영국 바로 옆에 있는 섬나라로 1949년 영국으로부터 완전히 독립했다. 하지만 북아일랜드는 지금도 여전히 영국령으로 남아있다. 우리가 '아일랜드', '아일랜드 공화국', '에이레', '애란' 등으로 부르는 나라의 정식 영어 명칭은 'The Republic of Ireland'이며, 보통 줄여서 'Ireland' 또는 'The Republic'이라고 한다. 한편, 로마인들이 부른 라틴어 명칭은 '하이버니아Hibernia: 'The Land of Winter'라는 뜻임'이고, 아일랜드의 옛 영어 명칭은 '투아하 데 다난족Tuatha de Danaan: Danu 여신의 부족'의 여왕이었던 'Eriu'에서 유래한 'Eire' 또는 'Erin'이다.

아일랜드의 국기國旗는 흰 바탕에 폭이 같은 초록green, 하양white, 주황orange의 세 가지 색이 세로로 그려져 있으며, 초록색은 가톨릭과 남아일랜드를, 주황색은 신교와 북아일랜드를, 흰색은 두 종교 집단의 화합을 상징한다.

아일랜드는 초록의 나라이다. 국토에서부터 국기國旗, 스포츠 의상, 심지어 전화 부스까지도 온통 초록이다. 따라서 아일랜드의 상징색은 '초록색green'이며, 아일랜드를 '에메랄드 섬Emerald Isle' 또는 '에메랄드빛 아일랜드'라고도 한다. 또 다른 상징은 '하프Harp'와 '세 잎 클로버'이다. 세 잎 클로버는 영어로 '샴록Shamrock'이라고 하는데, 이는 아일랜드가 가톨릭 국가라서 성부, 성자, 성신의 삼위일체를 뜻한다.

에메랄드빛 아일랜드섬은 서유럽의 끝자락 대서양 연안에 있으며, 전체 면적은 84,421㎢이고, 이 중에서 남아일랜드가 섬의 83%를 차지한다. 남아일랜드의 인구는 460만 명이고 북아일랜드는 180만 명이다. 북아일랜드의 주도主都는 벨파스트Belfast이고, 남아일랜드의 수도首都는 제임스 조이스James Joyce의 작품 배경이 되는 더블린Dublin이다. 기후는 전형적인 해양성 기후로 여름 3개월을 제외하고는 비가 오고 바람이 부는 날이 많다. 일상 언어로는 그들의 토속어인 아일랜드어Irish, Gaelic와 영어를 공용어로 사용하고 있으며, 인종은 켈트족The Celts이고, 종교는 주로 가톨릭Catholic이다.

우리 남한보다 작은 이 나라가 그토록 긴 세월 동안 처절한 고난과 시련을 겪어 왔고, 그들의 가슴속에는 아직도 풀리지 않는 한恨의 응어리가 자리하고 있다는 사실을 아는 이는 아마 별로 없을 것이다. 19세기의 아일랜드 역사가 윌리엄 리키William E. Lecky가 "인류 역사상 이들만큼 고난을 겪어 온 민족은 일찍이 없었다"라고 말한 것처럼, 그들 자신이 '이 세상에서 가장 슬픈 나라'라고 불렀던 아일랜드인의 슬픔은 아일랜드가 영국 바로 옆에 있다는 지정학적 사실로부터 기인할지도 모른다.[2)]

흔히 한국을 '동양의 아일랜드' 또는 '아시아의 아일랜드'라고 한다. 온갖 역경과 시련 속에서도 꿈을 잃지 않고 민족적 자부심과 고유한 민족문화를 지키며 사는 민족성이 유사한 점을 두고 하는 말 같지만, 사실은 외부 세력의 끊임없는 침략과 압박을 숙명처럼 받아들이며 살아온 비극적인 역사 때문인지도 모른다.

우리나라가 아시아의 동쪽 끝에 있는 것처럼 아일랜드도 유럽의 변방에 있으며, 우리가 일본의 식민지였던 것처럼 아일랜드도 영국의 식민지였다. 따라서 한국과 일본이 가장 가까우면서도 가장 먼 이웃이듯이, 아일랜드와 영국은 정말로 가깝고도 먼 이웃이다. 우리는 일제日帝의 식민통치를 36년 동안 받았지만, 12세기 이래로 근 750년이라는 긴 세월 동안 영국의 식민통치를 받으면서 살아온 아일랜드인의 역사를 생각한다면 그들의 슬픔과 시련이 어떠했겠는지 가히 짐작이 가고도 남는다.

---

2) 박지향, 『슬픈 아일랜드』(서울: 새물결, 2002), p. 31.

특히 그들의 주식主食이었던 감자 잎마름병potato blight으로 인해 1845년부터 1851년까지 7년 동안 지속된 대기근The Great Famine의 참혹한 역사는 인류 역사상 전무후무前無後無한 것이었다. 해가 지지 않는 대영제국의 방치 아래 100만이라는 엄청난 인구가 굶주림에 지쳐 죽어갔고, 끝내는 수많은 아일랜드인이 배고픔을 견딜 수가 없어 미국, 영국, 캐나다, 호주, 뉴질랜드 등지로 떠나가는 배에 아무런 기약도 없이 몸을 내맡겼다. 이때 사랑하는 가족, 친지, 연인들을 부둥켜안고 흐느껴 울면서 불렀던 노래가 바로 「대니 보이"Danny Boy"」로, 이는 그들이 기쁠 때나 슬플 때 뼈아팠던 지난날을 회상하면서 국가國歌 다음으로 즐겨 부르는 노래이다.

우리 한민족이 반만년의 역사 동안 끊임없는 외세의 침략을 받았으면서도 불요불굴의 저항정신과 '은근과 끈기'로서 살아왔듯이, 아일랜드인들도 '한lamentation'과 '패배defeat'와 '실패failure'로 점철된 역사로 인해 온갖 수난과 고통을 겪어 오면서도, 그들의 민족정기를 끝내 잃지 않고 문화민족으로서 지켜야 할 민족적 자부심을 지켜왔다. 왜냐하면, 예이츠William Butler Yeats가 "세계의 정신사는 피정복 민족의 역사였다"라고 말한 것처럼, 물질적 실패는 정신의 승리를 의미하기 때문이다. 오늘날 그들이 '유럽의 인도'라 자부하면서 문화의 우수성을 전 세계에 과시할 수 있는 것도, 따지고 보면 이러한 한恨의 역사와 무관치 않을 것이다.

때로 사람들은 한국 사람들이 라틴Latin족인 이탈리아 민족과 유사하다고 말한다. 그러나 노래 부르는 것을 좋아하는 것 말고는 사실상 두 민족 사이에 닮은 점이라고는 별로 없다. 오히려 한국 사람은 아일랜드 사람과 가장 비슷하다고 할 수 있다. 그러기에 한국인은 '아시아의 아일랜드인'이란 별명까지 얻었다. 자기 민족이야말로 이 세상에서 가장 순수하고 순결하며 뛰어나다고 믿는 맹목적 애국심, 자신들이 이 세상에서 가장 고난받은 민족이며 슬픈 민족이라고 생각하는 경향, 그리고 실제로 강대국 곁에서 겪어 온 수난의 역사 등 아일랜드와 우리나라는 역사적으로나 정서적으로 닮은 점이 너무나도 많다.[3]

① 지정학적으로 강대국(영국, 일본) 옆에 있는 점

② 바다로 둘러싸인 작은 국토 면적(아일랜드섬 전체 면적은 남한 면적의 85% 정도)

③ 강대국(영국, 일본)의 식민통치(아일랜드 750년, 한국 36년)를 받고 비교적 최근에 독립(아일랜드 1949년, 한국 1945년)한 점

④ 수난의 역사와 한恨의 정서

⑤ 강대국들에 의해 남(아일랜드, 한국)과 북(북아일랜드, 북한)으로 분단된 점

⑥ 강대국의 핍박을 딛고 높은 경제성장을 이뤄낸 점(켈트 호랑이, 아시아의 용으로 비유됨)

⑦ 이지적·이성적이라기보다 감성적·정감적이고 다혈질적인 민족

⑧ 강인한 국민성, 높은 교육열, 근면성

⑨ 흥이 많고, 음주와 가무歌舞를 즐기는 점

⑩ 예절을 중시하고 노인을 공경하는 대가족제도 전통

⑪ 민족적 순수성과 높은 애국심

⑫ 타인이나 이방인에 대한 호의적 태도

3) 박지향, 같은 책, p. 17.

그렇다. 아일랜드는 우리나라처럼 어둡고 슬픈 과거를 지닌 나라이자 약함과 강인함, 순종과 저항정신을 동시에 지닌 모순덩어리의 나라이다. 즉, 가톨릭과 신교, 아일랜드어와 영어, 독립과 통합 사이에서 방황해 온 양면적인 나라, 바로 '아일랜드, 아일랜드'인 것이다.[4)]

아일랜드 인구의 대다수를 차지하는 켈트족은 매슈 아놀드Matthew Arnold가 일찍이 지적했듯이, 본능과 상상력을 중시하는 정감적인 민족이다. 계절의 변화가 펼쳐주는 아름다운 자연을 벗 삼아 야생의 생활을 즐기면서, 먹고 마시고 이야기를 나누며, 춤추고 노래하기를 좋아하는 호탕한 기질을 지닌 민족이다. AD 431년 로마 교황이 파견한 선교사 팔라디우스Palladius에 의해 처음으로 기독교가 전파되고, 432년 아일랜드의 수호성인守護聖人 성 패트릭St. Patrick에 의해 수도원이 설립되어 본격적으로 기독교가 민중들 사이에 보급되기 이전까지, 그들은 삼라만상參羅萬像의 자연에 편재하는 정령과 영혼의 불멸성, 즉, '드루이드교Druidism'를 믿는 이교도들이었다.

수도원의 설립과 기독교의 보급은 켈트족의 찬란했던 과거 문화유산을 화려하게 꽃피우는 계기가 되었다. 수도원을 중심으로 수사修士들에 의해 민중들 사이에 구전口傳으로 전해지던 신화, 민담, 설화, 역사 등이 기록되어 널리 보급되고 보존되면서, 아일랜드는 7~8세기경에 유럽 정신문명의 진원지이자 유럽 문화의 중심 무대가 되었다. 따라서 당시 유럽 대부분 지역이 중세 암흑기로 접어들었지만, 유독 아일랜드만이 화려한 켈트 문화를 꽃피우며 '문명의 등불', '유럽의 등대', '성자와 학자의 나라' 등으로 널리 알려지게 되었다. 그뿐만 아니라 유럽의 거의 모든 국가가

---

4) 아일랜드 드라마연구회, 『아일랜드, 아일랜드』(서울: 이화여자대학교출판부, 2008), p. 6.

로마의 침략을 받아 그들의 과거 문화유산이 대부분 소실되었지만, 다행스럽게도 아일랜드는 로마 제국의 손길이 미치지 않았기 때문에, 찬란했던 고대 켈트 문화가 온전히 보존되고 전수되어 오늘날 그들의 문화유산 특히, 문학, 음악, 춤을 전 세계에 뽐낼 수 있는 자산이 되고 있다. 이에 더해 아일랜드의 쓰라린 식민지 경험은 단순히 고난과 좌절의 체험담이나 슬픔의 역사로만 남아있지 않고 문화의 밀알로 씨 뿌려져, 수난 속에 피어난 문화의 향기와 열매로 자리매김하게 되었다.

아일랜드인의 민족성과 특징, 그리고 문화 중에서 그들이 말하고 쓰는 방식만큼 다른 민족과 차별화된 것은 없다. 아일랜드인의 언어 사랑과 위대한 구전 문학 전통은 세계적으로 유명한 작가들이 탄생하는 밑거름이 되었다. 또한, 외세의 침략으로 인해 강요된 영어는 이 모든 유산을 잇는 가교架橋가 되었다.

우선, 아일랜드는 문학 분야에서 조지 버나드 쇼George Bernard Shaw, 윌리엄 버틀러 예이츠William Butler Yeats, 사무엘 베케트Samuel Beckett, 셰이머스 히니Seamus Heaney와 같은 노벨 문학상 수상자를 위시하여, 조나단 스위프트Jonathan Swift, 윌리엄 콩그리브William Congreve, 리처드 셰리든Richard Sheridan, 토머스 무어Thomas Moore, 오스카 와일드Oscar Wilde, 브램 스토커Bram Stoker, 숀 오케이시Sean O'Casey, 존 밀링턴 싱John Millington Synge, 올리버 골드스미스Oliver Goldsmith, 제임스 조이스James Joyce, 브렌던 비언Brendan Behan, C. S. 루이스Clive Staples Lewis, 버나드 맥래버티Bernard MacLaverty, 엘리자베스 보웬Elizabeth Bowen, 프랭크 오코너Frank O'Connor, 패트릭 카바나Patrick Kavanagh, 루이스 맥니스Louis MacNeice, 프랭크 맥코트Frank McCourt, 브라이언 프리엘Brian Friel, 로디 도일Roddy Doyle, 세바스천 배리Sebastian Barry, 앤 엔라이트Anne Enright, 존 밴빌John Banville, 콜름 토이빈Colm Toibin, 엠마 도노휴Emma Donoghue,

존 보인John Boyne, 콜럼 맥켄Colum McCann, 숀 오렐리Sean O'Reilly, 이오인 맥나미Eoin McNamee, 폴 머레이Paul Murray, 셰인 헤가티Shane Hegarty 등 세계 문학사에 빛나는 수많은 대문호를 배출함으로써 문학에 관한 한 타의 추종을 불허하고 있다.

다음으로, 음악 분야에서는 전통악기인 보란bodhran: 염소 가죽으로 만든 드럼의 일종, 하프harp, 일리언 파이프uilleann pipe: 백파이프의 일종, 피들fiddle, 바이올린, 플루트flute, 페니 휘슬penny(tin) whistle, 만돌린mandolin, 밴조banjo, 멜로디언melodeon: 버튼 아코디언이라고도 함 등으로 연주하는 민속 음악이 유명하고, 이러한 전통 때문에 아일랜드 출신의 가수들은 세계 음악계에서도 상당한 팬을 확보함으로써 주목을 받고 있다.

세계적으로 유명한 가수로는 영화 『반지의 제왕*The Lord of the Rings*』에서 삽입곡 「되게 하소서"May It Be"」를 부른 엔야Enya를 비롯하여 밴 모리슨Van Morrison, 씬 리지Thin Lizzy, 메리 블랙Mary Black, 시네이드 오코너Sinead O'Connor, 다니엘 오도넬Daniel O'Donnell, 데이미언 라이스Damien Rice, 조 돌란Joe Dolan, 크리스티 무어Christy Moore 등이 있고, 대표적인 그룹으로는 클랜시 브라더스Clancy Brothers, 플랭스티Planxty, 무빙 하츠Moving Hearts, 퓨리스The Fureys, 클래나드Clannad, 치프턴스The Chieftains: 가장 중요한 전통음악 그룹으로, 1963년 이래 40여 장의 앨범을 발매함, 크랜베리스The Cranberries, 더블리너즈The Dubliners: 1960년대에 가장 큰 성공을 거두었으며 서민적 성향이 강한 그룹, 코어스The Corrs, 더 울프 톤스The Wolfe Tones: 1963년 조직된 아일랜드의 4인조 포크 음악 그룹, 보이존Boyzone, 보시 밴드Bothy Band: 부주키 연주자 Donal Lunny, 일리언 파이프 연주자 Paddy Keenan, 플루트와 휘슬 연주자 Matt Molloy, 피들 연주자 Paddy Glackin, 아코디언 연주자 Tony MacMahon 등으로 구성됨, 유투U2 등이 있다.

영화 『주홍글씨』에서 여배우 고故 이은주가 불러서 국내에서 유명해진 「내가 잠잘 때뿐이지“Only When I Sleep”」가 바로 코어스의 노래이다. 유투U2 그룹의 리드 싱어 보노Bono는 세계적 인권운동가이자 에이즈AIDS 퇴치 활동가로서, “우리는 모두가 평등할 때까지 아무도 평등하지 않다No one is equal until everyone is equal.”라는 유명한 말을 남겼으며, 1999년 데뷔한 감미로운 목소리의 4인조 밴드 웨스트라이프Westlife도 모두 아일랜드 출신의 멤버들로 구성되어 있다.

오늘날 아일랜드 음악전통음악, traditional music은 팝 음악pop music에 밀리는 여타의 유럽 음악과는 달리 여전히 활력과 인기를 누리고 있다. 그뿐만 아니라 전통적 특징을 그대로 유지하면서 미국의 컨트리country 음악과 웨스턴western 음악에 많은 영향을 주고 있다.

마지막으로, 전통춤 분야에서는 네 쌍의 남녀가 함께 추는 ‘세트 댄스Set Dance: 아일랜드 음악과 춤을 합쳐 각색한 춤으로, 남녀 네 쌍이 정해진 형식에 따라 파트너를 바꾸어가면서 우아한 세부 동작을 반복하는 춤’와 이 춤을 변형한 ‘케일리 댄스Ceili [dh] Dance: 아이리시 사교댄스’가 해외 이산離散, Diaspora의 시기에 아일랜드 전역에서 크게 유행했으며, 100년 이상 동안 인기를 누려오고 있다. 특히, 상체를 바로 세우고 두 손을 편안하게 내린 다음, 두 발만을 이용하여 큰 소리를 내면서 추는 ‘스텝 댄스Step Dance’는 전 세계적으로 유명한데, 근래에는 브로드웨이Broadway와 접목을 시도함으로써 대형 쇼로 거듭남과 동시에 상업화에도 성공했다. 그중에 우리나라에서도 공연된 바 있는 ‘스피릿 오브 댄스Spirit of the Dance’, ‘로드 오브 댄스Lord of the Dance’, ‘리버댄스Riverdance’를 비롯하여, ‘블랙 47Black 47’, ‘겔포스 댄스Gaelforce Dance’ 등은 지구촌 곳곳에서 큰 호응을 불러일으키며 보는 이들에게 신선한 충격과 함께 깊은 감동을 선사하고 있다.

강과 산, 바다와 호수로 어우러져 늘 에메랄드빛을 발하는 아름다운 나라 아일랜드. 현대 문명의 숨 가쁜 소용돌이 속에서도 시간의 흐름을 저리하고 사색과 명상을 즐기며 유유자적悠悠自適의 삶을 살아가는 마음이 풍요로운 사람들. '펍Pub, Public House, Public Living Room, 선술집'에 둘러앉아 기네스Guinness 맥주를 마시면서 이야기 나누기를 좋아하고, 문학과 음악, 춤과 스포츠에 취해서 살아가는 순진무구純眞無垢하고 정겨운 사람들.

번잡한 현대 문명과 세파에 찌든 불쌍하고 고달픈 현대의 영혼들이여! 문학과 음악 그리고 춤이 있는 문화의 메카Mecca이자 지구촌의 오아시스oasis, 아일랜드로 오라. 그러면 아일랜드가 그대들의 가엾고 지친 영혼을 달래줄 것이니.

(용인대)

2장

예이츠와 아일랜드

PHOTO BY SUNG SOOK HONG
리피강 주변의 기근 때를 추모하는 조각상들

__ 예이츠를 좇아서: 아일랜드, 터키, 그리스

안중은

금년 6월 하순에 한국예이츠학회 창립 30주년 기념 수필집에 게재할 원고의 청탁을 받았다. 이 원고에서 필자는 윌리엄 버틀러 예이츠 William Butler Yeats 시 배경의 연구 자료를 수집하기 위하여 아일랜드와 터키 및 그리스를 방문하면서 느낀 벅찬 감동의 추억을 회고하고자 한다. 2012년 7월 12일 안동대학교 학술연구조성비로 논문 「W. B. 예이츠와 T. S. 엘리엇: 쿨 장원과 번트 노턴 비교」의 연구 자료 수집차 처음 아일랜드를 방문하였다. 육군3사관학교 동료 교관이었던 한일동 명예교수용인대, 전 한국예이츠학회장의 소개로, 8일간 더블린에서 『내 사랑 아일랜드』(2012) 도서와 DVD의 저자 주지동과 이선영 부부의 자택에 머물면서 이들의 승용차로 다른 두 분의 한국 여성과 함께 더블린 근교와 골웨이와 슬라이고를 방문하였다.

우선 예이츠의 첫 번째 공간은 그의 시 「원탑 아래에서 "Under the Round Tower"」의 소재가 된 것으로 위클로 산맥Wicklow Mountains의 명승지 글렌다록Glendalough에 위치한 초기 아일랜드의 폐허 수도원 종탑인 원탑 Round Tower이었다. 또한 포스터R. F. Foster가 방대한 전기 『W. B. 예이츠 생애: 제2권 대시인*W. B. Yeats: A Life II. The Arch-Poet*』에서 언급했듯이, 1918년 3월 예이츠와 부인 조지George가 글렌다록의 로얄호텔Royal Hotel에 머물면서 방문했을 이 탑은 10~13세기 축조된 약 30m 높이의 원탑으로서 "비의적秘儀的 함의"를 내포하고 있다고 시인이 믿은 그대로 신비로운 느낌을 강렬하게 전해주었다. 또 예이츠의 시 「글렌다록의 냇물과 태양 "Stream and Sun at Glendalough"」에는, 1932년 글렌다록 부근에 살고 있던 이졸트 곤Iseult Gonne에게 시인이 청혼했으나 거절당한 후에 느꼈을 비참한 회한이 제4행 시구 "바보 같은 짓거리Some stupid thing"와 제6행 시어 "후회Repentance" 안에 오롯이 들어있다. 짙은 안개로 맑은 빙하 호수 글렌다록로워호Glendalough Lower Lake는 아쉽게도 마주하지 못했으나, 드넓은 글렌다록어퍼호Glendalough Upper Lake의 먼 산들은 안개에 싸여 희미했으며, 계절적으로 한여름이지만 초가을 같은 쌀쌀한 날씨에도 불구하고 상당수 관광객이 울창한 숲이 우거진 산으로 에워싸인 호숫가에서 망중한을 즐기고 있었다.

이윽고 일행은 아일랜드 서부 골웨이 카운티County Galway 남쪽 고트Gort 마을 가까이에서 예이츠의 시 「탑"The Tower"」에 등장하는 상징적인 발릴리탑과 조우하였다. 낡은 "발릴리탑/ 예이츠센터Thoor Ballylee/ Yeats Centre" 이정표 옆에 견고하게 세월의 무게를 지탱하고 있는 웅장한 이 탑은 14세기 노르만족 아일랜드인들의 건축물이었는데, 1917년 1월 그레고리 여사의 제안에 따라서 예이츠가 첫 번째 집으로 구입하고 복구한 공간이었다. 발릴리탑 석판에는 6행의 헌정시가 새겨져 있었다.

> 나, 윌리엄 예이츠 시인은
> 낡은 판지와 해록색海綠色 점판암과
> 고트 대장간에서 제조한 것들로
> 이 탑을 아내 조지를 위해 복구하였다.

모든 것이 또다시 폐허가 되어도
이 글자들은 남아 있기를 바란다.

I, the poet William Yeats,
With old millboards and sea-green slates,
And smithy work from the Gort forge,
Restored this tower for my wife George.
And may these characters remain
When all is ruin once again.

예이츠가 모드 곤Maud Gonne의 다섯 차례 청혼 거부로 1917년(52세)에 만혼한 아내 조지를 향한 사랑이 고색창연한 탑 복구의 동기라는 것을 확인하고는, 시인이 아내와 함께 거주하면서 작시에 몰두하던 과거를 떠올렸다. 1989년 7월 10일 예이츠의 아들 마이클 버틀러 예이츠Michael Butler Yeats, 1921-2007에 의해 개방된 건물 예이츠센터, 즉 해설 센터Interpretative Centre는 출입 금지이므로 아쉽지만 내부를 탐방하지 못하였다. 이 글을 쓰면서 인터넷 검색으로 확인한 2동 건물과 발릴리탑의 내부 사진들 중에서 2004년 여름에 방문한 윌리엄 워즈워스William Wordsworth의 저택 더브 산장Dove Cottage에서 본 인공 벽난로 불과 유사한 것을 보고 추후 다시 방문하고 싶은 생각이 들었다. 곧 일행은 발릴리탑 배경의 이색적 풍광을 카메라에 담고, 탑 아래로 흘러가는 스트림즈타운강Streamstown River의 물살을 바라보았다. 이 강물은 석회암 지층으로 흘러 들어가서 가까운 쿨 장원에 이르러서는 넓은 쿨 호수를 형성하는 것이다. 예이츠의 시 「쿨과 발릴리, 1931년“Coole and Ballylee, 1931”」는 발릴리탑과 쿨 장원을 연결하는 의미심장한 시이다.

이어서 예이츠의 시 「일곱 숲속에서"In the Seven Woods"」, 「쿨호의 야생 백조"The Wild Swans at Coole"」, 「쿨 장원, 1929년"Coole Park, 1929"」 등의 소재가 된 공간이며, 발릴리탑에서 가까운 곳에 위치한 쿨 장원을 방문하였다. 쿨 장원 방문객센터Coole Park Visitor Centre의 내부에는 그레고리 여사Lady Augusta Gregory, 1852-1932의 흉상 그리고 군복 차림의 실론 총독Governor of Ceylon이었던 부군 윌리엄 그레고리 경Sir William Gregory, 1816-92의 입상이 놓여 있어서, 쿨 장원의 소유주가 누구인지 말없이 알려주었다. 예이츠의 시 「아름답고 숭고한 분들"Beautiful Lofty Things"」 제7행 "큼직한 도금 테이블에 앉아 있는 오거스타 그레고리Augusta Gregory seated at her great ormolu table"는 화려한 귀족 생활을 한 여사의 단면을 실감 나게 재현하고 있다. 또한 당대 수많은 유명 인사들이 방문하였으나 사라진 그레고리 여사의 3층 쿨 저택Coole House의 소형 모형, 침대, 의자, 찻주전자와 찻잔, 저서와 장서, 대나무 손부채 및 손자 리처드 그레고리Richard Gregory의 윈체스터 장총과 케이스 등 유품들이 잘 보존되어 있었다. 특히 손부채에는 예이츠를 비롯하여 화가 동생 잭 예이츠Jack B. Yeats, 숀 오케이시Sean O'Casey, 조지 무어George Moore, 싱J. M. Synge, 버나드 쇼G. Bernard Shaw, 럿야드 키플링Rudyard Kipling, 토마스 하디Thomas Hardy, 마크 트웨인Mark Twain, 헨리 제임스Henry James, 브렛 하트Brett Harte 등 당대 기라성 같은 아일랜드와 영미작가들 및 미국 대통령 시오도 루즈벨트Theodore Roosevelt의 서명까지 적혀 있어서 사교계에서 그레고리 여사의 높은 위상을 방증하고 있었다. 방문객센터의 벽면에 걸려 있는 예이츠 패널에 그레고리 여사 손녀의 흥미로운 회상이 적혀 있었는데, 할머니가 예이츠를 윌리Willie라고 불렀고, 그가 항상 쿨 장원을 찾아와서 함께 여름을 보냈으며, 그가 콧노래를 부르면서 여기저기 거닐 때 할머니는 그가 시를 쓰고 있다고 말했다고 한다. 또한 예이츠의 시 「쿨호의 야생 백조」의 첫 6행을 배경으로 한가운데 날개를 펼치면서 호수 위를 박차고 날아오르는 백조 한 무리, 새끼들과 노니는 백조들, 원경에 하늘 높이 날아가는 백조들 그리고 야생 조류의 그림이 그려져 있어서 쿨 장원에서 생명의 근원인 쿨호Coole Turlough가 수많은 철새의 도래지임을 직감할 수 있었다. 방문객센터 밖에 폐허만 남은 외양간으로 사용된 드넓은 푸른 초원에는 4마리 사슴이 유유히 풀을 뜯고 있었고, 과거 3층 쿨 저택 주초 위의 흑백사진에는 예이츠의 「쿨과 발릴리, 1931년」 제29-30행 "견문 넓은 분들과 아이들이 만족하고 즐거워했던/ 큼직한 방들Great rooms where travelled men and children found/ Content or joy"을 인용하였으나, 영국식 단어 "travelled" 대신 미국식 단어 "traveled"로 오기하였고 시행 구분도 하지 않은 것은 유감이었다. 이어서 광활한 쿨 장원의 잔디와 수목 속에 있는 너도밤나무Copper Beech가 성장하면서 희미하지만, 예이츠의 서명 "WBY"를 비롯하여 아일랜드 초대 대통령 더글러스 하이드Douglas Hyde 등 명사들 이름의 머리글자가 새겨진 거목 서명나무Autograph Tree를 바라보았다.

한편, 쿨호와 "일곱 숲"의 재방문은 단체여행이 끝난 후 혼자 더블린 답사를 어느 정도 마치고 나서 버스와 도보로 찾아가서 이루어졌다. 울창한 숲을 가로지르는 도로변의 커다란 표지석 "쿨Cúil, COOLE"이 장원 초입에서 말없이 반겨주었다. 아름다운 숲과 아름드리나무들이 우거진 쿨 장원은 시나브로 에덴동산 같은 느낌으로 다가왔다. 예이츠가 그레고리 여사에게 헌정하고 일곱 숲의 특징을 묘사한 극시 『환영의 바다*The Shadowy Waters*』의 「서시」 제1-16행이 숲속에서 꽃들의 꿀을 따는 야생벌의 그림과 함께 첫 번째 숲 "파크-나-카릭, 바위 들판Pairc Na Carraig, Rocky Field"

제하의 안내판에 나와 있었다. 상쾌한 숲속의 소로를 따라가니 하늘로 비상하는 4마리 백조와 「쿨호의 야생 백조」 제17행 "머리 위에 저 영롱한 날개 소리The bell-beat of their wings above my head"가 새겨진 석비 너머 잔잔한 파도가 일렁이는 넓은 쿨호가 그 진면목을 드러내었다. 또한 "호수Turlough" 이정표의 방향으로 가니, 물 위에서 유영하는 5마리 백조와 위의 시 제25-26행 "하지만 이제 백조들은 고요한 물 위에/ 신비롭고 아름답게 떠 있는데But now they drift on the still water,/ Mysterious, beautiful"가 새겨진 석비 너머로 쿨호의 다른 경관이 펼쳐졌다. 예이츠가 시에서 묘사한 쿨호의 백조를 관찰하려고 멀리 유심히 시선을 돌리다가, 5마리 백조가 유유자적하는 모습을 발견하고는 무척 기쁜 마음으로 카메라의 줌을 당겨서 촬영하였다. 방문객센터 안내원의 설명에 따르면, 철새 백조들이 위의 시 제3행 시어와 같이 "10월October"에 겨울을 나기 위하여 찾아온다고 하니 더 많은 백조를 목격하는 것은 다음 기회로 미루어야 했다.

이윽고 소로 좌우에 우거진 숲과 위의 시 제2행 "숲속 길들은 메마르고The woodland paths are dry"가 새겨진 석비에서 "일곱 숲길7 Woods Trail" 이정표를 따라 시간에 쫓기는 매의 눈으로 숲속을 탐색하였다. 앞에서 언급한 예이츠의 「서시」 16행이 소로 좌우로 햇빛을 차단하는 울창한 나무들이 뻗어 있는 그림과 함께 두 번째 숲 "그늘진 킬-도레허Shadowy Kyle-dortha," 즉 "킬 도레허, 어두운 숲Kyle Dortha, Dark Wood" 제하의 안내판에 나와 있었다. 어두운 숲속의 소로를 한참 따라가니 예이츠의 시 「킬-나-노에서 다람쥐에게"To a Squirrel at Kyle-na-no"」의 배경이 된 세 번째 숲 "양지바른 킬-나-노sunnier Kyle-na-no", 즉 "킬-나-노, 견과의 숲Kyle-na-no, Nut Wood"이 시 전문과 함께 숲속에서 다람쥐 한 마리가 견과를 잡고 있는 그림이 안내판에 나와 있었다. 킬-나-노 숲의 소로는 예이츠의 표현대로 햇살이 스며들어 밝았으며, 한참을 걸어가자 거대한 나무 아래에 쉬어 가도록 석조 벤치가 놓여 있었다. 이어서 하늘로 쭉쭉 뻗어 있는 울창한 거목들을 바라보면서, 쿨 장원은 엘리엇의 시 「번트 노턴"Burnt Norton"」에 등장하고 2009년 여름 필자가 방문한 번트 노턴 장원과 더불어 두 시인이 표현한 "낙원" 또는 "최초의 세계"를 연상시켰으므로 새삼 벅찬 감격에 사로잡혔다. 일곱 숲 중에서 시간 관계상 방문하지 못한 샨-볼라Shan-walla—옛 성벽Sean Bhalla, 파크-나-리Pairc-na-lee—송아지 들판Field of the Calves, 파크-나-타레브Pairc-na-tarav—황소 들판Field of the Bulls, 인치 숲Inchy wood—목초지 숲Wood of the Water Meadows의 네 숲은 아쉽게도 다음 기회로 미루어야 했다. 서명나무 소로를 따라 나오다가 당대에 수많은 명사가 운집했던 그레고리 여사의 3층 저택이 사라지고, 주추와 빛바랜 출입 돌계단의 남은 흔적을 바라보면서 세월의 덧없음과 인생무상을 절감하였다. 이윽고 더블린행 버스를 타고 시내에 내려 들린 선술집에서 아일랜드 흑맥주 기네스Guinness 한 잔을 마시고, "알링턴 아일랜드 춤과 디너쇼Arlington Irish Dancing & Dinner Show"를 즐기면서 하루의 피로를 풀었다.

다른 한편, 단체여행 둘째 날 아일랜드 북서부 슬라이고로 가는 도중에 드디어 예이츠의 목가적 시 「이니스프리 호도"The Lake Isle of Innisfree"」의 소재가 된 이니스프리 호수 섬을 찾아갔다. 예이츠의 초상화가 그려진 "예이츠 고장 여행 명소 8번Yeats Country Tour Location No. 8"과 "이니스프리 호도Lake Isle of Inishfree" 안내판들을 따라가니 넘실대는 길호Lough Gill 위로 솟아오른 작은 이니스프리 섬이 시야에 들어왔다. 소위 예이츠 10경 중 제7경이 길호이고, 제8경이 이니스프리인 것이다. 너무나 유명한 시에 비하여 실제 작은 섬에 잠시 실망했으나, 호수와 섬을 배경으로 활짝 웃으며 기념사진을 촬영하였다. 이어서 길호 주변에 예이츠 제9경인 웅장한

규모의 3층 파크스성Parkes Castle 내부를 둘러보고, 앞의 안내판에 "야생장미 수상버스The Wild Rose Waterbus"의 운항 공지와 함께 예이츠의 초상화와 「이니스프리 호도」의 첫 시행 "나 일어나 이제 가리 이니스프리로 가리I will arise and go now and go to Innisfree"를 보면서 예이츠의 유명세가 상업화되고 있음을 직감했다. 이어서 "예이츠 고장 여행 명소 10번Yeats Country Tour Location No. 10"—예이츠 제10경으로 그의 시 「유랑하는 엥거스의 노래"The Song of Wandering Aengus"」 제1행 "나는 개암나무숲으로 나갔다.I went out to the hazel wood."의 소재인 "개암나무숲Hazelwood"을 찾아갔다. 개암나무 삼림Hazelwood Forest 속의 산책로를 따라가니 빛나는 길호에서 10여 마리 백조와 청둥오리들이 무리지어 다가오면서 반겨주었다. 숲속과 호수의 상쾌한 기운을 받고서 일행은 고단한 여행 도중 달콤한 휴식을 취했다.

이윽고 슬라이고의 2층 얼스터은행Ulster Bank 앞에서 1989년 예이츠 사후 50주년을 기념하기 위하여 지역 주민들이 건립한 시인의 날씬한 청동상을 발견하였는데, 시인의 시어들로 상·하의를 빼곡히 수놓고 있었다. 슬라이고 예이츠학회Yeats Society, Sligo의 본부가 위치하고, 시인 관련 자료들이 전시된 예이츠기념관Yeats Memorial Building 내부는 입장하지 못해서 아담한 3층의 붉은 벽돌 건물의 외관만 카메라에 담았다. 곧 멀리 보이는 녹나리Knocknarea 산과 인접하여 바다가 내려다보이는 "예이츠 고장 여행 명소 2번Yeats Country Tour Location No. 2"—예이츠 제2경 로시즈곶Rosses Point이 시야에 들어왔다. 근경의 바다와 원경의 불벤산Ben Bulben이 조화롭게 어우러진 아름다운 로시즈곶에 세찬 해풍을 맞으며 두 팔을 벌리면서 고기잡이하러 출항한 남편, 아들, 연인들의 무사귀환을 기원하며 "해변에서 기다리는Waiting on Shore" 여인의 청동상 및 가까이 하얗고 깔끔한 예이츠 고장호텔Yeats Country Hotel이 인상적이었다. 로시즈곶은 예이츠의 시 「도난당한 아이「The Stolen Child」 제13-15행 "달빛의 파도가 희미한 잿빛 사장을 / 번들거리게 하는 곳,/ 로시즈곶의 제일 으슥한 곳에서Where the wave of moonlight glosses/ The dim grey sands with light,/ Far off by furthest Rosses"에 나와 있듯이 예이츠의 유년 시절 추억의 공간이었다. 포스터는 『W. B. 예이츠 생애: 제1권 견습마법사*W. B. Yeats: A Life I. The Apprentice Mage*』에서 로시즈곶 주변에 대한 어린 예이츠의 회상은 "예지적 환상과 유령 및 흉가"가 두드러졌다고 언급하고 있다. 한편, "예이츠 고장 여행 장소 1번Yeats Country Tour Location No. 1"—예이츠 제1경 캐로우모어Carrowmore, 즉 캐로우모어 거석 공동묘지Megalithic Cemetery에서 여러 형태의 고인돌 무덤을 호기심 있게 관찰하였다. 원경에는 메이브 여왕Queen Maeve의 돌무덤이 배꼽 모양으로 정상에 세워져서 "왕의 산King's Mountain"으로 유명한 327m 녹나리산이 시야에 다시 들어왔다. 녹나리와 메이브 여왕은 예이츠의 시 「아일랜드에 관한 붉은 머리 핸러핸의 노래"Red Hanrahan's Song about Ireland"」 제6-7행 "바람은 녹나리의 하늘 높이 구름들을 뭉쳐 놓았고,/ 메이브가 호소했음에도 돌무덤에다 벼락을 쳤다.The wind has bundled up the clouds high over Knocknarea,/ And thrown the thunder on the stones for all that Maeve can say."에서 선명하게 묘사되고 있다.

이어서 "예이츠 고장 여행 명소 3번Yeats Country Tour Location No. 3"—예이츠 제3경 드럼클리프Drumcliff를 찾아갔다. 드럼클리프 교회 주차장 옆 돌바닥에는 2002년 재키 맥케나Jackie McKenna가 조각한 예이츠의 8행시 「하늘의 천을 원하다"He Wishes for the Cloths of Heaven"」가 석회석 바닥에 16행시 음각의 대문자로 새겨져 있었고, 발 앞에 너덜너덜하게 기운 흔적들이 역력한 거대한 손수건 같은 천 앞에서 모자와 신발과 상의도 없는 가련한 남성 청동 조각상이 두 손을 마주 잡고 사랑하는 여인의 분부를 기다리는 듯 쪼그리고 앉아 있었다. 물론 남성은 예이츠를, 여인은 그가 열렬히 연모하던 곤을 상징하는 것이다. 드럼클리프 교회 묘역에서는 예이츠와 부인 조지의 합장된 무덤이 시선을 사로잡았다. 방문객을 숙연하게 한 예이츠의 묘비명은 그의 시 「불벤산 아래"Under Ben Bulben"」 제6부 마지막 3행 "차가운 시선을 던져라/ 삶과 죽음에다./ 말 탄 자여 지나가라.Cast a Cold Eye/ On Life, on Death./ Horseman, pass by."를 인용했으나, 원시와는 조금 다르게 새겨져 있었다. 그의 시전집에 나와 있는 원시는 다음과 같다.

Cast a cold eye
On life, on death.
Horseman, pass by!

한편, 드럼클리프의 성콜럼바 교회묘역St. Columba Churchyard의 돌담 너머 멀리 바라보이는 웅장한 불벤산은 가까이 오라고 손짓을 하는 것 같았다. 교회 옆의 드럼클리프 찻집과 기념품 가게에서 잠시 휴식을 취하면서 『W. B. 예이츠 시전집*Collected Poems of W. B. Yeats*』, 노먼 제퍼스A. Norman Jeffares의 편주해서 『W. B. 예이츠: 사랑시*W. B. Yeats: The Love Poems*』, 케빈 코놀리Kevin Connolly의 저서 『예이츠와 슬라이고*Yeats and Sligo*』 등을 구매하였다. 매장 서가 위쪽 판자에 예이츠의 「하늘의 천을 원하다」 제7-8행 "그대 발밑에 내 꿈들을 펼쳐 놓았으니,/ 사뿐히 밟아요, 그대 내 꿈 밟고 가는 것이니.I have spread my dreams under your feet;/ Tread softly because you tread on my dreams.", 「야생의 숲"The Ragged Wood"」 마지막 제12행 "당신과 나 외엔 아무도 여태 사랑한 적 없노라고No one has ever Loved but You and I.", 「에바 고어-부스와 콘 마르키에비츠를 추모하여“In Memory of Eva Gore-Booth and Con Markiewicz”」 제24-25행 “순진한 사람들과 아름다운 사람들은/ 시간 외에는 적이 없는 법이지.The Innocent and the Beautiful/ Have no Enemy but time”, 「불벤산 아래」 제6부 제1-2행 “불벤산의 벌거벗은 봉우리 밑,/ 드럼클리프 교회 묘역에 예이츠는 누워 있다.Under bare Ben Bulben's head/ In Drumcliff Churchyard Yeats is laid.” 등 일부 소문자 시어를 대문자로 바꾸고 시행 구분이 없이 장식해놓았으나, 아일랜드 거장 시인의 영향력을 가히 짐작할 수 있었다.

드럼클리프 교회를 나서니 예이츠의 시 「불벤산 아래」 이외에도 「새벽녘에 이르러“Towards Break of Day”」 제6행 “불벤산 기슭에Upon Ben Bulben side”로 언급된 불벤산이 도로변 초원에서 양 떼들이 한가로이 풀을 뜯는 광경 너머 “웅크려 잠들어 있는 거대한 괴물” 형상의 웅장한 자태를 드러내었다. 압도적인 불벤산은 빙하 속에 갇혀 있던 아일랜드가 빙하시대에 석회암이 녹아내려서 주름진 흔적이 장관이고, 평탄한 고원 형상으로 526m 높이의 산이다. 해안 도로를 따라가니 원경의 불벤산을 배경으로 고요한 푸른 바다 위에 표표히 떠 있는 하얀 요트들 사이로 물보라를 힘차게 가르면서 질주하는 제트보트가 화룡점정으로 여름을 한껏 즐기고 있었다. 이윽고 뭉게구름이 떠 있는 푸른 하늘 아래 불벤산 배경으로 멀리서 교회가 잔잔하게 파도치는 푸른 바다와 광활한 푸른 초원 위로 시야에 서서히 들어오는 광경은 한 폭의 그림 같았다.

한편, “예이츠 고장 여행 명소 4번Yeats Country Tour Location No. 4”—예이츠 제4경으로 도로에서 잘 보이지 않는 숲속의 리사델Lissadell 저택을 시행착오 끝에 겨우 찾아갔으나 개방되지 않아서 아쉽지만 철조망 사이의 웅장한 2층 잿빛 “신고전주의” 석조건축물을 카메라에 담았다. 리사델 저택 외관의 특징은 예이츠의 시 「에바 고어-부스와 콘 마르키에비츠를 추모하여」 제1-2행 "리사델의 저녁녘 햇살,/ 남향의 거대한 창문들The light of evening, Lissadell,/ Great windows open to the south"에 잘 묘사되어 있다.

이어서 일행은 리트림 카운티County Leitrim에 있는 "예이츠 고장 여행 명소 6번Yeats Country Tour Location No. 6"—예이츠 제6경인 글렌카Glencar를 찾아갔는데, 이곳은 글렌카 폭포Glencar Waterfall와 글렌카호Glencar Lough로 유명하다. 글렌카 안내 표지판에는 예이츠의 시 「도난당한 아이」 제28-32행 "유랑하는 물이 글렌카 위의 산에서/ 쏟아져 내리는 곳,/ 별 하나 제대로 멱 감지 못하는/ 골풀 사이 웅덩이에서/ 우리는 선잠 자는 송어를 찾아Where the wandering water gushes/ From the hills above Glen-Car,/ In pools among the rushes/ That scarce could bathe a star,/ We seek for slumbering trout"가 소개되어 있어서 어린 시절 시인이 글렌카 폭포에서 물고기 잡으며 뛰어놀던 추억의 공간으로 다가왔다. 시원하게 쏟아지는 풍성한 물줄기와 상쾌한 공기에서 방출되는 음이온이 누적된 피로를 단번에 날려버리는 약 15m 높이의 글렌카 폭포였다.

이튿날 더블린으로 돌아와서 혼자 버스와 도보로 예이츠의 발자취를 따라간 것은 그의 시 「아름답고 숭고한 분들」 제2행 "애비극장 무대 위의 내 아버지My father upon the Abbey stage"에서 언급되었고, 시인-극작가가 그레고리 여사와 함께 아일랜드 문예부흥 운동의 일환으로 더블린 시내 중심지에 1904년 창립하고, 1966년 재건된 아담한 2층의 애비극장The Abbey Theatre이었다. 이 극장에서 이들 이외에 오케이시와 싱 등 극작가들이 연극을 공연함으로써 아일랜드 관객들의 심성을 순화시켰으며, 예이츠는 오스카 와일드Oscar Wilde, 1854-1900, 조지 버나드 쇼George Bernard Shaw, 1856-1950, 조지 무어George Moore, 1852-1933를 계승하거나 교류하고, 현대 부조리 극작가 사무엘 베케트Samuel Beckett, 1906-89가 활약하는 토양을 마련하였다. 이어서 예이츠의 시 「파넬"Parnell"」과 「파넬의 장례식"Parnell's Funeral"」 및 그의 『자서전들*Autobiographies*』 중에서 「떨리는 면사포*The Trembling of the Veil*」 제3권 「파넬 이후의 아일랜드"Ireland After Parnell"」의 소재가 된 아일랜드 민족운동가 찰스 스튜어트 파넬Charles Stewart Parnell, 1846-91의 청동상과 양각으로 도금된 아일랜드 악기 하프 및 꼭대기에 청동 장식의 횃불이 세워진 높다란 파넬 기념비를 바라보았다. 또한 예이츠의 시 「1916년 부활절"Easter 1916"」의 소재가 된 당시 부활절 봉기 기간 아일랜드혁명군이 점령했던 중앙우체국General Post Office을 마주하였다. 이 건물은 출입구 전면에 6개, 앞뒤로 총 12개 이오니아식 기둥이 떠받치고 있으며, 아일랜드를 의인화한 히베르니아Hibernia가 왼손으로 하프를, 오른손으로 창을 들고 서 있는 대리석 조각상이 꼭대기에 설치된 3층 건축물이었다. 그리고 1996년 바로 앞의 넬슨기념비를 폭파한 자리에 세워진 하늘을 찌를 듯 긴 창 모양의 은색 금속 더블린첨탑Spire of Dublin은 자유는 공기와 물처럼 거저 주어지는 것이 아니라 오로지 막강한 대영제국의 폭정에 격렬히 저항하는 아일랜드 순국자들이 피 흘린 토양 위에서 꽃피운 것임을 새삼 절감하게 해줬다.

이어서 조우한 오른손에 지팡이를 짚고 안경을 끼고 하늘을 바라보는 제임스 조이스James Joyce 청동상은 모더니즘 최고 소설가답게 고고한 자태를 여지없이 내뿜었다. 예이츠에게 조이스가 먼저 습작시를 써서 보내자, 전자가 비서 에즈라 파운드Ezra Pound에게 그에게 관심을 가지라고 부탁한 결과 모더니즘 최고 시인 엘리엇T. S. Eliot과 소설가 윈덤 루이스Wyndham Lewis가 파리에서 조이스를 만난 것은 문학사에서 놀라운 사건이다. 이어서 더블린작가박물관Dublin Writers Museum에 전시되고 있는 예이츠, 조이스, 베케트 등의 원고와 초고 및 유품들은 필자에게 벅찬 감동을 선사하기에 충분하였다. 예이츠 시집 『탑*The Tower*』의 1928년 초판본, 1916년 부활절 봉기 당시 사형집행을 대서특필한 빛바랜 신문 『이브닝 헤럴드*Evening Herald*』, 조이스의 시집과 소설 『율리시즈*Ulysses*』 초판본, 베케트의 희곡 『고도를 기다리며*Waiting for Godot*』 초판본, 예이츠의 동전들, 조이스의 피아노, 베케트의 전화기 등이 시선을 사로잡았다.

이어서 강폭이 템즈강보다 훨씬 좁은 리피강River Liffey을 조망하는 오코넬교O'Connell Bridge를 건너가서, 예이츠가 『자서전들』에서 "오코넬 세대와 학파의 으스대는 수사와 사교적인 익살bragging rhetoric and gregarious humour of O'Connell's generation and school"이라고 진술하고 있는 다니엘 오코넬Daniel O'Connell, 1775-1847의 웅장한 청동상과 조우하였다. 오코넬은 대영제국의 종교차별 정책에 대항하여 식민지 아일랜드의 가톨릭해방Catholic Emancipation 투쟁을 이끈 정치 지도자였다. 또한 예이츠가 『자서전들』에서 언급하고 있는 『아일랜드의 선율*Irish Melodies*』의 서정시인 토마스 무어Thomas Moore, 1779-1852의 청동상을 카메라에 담았다.

한편, 1592년 엘리자베스 1세가 창립하여 역사가 유구한 아일랜드 최고 명문대 트리니티대학더블린Trinity College Dublin을 탐방하였는데, 주두에 4개의 코린트식 문양 기둥이 떠받치고 있는 4층 건물 입구 좌우에는 자랑스러운 동문 소설가 올리버 골드스미스Oliver Goldsmith, 1728-74와 철학자·정치가 에드먼드 버크Edmund Burke, 1729-97의 청동상이 서 있었다. 예이츠의 부친 존 버틀러 예이츠John Butler Yeats, 1839-1922가 1857-62년까지 수학하고, 아들의 입학까지 기대했으나 소원을 이루지 못한 트리니티대학이었다. 그럼에도 불구하고 예이츠는 1895년 2월 27일 이 대학에서 개최된 "아일랜드 문예부흥"의 압도적인 지지를 이끌어낸 토론회를 제안하고, 1899년 5월 31일에는 아일랜드 문예부흥 운동의 편협성을 지적한 제안이 만장일치로 부결되는 토론회에서 연설하게 된다. 결국 트리니티대학은 시인에게 후일 정치가로서의 삶을 준비하게 하는 토론의 장이 된 셈이다. 한편, 자유로운 영혼의 시인 예이츠가 1910년 5월 15일 그가 오랫동안 비판해온 규정의 틀 속에 갇힌 학문의 전당인 트리니티대학에서 연설한 후에 영문학과장과 영시교수 선임의 물망에 오른 적도 있었다. 아름다운 대학 캠퍼스를 거닐고, 현대식 건물의 아츠 카페Arts Café에서 점심 식사를 하며, 켈스의 서The Book of Kells 도서관에서 9세기에 제작된 기독교계 보물 켈스의 서, 즉 화려하고 찬란한 성경 4복음서 등 희귀 자료들을 살펴보았다. 대학 부근의 서점에서 하나 남은 <W. B. 예이츠*W. B. Yeats*> DVD를 무척 기쁜 마음으로 구매하였는데, 귀국 후 학부와 대학원 수업 시간에 학생들과 함께 시청함으로써 생생한 현장감을 제고하는 데 큰 도움이 되었다.

이어서 예이츠 사진과 함께 "예이츠전시회Yeats Exhibition"를 개최한다는 현수막을 내건 아일랜드국립도서관National Library of Ireland을 들뜬 기분으로 방문하였다. 조이스에 관한 자료들을 촬영하며 지나가니, 2006년 5월부터 상설 전시된 예이츠의 생애와 작품 자료들이 반겨주었다. 예이츠의 외가를 추억하고 애도하는 시 「알프레드 폴렉스펜을 추모하며"In Memory of Alfred Pollexfen"」 전문 및 친가와 외가의 가계도가 전시되어 있었다. 또 아버지 존 버틀러 예이츠와 어머니 수전 폴렉스펜Susan Pollexfen, 1841-1900 슬하의 4남매 윌리엄, 잭, 릴리Lily, 롤리Lolly의 생애와 사진 등이 있었다. 또한 예이츠 "시에 언급된 장소들Places Mentioned in Poems"이 시의 제목과 함께 컴퓨터 화면에 알파벳 순서로 무수히 나열되어 있었는데, 이미 답사한 불벤산, 쿨 장원, 드럼클리프, 애비극장 등 친숙한 지명들에 두 번 눈길이 갔다. 전시된 예이츠의 유품으로는 『어쉰의 방랑기*The Wanderings* *of Oisin*』의 1887년 원고본, 미간행시 「꽃이 피었다"A Flower Has Blossomed"」의 1882년경 연필 원고, 「도난당한 아이」의 1886년 원고, 시극 「시간과 마녀 비비엔"Time and the Witch Vivien"」의 1884년경 원고, 「이니스프리 호도」와 「두 모습의 나무"The Two Trees"」 원고들, 『캐슬린 백작부인*The Countess Cathleen*』 초고본 등이 시선을 끌었다. 게다가 예이츠의 시 「레다와 백조"Leda and the Swan"」, 「학동들 사이에서"Among School Children"」, 「딸을 위한 기도"A Prayer for My Daughter"」, 「재림"The Second Coming"」, 「솔로몬과 마녀"Solomon and the Witch"」, 「쿨호의 야생 백조」 등의 원고들, 「1916년 부활절」 원고와 패널, 「열여섯 순교자"Sixteen Dead Men"」 패널 그리고 「비잔티움 항해"Sailing to Byzantium"」 타자 원고 위에 육필로 수정한 원고가 전시되어 있었다. 또 영국국립미술관에 전시된 그림과 유사하게 미켈란젤로의 사라진 명화 『레다와 백조*Leda & the Swan*』의 모방작이 시적 의미를 강화하고 있었다. 또한 예이츠의 뮤즈 곤의 사진과 안내문, 예이츠에게 깊은 영향을 끼쳐서 그의 시 「1913년 9월"September, 1913"」의 소재가 된 아일랜드 공화주의 형제단 Irish Republican Brotherhood의 대표 존 오리어리John O'Leary, 1830-1907의 초상화와 안내문, 예이츠의 동생 잭의 힘찬 유화들과 형수 조지 연필화 및 곤이 그린 청순한 딸-소녀 이졸트 수채화 등이 눈길을 끌었다. 아울러 1923년 예이츠의 노벨문학상 증서, 황금 메달, 수상식 사진 및 그가 썼을 실크해트가 소중하게 보관되어 있었다. 이후 북아일랜드를 다녀온 뒤 아일랜드의 마지막 날 상원의원 예이츠가 더블린에서 1922-28년까지 살았던 4층 적갈색 벽돌 건물을 카메라에 담았다.

한편, 예이츠의 발자취를 추가로 추적하기 위하여 필자는 7월 19일 아일랜드를 떠나서 6일간 한국전쟁에 참전한 형제 국가 터키의 이스탄불 Istanbul과 그리스 신화에서 트로이 전쟁으로 유명하게 된 트로이Troy, Troia,

Truva를 방문하였다. 예이츠의 시 「비잔티움 항해」와 「비잔티움“Byzantium”」의 소재가 된 현재 이스탄불은 과거 비잔티움 제국의 수도 비잔티움Byzantium에서 동로마제국의 수도 콘스탄티노폴리스Constantinople를 거쳐서 현대 터키의 제1 항구도시로 발전해왔기 때문이다. 아울러 예이츠가 1907년 5월 그레고리 여사와 그녀의 아들 로버트Robert와 함께 이탈리아 여행 중 방문한 라벤나Ravenna의 산비탈레대성전Basilica di San Vitale도 시인에게 시적 영감을 준 곳이다. 527년 착공하여 20년 걸려서 준공한 8각형 산비탈레대성전 내부는 「비잔티움 항해」에 한 차례와 「비잔티움」에 세 차례 언급된 시어 “황제”Emperor가 함의하는 비잔티움 제국의 황제 유스티니아누스Iustinianus, Justinian와 여걸 황후 테오도라Theodora 그리고 예수와 사도들을 모자이크로 화려하게 표현한 비잔틴 예술로 유명하다. 또 성인의 칭호를 받은 황제는 그가 성장한 콘스탄티노폴리스에서 콘스탄티누스 2세가 건립한 아야소피아Ayasofya, Hagia Sophia 동방정교회 대성당을 재건한 업적으로 잘 알려져 있다. 또한 유스티니아누스는 시칠리아까지 영토를 확장하면서 이곳에도 역시 탁월한 비잔틴 모자이크로 장식된 교회들을 건축하였는데, 1925년 예이츠는 부인과 파운드와 함께 시칠리아를 방문하는 동안 이러한 모자이크를 목격한 것이다.

필자는 한인 민박집에 머물면서 산비탈레대성전과 외형이 유사하고, 이스탄불에서 가장 규모가 컸지만 회교사원으로 변한 아야소피아 대성당을 때마침 라마단을 엄수하던 터키 사복 경찰의 친절한 안내를 받으면서 구석구석 살펴보았다. 산비탈레대성전 대신에 예이츠의 「비잔티움」 제4행 시구 “대성당great cathedral”이 함의하는 아야소피아대성당에서 기독교 성자들을 묘사한 모자이크와 간접적으로 조우하기 위해서였다. 웅장한 아야소피아대성당은 500년간 회교사원으로 바뀌어서 과거의 찬란한 모자이크 위에 회칠을 했으므로 전체 윤곽은 파악되지 않았으나, 1934년 회칠을 벗기고 복구를 함으로써 일부 드러난 퇴색된 모자이크들은 보좌에 앉아서 아기 예수를 안고 있는 성모, 보좌에 앉은 예수 그리스도, 2층 벽면에 성경을 들고 서 있는 성자들을 뚜렷이 제시하고 있었다. 따라서 예이츠의 시「비잔티움 항해」제3연 제1-2행 "오, 황금 모자이크 벽에 있는 것 같이/ 신의 성스러운 불 속에 서 있는 성자들이시여O sages standing in God's holy fire/ As in the gold mosaic of a wall"를 충분히 공감할 수 있었다. 비잔티움 제국의 찬란한 황금 모자이크 예술을 목도한 예이츠의 개인적 정서가 그의 비잔틴 시들Byzantine Poems 속에 용해되어 예술적 정서로 표출된 것이고, "비잔티움"은 예술과 종교와 문화의 완벽한 융합을 상징하게 되었다.

이튿날 멀리 언덕 위에 세워진 불그스레한 외형의 아야소피아대성당을 바라보면서 에게해와 마르마라해를 연결하는 보스포루스 해협으로 유람선을 타고 흑해가 보이는 터키-러시아 국경까지 왕복하면서 필자는 예이츠가「비잔티움 항해」제2연 제7행 시구 "나는 이 바다 저 바다를 항해하여I have sailed the seas", 즉 아일랜드에서 대서양, 지중해, 에게해를 거쳐서 "성스러운 도시holy city" 비잔티움으로 항해한 여정을 간접적으로나마 체험하였다.

이어서 예이츠의 시「이 세상의 장미"The Rose of the World"」와「제2의 트로이는 없다"No Second Troy"」등의 소재와 제목이 된 트로이 또는 일리움Ilium, Ilion을 방문하였다. 늦은 밤 이스탄불에서 이즈미르행 고속버스를 타고 밤새도록 달려가니, 차창 바깥의 에게해 해변을 따라 드넓은 평원에 노란 해바라기 군락이 솟아오르는 태양을 반기며 머리를 흔들어대는 것이 장관이었다. 고속버스가 차낙깔레 항구에서 배에 실리더니 에게해를 가로질러 갔다. 다시 마을버스로 19세기 독일 고고학자 하인리히 슐리만 Heinrich Schliemann이 발굴함으로써, 그리스 신화 속에 존재한 허구의 도시가 아닌 역사 속에 엄존한 실제의 도시 트로이가 마침내 모습을 드러내었다. 초입에서 2004년 영화 『트로이*Troy*』의 목마를 연상시키는 오디세우스Odysseus가 고안한 거대한 목마가 시선을 사로잡았다. 안내소에는 1873년 발굴, 촬영한 소위 트로이 왕 "프리아모스의 보물Priam's Treasure"인 황금 머리 장식, 귀걸이, 목걸이 치장을 한 고고학자의 아내 소피아 슐리만 Sophia Schliemann의 흑백사진이 얼핏 보면 헬레네와 같이 돋보였다.

10년 트로이 전쟁의 원인인 스파르타 왕비 절세미인 헬레네Helen와 트로이 왕자 파리스Paris와의 부도덕한 성애는 예이츠의 시 「자장가 "Lullaby"」 제4-6행 "그 첫 새벽, 황금 침대 위,/ 헬레네의 팔 안에서 잠든 파리스를 발견했을 때/ 힘센 그에게To mighty Paris when he found/ Sleep upon a golden bed/ That first dawn in Helen's arms"에서 생동적으로 그려지고 있다. 그의 시 「이 세상의 장미」 제6행 "트로이는 높이 치솟은 한 가닥 화장의 불길 속에 사라졌고Troy passed away in one high funeral gleam"와 「제2의 트로이는 없다」 제12행 "그녀가 불태울 또 하나의 트로이가 있었단 말인가?Was there another Troy for her to burn?"는 불륜의 연인들이 초래한 트로이 전쟁에서 그리스의 용장 아킬레우스Achilles와 결전에서 죽은 트로이 총사령관 헥토르Hector 왕자의 12일간의 화장과 불타는 트로이의 멸망을 간결하게 포착하고 있다. 또한 예이츠의 시 「세 행진곡"Three Marching Songs"」 제2부 제4행 "트로이는 헬레네를 지지했다. 트로이는 망하고 찬양받았다.Troy backed its Helen; Troy died and adored"는 트로이와 헬레네의 운명적인 관계를 절묘하게 드러내고 있다. 예이츠는 시 「젊었을 때와 늙었을 때의 남자"A Man Young and Old"」 제6부 "그의 추억들His Memories" 제15-16행 "위대한 헥토르를 쓰러지게 했고/ 트로이 전부를 파멸시킨 그녀She who had brought great Hector down/ And put all Troy to wreck"에서 평생의 연인-뮤즈 곤을 헬레네에 비유하고 있는 것은 확연하다. 게다가 시인은 곤을 「사랑의 슬픔"The Sorrow of Love"」 제2연 제8행에서 "신하들과 함께 살해된 프리아모스 같이 당당했던proud as Priam murdered with his peers" 헬레네에 비유하고 있다. 트로이의 별칭인 "일리오스Ilios/ 윌루사Wilusa" 표지판 너머로 무너졌으나 견고한 트로이 성벽들, 불에 탄 듯 붉은 흔적들의 돌들, 아테네 신전 격천정格天井 대리석들과 널브러진 도리아식 열주列柱 및 주초들, 궁전, 음악당Odeion 등의 유물이 옛 모습을 드러내었다. 예이츠의 시 「헬레네가 살았던 그 시절에"When Helen Lived"」 제8-9행 "헬레네가 그녀의 사내와 함께 거닐었던/ 저 높다란 망루들Those topless towers/ Where Helen walked with her boy."의 소재인 높은 탑들은 사라졌지만, 태양신 아폴론의 수금 연주에 맞추어 축성되었다는 전설의 성벽은 "트로이 7Troy VII" 유물로 발굴되어 상당한 높이로 여전히 남아 있었다. 북쪽 요새에서 바라보니 아킬레우스와 헥토르가 결전을 벌였을 푸른 들판 너머 보이는 에게해에 그리스의 전함이 운집한 듯했다. 트로이 유적지를 둘러보고 나서 음악당 앞의 시원한 나무 그늘에 앉아서, 휴대전화로 두 편의 시 「트로이 가는 길」과 「트로이에서」를 작시하였다.

한편, 예이츠의 발자취를 지속해서 추적한 것은 2014년 그리스를 방문했을 때 아테네 국립고고학박물관에서 바라본 아름다운 미와 사랑의 여신 아프로디테 조각상, 그 이전에 네 차례 방문한 대영박물관의 비너스 조각상, 두 차례 방문한 프랑스 루브르박물관의 비너스 조각상과의 조우였다. 예이츠는 「자서전들」에서 난생처음 만난 곤을 "사과꽃같이 빛나는" 안색과 우아한 걸음걸이의 여신에 비유하고 있다. 또 그의 시 「딸을 위한 기도」 제27행 "한편 물보라에서 태어난 저 위대한 여왕은While that great Queen, that rose out of the spray"에서 인유한 미의 여신 아프로디테 또는 비너스에 미의 화신 곤을 비유하고 있다. 이어서 제29행 "다리 굽은 대장장이를 남편으로 선택했다.Yet chose a bandy-leggèd smith for man."는 아프로디테가 대장장이와 화산의 절름발이 신 헤파이스토스를 잘못 선택한 신화에 빗대어 곤이 존 맥브라이드John McBride 소령과 결혼한 것을 에둘러 비판하고 있다. 또 그리스 아테네 국립고고학박물관에서 아테나 대리석상과 아크로폴리스에 세워진 아테나 구신전을 바라보면서 예이츠가 시 「아름답고 숭고한 분들」 제10-11행 "호에쓰역에서 기차를 기다리는 모드 곤,/ 꼿꼿한 허리에다 늠름하게 머리 쳐든 아테나 여신상Maud Gonne at Howth station waiting a train,/ Pallas Athena in that straight back and arrogant head"에서 아일랜드 독립투사로서 전사의 이미지가 강한 곤을 전쟁의 여신 팔라스 아테나에 비유하는 것을 실감하였다.

이어서 그리스 델피의 파르나소스산 아래에 위치한 웅장한 아폴론 신전을 방문하고서 예이츠의 시 「플로티노스에게 내려진 델피의 신탁"The Delphic Oracle upon Plotinus"」과 「델피의 신탁 소식"News for the Delphic Oracle"」의 시제가 된 "델피의 신탁"의 의미를 더욱 실감하였다. 델피의 신탁은 태양신 아폴론이 여사제 피티아를 매개로 예언을 하고, 예이츠가 명시한 철학자 "피타고라스"Pythagoras를 비롯하여 역사가 헤로도토스, 철학자-작가 플루타르코스, 오이디푸스 왕 및 심지어 알렉산드로스 대제를 포함하여 모든 방문객에게 계시한 영감적인 신탁을 함의한다. 또한 예이츠의 시 「마이클 로바티즈의 이중적 비전"The Double Vision of Michael Robartes"」 제2부 제2행에 등장하는 "여자의 젖가슴과 사자 발톱을 가진 스핑크스A Sphinx with woman breast and lion paw"는 아폴론 신전을 방문한 후에 내려와서 들른 델피고고학박물관에서 목격한 기원전 6세기 조각상 괴물 스핑크스와 유사했다. 이 스핑크스 조각상은 2019년 방문한 테베고고학박물관의 스핑크스 조각상보다 압도적으로 거대했는데, 예이츠의 표현과 좀 다르게 긴 머리를 땋은 여자의 얼굴, 새의 가슴과 날개, 사자의 발과 발톱을 지녔고, 앞발로 서서 있고, 뒤발로 앉아 있는 형상이었다.

한편, 안동대학교 학술연구조성비로 2019년 11월 22일부터 12월 1일까지 초서, 스펜서, 셰익스피어, 밀턴, 셸리, 키츠, 테니슨, 예이츠, 파운드, 엘리엇 등 10명의 위대한 시인들의 작품에 나타난 그리스 로마 신화를 조명한 『영미시와 그리스 로마 신화*Greek and Roman Myths in British and American Poetry*』 영문판 저서 원고를 거의 완성한 후, 생동적인 연구 자료 수집을 위해 그리스를 다시 방문하였다. 아테네에서 렌터카로 3시간 30분 걸려서 예이츠의 시 「레다와 백조」와 「자장가」의 공간적 배경이 되는 스파르타까지 갔다. 간단한 식사를 하러 들른 카페의 주인에 의하면, 스파르타의 왕 틴다레오스Tyndareus의 아내 레다가 에우로타스Eurotas강에서 목욕하는 아름다운 모습을 제우스가 타이게토스Taygetus산2,404m 위에서 내려다보고 백조로 변신하여 날아와서 겁탈했다고 한다. 「자장가」에는 "거룩한 새the holy bird," 즉 백조로 변신한 제우스가 레다를 "풀이 우거진 에우로타스 강둑에서upon Eurotas' grassy bank" 애무하고 겁탈을 한 곳이라고 공간을 구체적으로 적시하고 있다. 이 신인합일의 순간을 예이츠는 탁월하게 포착하여 신화 소네트 「레다와 백조」에서 절묘하게 표출한 것이다. 백조와 레다 교합의 성적 극치감을 암시하는 제9행 시구 "허리의 전율A shudder in the loins"로 절세미인 헬레네가 태어나고, 결국 트로이의 멸망을 인유하는 제10행 "무너지는 성벽, 불타는 지붕과 망루The broken wall, the burning roof and tower"와 제11행 그리스 연합군 총사령관 "아가멤논의 죽음Agamemnon dead"을 초래한다. 트로이 전쟁에서 승리하여 전리품으로 트로이 공주-예언자 카산드라Cassandra를 데리고 미케네로 돌아온 아가멤논 왕이 죽을 때 내뱉은 유언은 「레다와 백조」 출판 4년 전에 발표한 엘리엇의 시 「나이팅게일에 에워싸인 스위니"Sweeney Among the Nightingales"」 제사에 그리스어로 인용되고, 그가 왕궁에서 아내와 사촌-정부情夫의 간계로 급습당하여 비참하게 맞이한 죽음은 시에서 희화화되고 있다. 물론 예이츠는 "무서운 미인terrible beauty" 곤을 트로이의 멸망과 아가멤논 피살의 원인을 제공한 비극적 미인 헬레네에 비유하고 있는 것이다. 스파르타에서 타이게토스산을 배경으로 강폭이 크게 넓지 않은 에우로타스강을 카메라에 담고, 렌터카로 2시간 거리에 위치한 미케네로 향했다.

1841년 그리스 고고학자 키리아코스 피타키스Kyriakos Pittakis와 1876년 슐리만에 의해 발굴된 미케네 유적지는 두 개의 큰 산을 배경으로 형성되어 있었다. 카산드라가 피가 흐르는 광경을 투시하고는 입장을 거부했을 사자문, 즉 기둥을 가운데 받치고 서 있는 두 마리 사자상이 조각된 거석 출입문을 통과하여 미케네궁전을 둘러보았다. 또한 출입구 부근에서 아가멤논을 살해한 왕비 클리템네스트라Clytemnestra와 정부 아이기스토스Aegisthus의 벌집 무덤은 서로 가까이 있어서 내부까지 답사하였다. 그러나 미케네고고학박물관과 다소 멀리 떨어져 있는 "아가멤논의 무덤Tomb of Agamemnon," 즉 "아트레우스의 보고Treasury of Atreus"는 관람 마감 시간 오후 3시가 되어서 아쉽게도 방문하지 못하였다. 아테네로 돌아가서 이튿날 다시 1시간 30분 거리의 미케네로 가서 지하실에 특이하게 조성된 미케네고고학박물관에 들러서, 풍부한 황금으로 찬란한 문명을 꽃피웠던 청동기시대 미케네 유물을 유심히 관찰하였다. 특히 여기에는 5년 전에 방문한 아테네고고학박물관에 전시되어 있던 진품 아가멤논 황금장례가면의 복제품이 진품처럼 전시되어 있었다. 아울러 기원전 1350-1250년 사이에 조성된 아가멤논의 벌집 무덤 외부와 내부를 관찰하면서 예이츠가 언급한 "아가멤논의 죽음"과 비극적 신화를 다시 떠올렸다.

또다시 스파르타로 가서 에우로타스강을 바라보고, 올리브나무가 많이 심어져 있는 고대 스파르타Ancient Sparta 유적지를 답사하며, 작은 규모의 스파르타고고학박물관을 둘러보았다. 올리브나무 열매에서 올리브유 제조 과정과 장비를 홍보하는 현대식 건물의 올리브박물관을 방문하는 것으로 스파르타 여행을 갈무리하였다. 아테네의 호텔로 돌아오는 도중, 다음날 제우스를 비롯한 올림포스 12신의 터전 올림포스산을 향하여 테살로니키 공항을 거쳐서 리토호로까지 갈 장거리 여정의 생각에 잠겼다.

(안동대)

__ 매혹의 땅, 아일랜드

고준석

예이츠는 시간의 경계를 넘어 공간에서 뿌리를 찾는 고도의 창조적 시인이다. 그의 시 세계, 초기, 중기, 후기는 전반적으로 '신화'가 작품에 서려 있다. 예이츠는 초기 시와 희곡에서 아일랜드의 역사와 전통, 문화를 주제로 노래하고, 중기 작품에서는 아일랜드의 역사와 문화의 소재를 세계의 역사와 문화의 공간으로 확대하여 자아 탐색을 계속한다. 후기 작품에서, 예이츠는 역사와 문화의 공간을 동서양의 사상, 우주의 생성과 멸망, 세계 역사의 순환과 진화, 인간과 우주와의 상관성 등으로 자아의 완성을 주제로 구체화한다.

예이츠의 이러한 작품의 주제는 젊은 시절에 점성술, 연금술, 신지학, 황금 새벽회와 같은 다양한 비교秘教집단에 참여하여 적극적으로 그 집단의 교리와 사상을 직접 수행으로 체험하고, 더욱이 레이디 그레고리 Lady Gregory와 같은 민속학자를 만난 후에 슬라이고 지역에서 민간설화를 수집하여 아일랜드의 역사와 전통에 적극적으로 관심을 갖게 된 것에 뿌리를 둔다. 이렇듯 예이츠는 자신의 실제 삶을 작품의 주제에 접목하여 객관화하는 데 특징을 보여준 시인이자 극작가이다.

1. 슬라이고의 이니스프리

아일랜드 서쪽 지방에 있는 슬라이고는 예이츠의 마음의 고향이다. 슬라이고는 더블린에서 버스나 기차를 타고 3시간 정도의 거리이다. 15일 동안 그리스 학술답사를 끝내고 더블린에서 하룻밤을 지낸 후에, 버스를 타고 슬라이고 근처에 오니 멀리 불벤 산이 우뚝 솟아 있다. 세 번째 방문한 슬라이고 여행이지만, 슬라이고에 대한 애착은 지난번 여정처럼 여전히 고향을 찾아온 기분이다. "과거에 내가 여기에서 살았을까?"라고 느낄 수 있는 편안하고 아늑한 느낌이다.

이번에도 2주일간 열리는 예이츠 섬머스쿨Summer School에 참석하기 위해 슬라이고에 온 것이다. 슬라이고에서 17일 동안 체류하게 될 숙소는 예이츠 섬머스쿨 위원회에서 추천해준 아파트형 호텔로 한국에서 예약하였다. 이 호텔은 우리나라의 호텔이나 아파트와 달리, 1층은 주방과 거실이고, 2층은 침실이 2개 있는 아파트형 호텔이다. 이 호텔에 짐을 풀고 근처 코스코 대형 마트로 가서 채소와 감자, 양고기 등 앞으로 숙소에서 먹을 재료를 사서 양손에 가득 들고 숙소로 돌아와 저녁식사를 준비했다.

이니스프리Innisfree 섬은 길Lough Gill 호수에 있는 작은 호수 섬으로 예이츠의 낭만이 서려 있는 곳이다. 슬라이고의 학술대회에 참석하기 위해 이곳을 방문하였다고 하니, 영국에서 연구년으로 체류하고 있던 동료 교수가 슬라이고까지 찾아왔다.

다음날 우리 세 사람나, 아내, 동료교수은 이니스프리 섬을 같이 답사하기로 하였다. 호텔에서 택시를 불러서 이니스프리 섬의 근처까지 타고 갔다. 택시 운전사가 슬라이고로 돌아가지 않고 기다린다고 했는데, 나는 괜찮으니 그냥 슬라이고로 돌아가라고 말했다. 나중에 안 일이지만, 이니스프리 섬에서 슬라이고까지, 혹은 이니스프리 섬 근처의 도로를 운행하는 버스는 한 대도 없었다. 이니스프리 섬에서 슬리쉬우드 숲을 지나서 그 근처에서 버스나 택시를 타려고 했으나, 뜻대로 안 되었다. 6킬로 이상이나 되는 거리를 어떻게 돌아갈까? 우리는 어쩔 수 없이 슬라이고까지 걸어서 돌아가기로 했다.

이니스프리 섬이 보이는 호숫가에 앉아 예이츠의 시 「이니스프리 호수섬"The Lake Isle of Innisfree"」을 상상하였다.

나 이제 일어나 가리, 이니스프리로 가리라.
진흙과 욋가지로 엮어 그곳에 작은 오두막을 지으리라.
그곳에 아홉이랑 콩을 심고 꿀벌을 치며
벌이 윙윙대는 숲에서 홀로 살리라.

I will arise and go now, and go to Innisfree.
And a small cabin build there, of clay and wattles made:
Nine bean-rows will I have there, a hive for the honey
And live alone in the bee-loud glade.

실제로 이니스프리 섬은 사람이 오두막을 짓고 콩을 심고 꿀벌을 쳐서 꿀을 따면서 살 수 있는 섬이 아니었다. 예이츠는 런던의 한 상점에 설치된 분수대를 보고 갑자기 떠오르는 시상에 끌려서, 이렇게 아름다운 시를 창작했다고 하니 대단한 상상력의 시인이다. 이니스프리 섬의 건너편 호숫가를 떠나 슬라이고로 돌아가면서 슬리쉬우드 숲으로 갔다. 슬리쉬우드는 암석으로 된 킬레리Killerry 산의 계곡에 펼쳐진 숲이다.

슬리쉬우드 숲길을 걸으면서, 「도난당한 아이"The Stolen Child"」에 나오는 요정이 나오겠느냐고 생각하면서 긴장해 보기도 하고, 록 길 호수를 바라보면서 왜가리와 백조가 있는지도 찾아보곤 했다. 이날은 요정이 나오지 않았다.

슬리쉬우드에서 슬라이고를 향해 국도를 따라 걸어가면서, 두니 록Dooney Rock을 우연히 발견했다. 우리 일행은 슬라이고까지 걸어갈 것을 잊어먹고, 이 두니 록의 암석의 정상에 올라가 봤다. 두니 록은 한국의 조그만 돌로 된 언덕과 같았다. 이곳에서 슬라이고까지는 약 4킬로미터 이상의 거리가 될 것으로 짐작했다. 우리 일행은 점심도 먹지 못한 채 슬라이고까지 걸어서 오후 3시경에 도착했다. 나는 같이 간 일행들에게 너무나도 미안해서 최고급 호텔에서 맛있는 점심을 늦게라도 대접했다.

2. 슬라이고의 녹나리

슬라이고의 녹나리Knocknarea는 요정신화와 관련된 장소로 슬라이고의 서쪽에 위치한 원뿔 모양의 산이다. 주말에는 예이츠 섬머스쿨에 강연이 없어서, 스쿨 위원회에서는 섬머스쿨에 참석한 회원들이 함께 예이츠의 작품과 관련된 지역을 방문한다. 녹나리는 50명 이상의 예이츠 학자들과 함께 방문하게 되었다.

녹나리는 해발 400~500미터 정도의 둥근 모양의 산으로 산 정상은 아주 넓은 고원으로 되어 있다. 녹나리의 주차장에 도착한 예이츠 학자들은 좁은 돌담길과 풀밭 길을 따라서 녹나리 정상으로 올라가기 시작했다. 길 양쪽에는 양 떼들이 풀을 뜯거나, 가끔 소들이 무리를 지어서 방목되고 있었다. 녹나리의 정상에 도착했을 때 그곳에는 타라 언덕과 유사하게 커다란 원뿔 형태로 흙과 돌로 쌓아 올린 선사시대에 만들어진 원추형 무덤이 있었다. 아일랜드의 민간설화에 의하면, 이러한 무덤에는 요정들이 살고 있다고 한다. 요정들이 살고 있는 장소여서 그런지 몰라도 7월인데도 그곳 날씨는 영상 5도 정도로 몹시 추웠고, 대서양에서 차갑고 매서운 바람이 거세게 불어왔다. 그 상황에서 나는 요정, 쉬와 쉬의 여왕, 메이브 여왕이 찾아와 우리를 반겨주고 있는 것은 아닌가 하고 생각해 보았다. 녹나리 정상에 있는 이러한 무덤은 아일랜드의 전역에 분포되어 있다. 이 원추형 무덤과 타라 언덕은 청동기 문화를 가진 투어 데 다난이 철기문화를 가진 켈트족과 전쟁에서 패배한 후에 요정으로 변하여 이러한 언덕이나 원추형 무덤에 거주한다고 한다. 이 요정은 우리나라의 민간전설에 나오는 도깨비와 유사하다고 보면 될 것이다.

다음날, 녹나리 밑에 있는 작은 마을에서는 『죽 냄비*The Pot of Broth*』 작품을 공연했다. 우리나라에서 연극공연을 보려면, 관객들은 소극장이나 문화예술회관과 같은 장소에서 공연을 감상한다. 그러나 아일랜드에서는 우리나라와 달리 소극장이나 대극장 이외에 일반 가정집이나 식당에서 연극공연을 자주 한다. 『죽 냄비』 연극도 아담한 아일랜드의 일반 가정집에서 공연했다. 그 연극을 감상하는 관객은 15명도 안 되었으나, 관객 수에 상관없이 공연은 진행되었다.

이러한 특별한 공연을 보면, 아일랜드에서는 희극 작품의 연극공연이 일상화되어 있는 것을 알 수 있다. 이 연극공연이 30분 만에 끝나서 이번에는 녹나리를 동쪽에서 올라가 보기로 했다. 어제는 녹나리를 남쪽에서 올라가서 남쪽으로 내려왔으나, 오늘은 동쪽으로 올라가서 남쪽으로 내려오기로 했다. 녹나리 정상은 어제와 달리 아주 따뜻한 날씨였으며,

멀리 불벤 산 근처에는 커다란 오색 무지개가 떠 있었다. 오늘은 요정이 마술을 부리고 있는지도 모르겠다.

3. 골웨이의 투르 발릴리와 쿨 장원

투르 발릴리Thoor Ballylee에 있는 예이츠의 탑은 예이츠의 삶과 사상에 핵심이 되는 장소이다. 이 탑을 세 번이나 방문했으나, 이곳을 찾아갈 때마다 새로운 느낌과 감흥이 다가왔다. 예이츠는 1층이 동절기에 홍수로 물에 잠기는 것 때문에 여름에만 1919년부터 1929년까지 11년 정도를 이 탑에서 생활했다. 이 탑은 4층 높이로, 2층에는 예이츠의 서재, 3층은 자녀들의 침실, 4층은 예이츠 부부의 침실로 사용되었다. 이 탑에서 핵심적인 부분은 1층에서부터 탑의 꼭대기까지 올라가는 나선형 계단이다. 이 나선형 계단을 올라가면서, 예이츠가 "이 탑은 나의 상징이다This tower is my symbol"라고 선언한 말을 실감하게 되었다. 가이어 이론의 원형이 이 탑의 나선형 계단이었을 것이다. 이 나선형 계단을 따라서 탑의 정상까지 올라가면 넓은 탑의 정상에 도착할 수 있다.

이 탑의 정상에서는 주위의 아름다운 풍경을 즐길 수 있다. 더욱이 이 탑의 정상에서, 우리는 현세를 초월하여 천국, 혹은 엘리시움과 같은 지상낙원에 온 것 같은 감흥에 접어들 수 있다. 나선형 계단을 따라 위로 올라가면서 자아와 대립자아의 갈등은 최대화되거나 최소화되어, 자아는 소멸하고 대립자아가 승리를 거둬서 무용수의 춤사위처럼 육체와 정신이 하나로 통합되는 세계가 이 탑의 꼭대기에서 성취되고 있을까? 이렇듯, 예이츠의 탑은 그의 중기와 후기 작품의 핵심적인 상징으로서 시의 주제로 깊이 뿌리내리고 있다.

골웨이에 있는 쿨 장원Coole Park은 예이츠에게 35년 동안 영혼의 집이었다. 레이디 그레고리가 머물렀던 저택 자리 옆에 세워진 2층 전시관에 전시된 그레고리 가족들의 역사와 유물을 둘러보면서, 그녀 가족의 비극적인 삶과 아일랜드에 대한 애국심이 떠올랐다. 전시관에서 나와 아름다운 정원을 걸어가면서 예이츠와 레이디 그레고리, 그리고 아일랜드의 문예부흥 운동을 회상했다. 예이츠는 1896년 8월에 쿨 장원을 처음으로 방문하였으며, 1932년에 레이디 그레고리가 사망할 때까지 35년 동안 쿨 장원을 찾아오거나, 거기에서 머물렀다. 예이츠는 이 쿨 장원에 머물며 주요한 많은 시적 영감을 얻어서 중기의 많은 시를 창작했다. 더욱이 그가 모든 곤과 사랑의 실패로 좌절감에 빠져 있을 때, 쿨 장원은 예이츠에게 마음을 치료해 주는 안식처가 되었다.

쿨 장원의 정원에는 예이츠, 레이디 그레고리, 조지 러셀 등과 같은 많은 아일랜드 문인들이 함께 우정을 나눈 것을 증명해 놓은 나무가 있다. 그 나무에는 예이츠와 레이디 그레고리의 이름뿐만 아니라 아일랜드 문인들의 이름이 선명하게 나무에 새겨져 있어서 많은 관람객의 발길이 끊이질 않는다. 이 정원을 나와서 10분 정도 숲길을 따라 걸어가면 쿨 호수가 있다. 쿨 호수는 아담할 정도의 크기의 호수이다. 「쿨 호수의 야생백조"The Wild Swans at Coole"」에 등장하는 야생백조를 생각하고 호수 근처에서 야생백조를 찾아보았으나, 백조를 찾을 수 없었다.

쿨 장원과 쿨 호수는 아일랜드 역사의 질곡과 흥망성쇠를 상징하는 장소이다. 이 두 장소는 예이츠에게 고대와 현대, 현세와 내세, 삶과 죽음 등과 같은 주제가 그의 영감을 자극하여 아름다운 시의 소재로 재창조된 곳이다.

아일랜드는 고대부터 현재까지 유럽의 문화와 전통이 고스란히 보존된 매혹의 땅이며, 마술의 땅이다. 아일랜드에는 켈트 신화와 요정의 문화유적이 잘 보존되어 있다. 현시대에, 아일랜드는 예이츠, 제임스 조이스, 사무엘 베케트, 셰이머스 히니 등과 같은 세계적인 시인과 극작가를 배출한 나라이다. 그래서 아일랜드 문화답사는 우리나라의 문화유산의 중요성을 다시 일깨우게 하는 의미 있는 시간이었다.

(조선대)

PHOTO BY JOON SEOG KO
녹나리 전경

PHOTO BY JOON SEOG KO
메이브 여왕의 무덤이 있는 녹나리 정상

__ 아일랜드, 예술가의 '예술적 장소'를 찾아가다

박소원

아일랜드의 대표적인 작가로는 윌리엄 버틀러 예이츠와 제임스 조이스가 있다. 필자에게 제임스 조이스는 익숙한 작가였지만, 예이츠는 낯선 이름이었다. 단국대 대학원 박사과정 중에 해외탐방팀에 선정되었을 때, 비로소 예이츠와 아일랜드에 대해 관심을 갖게 되었다. 예이츠 연구팀은 예이츠의 '예술적 장소'를 찾아가는 예이츠 투어를 위해 아일랜드에서 약 1주일을 예정했다아일랜드 일정, 2014년 1월 13일－1월 17일. 파리에서의 미술관 투어와 남프랑스에 있는 '예이츠 가묘'를 찾아가는 것도 이 일정에 포함되었다. 이 글은 주로 아일랜드에서의 '예이츠 투어'에 집중하고 제임스 조이스와 연관성이 있는 파리의 '셰익스피어 앤 컴퍼니 서점' 방문기도 덧붙인다. 그리고 예이츠의 시, 「이니스프리 호수섬」과 「하늘의 천」을 읽고 쓴 필자의 감상글과 함께 아일랜드를 다녀와서 발표한 졸시 3편 중 1편 「아일랜드, 예이츠학회 방명록에」를 소개하고자 한다.

예이츠 연구팀의 일행은 인천공항에서 출발하여 파리공항에 도착하였다. 파리는 어둑한 밤이었다. 공항에서 16인승 차로 파리 시내에 있는 숙소까지 이동하였다. 예이츠팀의 첫 일정은 파리에서의 미술관 투어였다. 루브르 박물관, 오르세 미술관, 퐁피두 센터, 로댕 박물관, 발자크 박물관 등이었다. 생 미셸 광장 근처에 있는 셰익스피어 앤 컴퍼니 서점은 제임스 조이스의 『율리시스』가 출판된 책방이라는 것에 큰 의미를 갖고 찾아갔으나 문이 잠겨 있었다. 두 번째로 방문했을 때 비로소 이 책방에 들어갈 수 있었다. 하지만 다섯 명씩 제한을 두어 줄을 서는 바람에 우리는 한참을 기다려야 했다. 그 이유는 서점 안이 너무나 비좁았기 때문이었다. 책장과 책장 사이를 조심스럽게 지나가야 했다. 다음날 우리 팀은 예이츠의 가묘를 방문하기 위해 카리카손행 비행기를 탔다. 하지만 카리카손으로 이동하여 예이츠 가묘를 찾아가던 길은 겨울 폭우로 인해서 막혀버렸다. 대신에 우리는 니스에서 '샤갈 미술관'을 관람한 후에 '고흐'의 장소로 남은 일정을 변경하게 되었다. 이렇게 파리에서의 일정을 마치고 우리는 아일랜드로 향했다.

예이츠 연구팀의 일행이 파리를 떠나 더블린 공항에 내렸을 때 어둑한 겨울밤이었다. 아일랜드의 1월은 그리 춥지 않았으나 약간 습했다. 우리 연구팀 일행은 가이드가 준비한 자동차로 슬라이고로 이동하여 첫 밤을 주디네 집에서 묵었다. 귀엽고 예쁜 6살 주디가 귀가 들리지 않는다는 말을 들었을 때 적지 않게 당황했다. 주디 부모님은 오히려 밝은 표정으로 '괜찮아요'라며 당황해하는 우리를 다독였다. 우리는 한적하고 쾌적한 주디네 집에서 짐을 풀고 우르르 마당으로 나왔다. 밤하늘의 별들을 한참 쳐다보면서, 가족을 떠나 지구 반대편까지 왔다는 설레는 마음으로 예이츠와 모드 곤Maud Gonne 두 사람의 이름을 읊조렸다. 두 사람의 사랑이 이곳에서 오래전에 시작되었음을 떠올릴 때, 아기 주먹만 한 별들이 응답하듯 반짝거렸다. 필자는 "오늘의 기쁨으로 남은 생을 살자"라며 설레는 마음을 다독였다.

다음날 우리 일행은 이니스프리 호수섬으로 향했다. 차를 타고 이니스프리로 가면서 슬라이고 하늘에 펼쳐진 아름다운 무지개를 봤다. 아일랜드 사람들은 무지개를 보면 소원이 이루어진다고 믿는다고 한다. 슬라이고는 예이츠의 증조부인 존 예이츠John Yeats가 드럼클리프Drumcliff에 교회를 세우고 목사로 봉사했던 곳이다. 오래전 예이츠의 어머니 가문이 조선업을 했던 곳이고, 예이츠의 시 「이니스프리스 호수섬」의 실제 공간과 가까운 지역이다. 더욱이 슬라이고는 예이츠의 문학 활동에 아주 큰 영향을 끼친 곳으로 널리 알려져 있다. 예이츠는 아일랜드 시인이며 극작가이다. 그는 환상적이며 시적인 『캐슬린 백작부인』을 비롯하여 많은 뛰어난 극작품을 발표했으며, 1923년에 노벨문학상을 수상하였다. 독자적 신화로써 자연(자아)의 세계와 자연 부정(예술)의 세계의 상극을 극복하려 노력했다. 이렇게 우리 일행은 차 안에서 예이츠의 삶과 작품, 그의 사상을 이야기하였다. 드디어 우리는 이니스프리 호수섬 앞에 도착했다. 늦은 오후였다. 예이츠가 그리워했던 호수섬 맞은편에 서 있다니! 우리 일행은 모두 흥분으로 전율했다. 너무 기뻐서 함께 손을 잡고 제자리 뛰기를 했다. 예술이란 무엇인가? 무엇으로 이렇게 우리를 감동하게 하는가? 우리는 예이츠의 시집을 펼치고 「이니스프리 호수섬」의 시를 시작으로 돌아가면서 시 낭송을 시작하였다.

나 일어나 이제 가리, 이니스프리로 가리.
거기 윗가지 엮어 진흙 바른 작은 오두막을 짓고,
아홉이랑 콩밭 갈고 꿀벌통 하나 두고
벌 윙윙대는 숲속에 나 혼자 살으리.

거기서 얼마쯤 평화를 맛보리.
평화는 천천히 내리는 것.

아침의 베일로부터 귀뚜라미 우는 곳에 이르기까지.
한밤엔 온통 가물거리는 빛, 한낮엔 보랏빛 반짝임,
저녁엔 홍방울새의 날개 소리 가득한 그곳.

나 일어나 이제 가리, 밤이나 낮이나
호숫가에 철썩이는 낮은 물결 소리 들리나니
한길 위에 서 있을 때나 회색 포도 위에 서 있을 때나
내 마음 깊숙이 그 물결 소리 들리나니.

이 시는 1893년에 출간된 예이츠의 두 번째 시집, 『장미*The Rose*』에 수록된 작품이다. 이 시는 우리나라에서 유명한 정지용 시인의 「향수」와 비슷한 정조이다. 이 시를 쓸 당시에 예이츠는 런던 교외에 있는 예술촌 베드포드 파크Bedlford Park에 거주하고 있었다. 시의 공간인 이니스프리는 우리 팀이 바라보고 있는 아일랜드의 슬라이고의 길 호수 가운데 있는 작은 섬이다. 다른 사람에게는 특별한 장소가 아니지만, 예이츠에게는 지치고 힘들 때마다 돌아가고 싶은 '위로의 공간'이었다.

위의 시에 나타나는 '이니스프리'는 매우 조용하고 아늑할 것 같았지만, 실제의 호수의 물결은 매우 거세었다. 호수 주위에 숲은 오래된 나무들이 빽빽하게 서 있었다. "벌 윙윙대는 숲 속"의 실제는 새들의 울음소리가 너무 우렁차서 기시감이 들 정도였다. 예이츠는 런던의 각박함을 탈출하여 어머니 품 같은 고향으로 돌아가 '거기 욋가지 엮어 진흙 바른 작은 오두막을 짓고' 살고 싶은 고향에 대한 '막연한 동경'을 노래하였지만, 실제 시적 공간은 한겨울이라서 춥고 눅눅하고 물소리가 거센 곳이었다. 예이츠 연구팀이 시집을 펼쳐 들고 예이츠에게 시를 헌사하는 시 낭독을

하는 동안 거센 물소리가 동양에서 온 연구자들의 키보다 높이 솟구치곤 했다. 우리는 손을 잡고 목청을 돋우어 시를 정성껏 낭독했다. 아쉬운 마음으로 호수를 떠날 때는 주위가 어둑어둑해진 뒤였다. 이렇게 슬라이고 일정을 마치고 우리 팀은 더블린으로 향했다.

더블린에서 우리 일행은 아일랜드에 17년째 거주하고 있는 『내 사랑 아일랜드』의 저자인 주지동 씨와 그의 아내, 이선영 씨의 적극적인 도움으로 온라인 문학모임 『빈터』의 해외 회원이면서 아일랜드 시인 팻-보란을 만날 수 있었다. 그 당시 팻-보란은 외지로 나가 있었다. 정한용 시인의 정성스러운 요청으로 팻-보란과의 만남이 이루어지게 되었다. 더블린 시내에 있는 제임스 조이스 동상 옆 카페에서 오후 5시쯤에 만났다. 팻-보란(1963년생)은 핸썸 보이였다. 그는 매우 점잖고 매너 있게 우리를 대했다. 그는 제임스 조이스 동상 옆에 있는 카페에서 커피와 빵을 한국에서 온 손님들에게 대접했고, 우리는 몇 권의 시집을 답례로 그에게 전달했다. 우리는 그와 2시간 정도 '시와 예술가'에 대해 토론했다. 예이츠 연구팀과 팻-보란과의 토론 주제는 '아일랜드 현대시의 흐름'과 예이츠 시에 나타나는 '새'와 '가이어'의 의미 등을 질문하고 팻-보란이 간략하게 대답하는 형식이었다. 팻-보란과의 만남 후에, 우리는 애비극장으로 이동했다.

우리 일행은 약 10여 분을 어스름이 깔리기 시작하는 길을 걸었다. 연극 시간에 늦지 않게 더블린 로워 애비거리 26번지에 있는 애비극장에 도착했다. 애비극장은 더블린에 있는 국립극장이다. 1904년 세워진 극장으로서 역사도 깊지만, 아일랜드 민족 연극 운동의 중심지였다는 점에서 더 큰 역사적 의미를 갖는 공간이다. 19세기 후반에 아일랜드에는 아일랜드 문예부흥을 일으키려는 운동이 예이츠와 그레고리 부인Isabella Augusta Gregory, 1852-1932를 중심으로 시작되었다. 문예운동을 주도한 예이츠는

1904년 영국의 극장 운영자였던 애니 호니만Annie Horniman, 1860-1937의 도움을 받아 극장을 세웠다. 예이츠는 그를 평생 지지했던 그레고리 부인Isabella Augusta Gregory, 1852-1932의 도움을 받으면서 아일랜드 민족주의 작가들을 대거 발굴하여 아일랜드 근대 연극의 전성기를 이끌었다. 2004년까지 애비 극장에서는 존 M.O.를 대표하는 극작가들의 신작 740편과 기존 연극 작품 1,000편이 상연되었다.

그레고리 부인은 예이츠와 아일랜드의 예술에 지대한 영향을 끼친 인물이다. 그레고리 부인은 애비극장의 창설에 협력하고 문예부흥에 공헌하였다. 그녀의 작품으로는 『소문 퍼뜨리기*Spreading the News*』, 『월출*The Rising of the Moon*』, 『7편의 짧은 극*Seven Short Plays*』 등이 있다. 그 밖에도 국민극장을 위해 쓴 희곡과 아일랜드 고대 전설을 앵글로 아이리시 농민의 사투리로 번역한 이야기 등이 전한다. 그레고리 여사는 쿨 장원에 살았다.

우리 일행은 예약해 두었던 애비극장의 연극 시간에 가까스로 맞추어 무대 맨 앞자리에 앉아서 연극을 관람했다. 애비극장에서 본 연극은 아일랜드의 독립을 위해 고군분투하는 남성들의 이야기였다. 여성들은 주로 남편을 기다리며 애를 태우는 역할이었다. 그중에서 한 여성만이 남성들과 함께 운동에 참여한 내용이었다. 연극 중간의 쉬는 시간에 로비로 나왔다. 로비와 계단에는 많은 사람이 서 있었다. 필자는 제임스 조이스의 작품으로 알게 된 더블린 사람들에 대한 궁금증이 생겼다. 이야기를 나누고 있는 아일랜드 사람들 사이를 서성거리며 「구름 한 점“A Little Cloud”」의 '외지물'이 밴 태도와 말쑥하게 재단한 트위드 정장을 입은 '갤러허'와 '꼬마 챈들러'를 찾았다. 제임스 조이스의 소설 속 인물들이 드나들었을 것으로 예상되는 이곳저곳을 살펴보았다. 『더블린 사람들』에서 본 인물들을 실제로 이곳에서 보는 듯 했다. 조이스는 단편 『죽은 사람들』

을 집필하게 된 심리적 배경이 있었다고 한다. 실제 아내의 첫사랑 이야기를 듣고, 아내의 첫사랑이 너무 수준이 낮은 인물이라는 것에 실망한 반면, 죽은 사람에 대해 느끼는 격렬한 질투감에 대해서 번민을 하며 집필을 했다는 것이다. 자기 인식이 부족한 아일랜드 남성상을 드러내는 가브리엘을 소설 밖, 극장 안을 서성이는 남성들을 관찰하며 찾았다. 소심하고 자기중심적인 가브리엘의 성격은 주위 사람들에게 은근히 따돌림을 당하기도 하였다. 필자의 시선은 줄곧 키가 크고 옷차림에 신경을 많이 쓴 중년남성의 움직임을 좇았다. 주변 인물들과 끊임없는 접촉과 교류를 통해 자신의 모습을 객관적으로 반추하고 나아가 인식의 확장을 이루는 모습을 보여준 가브리엘을 애비극장 내에서 찾아보는 것은 예술적 장소이기에 가능했다. 덕분에 아일랜드 사람들의 표정을 좀 더 세심하게 들여다볼 수 있었다.

더블린은 비가 자주 내리는 도시였는데, '예이츠 투어'를 하는 내내 우산을 챙겨야 했다. 더블린은 파리와 비교해서 매우 한적한 도시였다. 예이츠학회 사무실에 도착하여 방문록을 쓰고, 예이츠와 연관된 영상을 시청하였다. 예이츠 시집을 몇 권 구입하고 필자의 시집을 기증했다. 빙 둘러 세워진 유리 칸막이에 예이츠의 역사가 담긴 사진이 진열되어 있었다. 예이츠의 삶의 여정에서 모드 곤의 지분은 영상 속에서도 사진에도 생각보다 많았다. "민족성 없이 문학이 있을 수 없고 문학 없이 민족성이 있을 수 없다."라는 예이츠의 발언은 모드 곤에게서 전염되었다고 보는 관점에 이의를 제기할 수 없을 것 같았다. 예이츠의 공간은 모드 곤이 예이츠가 30년을 짝사랑했던 예술가의 뮤즈라는 말을 충분히 증명하고 있었다. 더블린 예이츠 학회 사무실은 1층에서 2층으로 올라가는 계단이 매우 비좁아서 올라가는 사람과 내려오는 사람이 부딪힐 정도였다. 좁은 계단 벽에도 예이츠와 모드 곤의 사진이 나란히 걸려 있었다. 2층 방에는 붉은 소파와 시집이 꽂힌 책꽂이가 있고 창문은 열려 있었다. 필자는 열인 창문으로 목을 빼고 더블린 시내를 둘러보았다. 인적이 드물었다. 바람소리, 물소리에 귀를 기울이며 흐린 물결을 거울 보듯 들여다보았다. 시내를 통과하는 개천물치고는 물결이 좀 거세었다. 여기에서 느낀 감정을 모티프로 쓴 필자의 졸시 「아일랜드, 예이츠 학회 방명록에」는 다음과 같다.

학회 사무실 벽마다 빙 둘러 걸린 예이츠와
그의 연인 모드 곤 사진을 따라
좁은 복도를 올라간다.
벽에 줄 맞추어 걸린 액자 속 로맨스를 본다.

책장에 꽂힌 낡은 시집과 붉은 의자 너머
열린 창밖의 개천물.

이탄의 거무튀튀한 물결들 너머
1월의 바람처럼, 척추 곧추세우는
적막한 허공을 지나가는 새 떼.

이 먼 곳까지
어쩌면 당신은
죽어서도
오지 않을 것만 같다.

아일랜드의 겨울들
꼭 당신에게 보여주고 싶어서
꼭 당신에게 들려주고 싶어서.

검은색 펜으로 나의 방명록을 쓴 후
파란색 펜으로 당신의 방명록을 대신 쓴다.

내 이름 아래
당신 이름을
내 꿈 아래
당신 꿈을 해서체와 흘림체와
필체를 바꾸어서 쓰는 것이다.

참, 그게 뭐라고...,
어쩌면 당신은
무감하게 타박을 놓을 것만 같아
나중에도 발설하지 않을 일 하나
소풍날 보물놀이처럼
못 찾은 보물처럼
낯선 지면 곳곳에 남겨 두는 것이다.

박제된 채 살아있는 나의 기록들
살아서도 죽어서도
당신은 끝내 못 읽어도
이것은 우리의 시작이리라.

방명록을 혼자 쓸 때면
당신과 나의 이름을 나란히 쓰는 일
이것은 우리의 마지막이리라.

문득 예이츠를 기념하는 공간은 나의 구체적 장소가 되었다. 더블린 시내에 있는 나의 공간은 나의 '그리움'에 대해 추동하며, 동시에 이러한 변화 속에 일어나는 감정은 예이츠학회 장소에 특별한 가치를 부여하는 작용을 일으켰다. 4연의 1행 "이 먼 곳까지"는 한국과 아일랜드의 실제적 거리이기도 하고, 예이츠와 모드 곤의 이룰 수 없었던 사랑의 거리이기도 하다. 나와 나의 꿈과의 만날 수 없는 '불가능한 지점'에서 태어난 문장이기도 하다.

너는 내가 이해되는가,
나의 절망은 내게 옳은가.

다가갈수록
너는 기울어진다.

등 뒤에서 누군가 와락
두꺼운 코트를 잡아당기는지.

멀미를 참으며
구름들 뒷걸음질을 친다.

욕심이 많다는 말을 들었을 때처럼
나는 자꾸만 뒤로 물러선다.

내가 딛고 온 길은 차가웠으나
이국의 땅은 따뜻한지.

질컥한 한파에도 푸릇한 풀들
질긴 생명력으로 뿌리를 뻗는다.

너는 내가 이해되는가,
저 희망은 나에게 옳은 일인가.

위의 시에서 '너'는 예이츠의 「하늘의 천」에 나타나는 '꿈'과 같은 대상이다. 예이츠가 30년을 짝사랑했던 모드 곤처럼 필자의 '꿈'은 항상 멀리에 있었던 것 같다. 다가갈수록 멀어지는 '너', 혼자만의 열병을 앓게 하는 '꿈'에게 질문을 던지는 형식을 갖추어 쓴 시다. '너는 내가 이해되는가'의 시행은 화자의 절망감이 자책에 이름을 표현한 것이다. '다가갈수록/ 너는 기울어진다'라는 현실 인식은 '나의 절망은 옳은가'와 '저 희망은 내게 옳은가'와 같은 자조적인 심경을 이끌어내고 있다.

2018년부터 2020년까지 약 2년 정도 경기신문 '아침 시 산책' 코너에 시 감상을 발표하는 기회가 있었다. 첫 원고를 예이츠의 「하늘의 천」으로 선택했다. 이 선택은 아일랜드를 방문하며 예이츠의 장소를 찾아다니던 거친 여정에서 받았던 감흥 때문이었다. 예술가의 예술적 장소에서 줄곧 예술가의 실패한 사랑이 내 마음을 벗어나지 못했다. 민족주의자 모드 곤과 낭만적인 예이츠의 사랑이 이루어질 수 없었던 부분에 주목하며 쓴 감상문과 시 「하늘의 천」을 아래에 덧붙인다.

내게 금빛과 은빛으로 짠
하늘의 천이 있다면

어둠과 빛과 어스름으로 수놓은
파랗고 희뿌옇고 검은 천이 있다면

그 천을 그대 발밑에 깔아드리련만
나는 가난하여 가진 것이 꿈뿐이라
내 꿈을 그대 발밑에 깔았습니다

사뿐히 밟으소서,
그대 밟는 것 내 꿈이오니.

온갖 빛의 향연을 사랑하는 여인에게 바치는 예이츠의 시이다. 이 시는 김소월의 「진달래꽃」과 매우 유사하다. "내 꿈을 그대 발밑에 깔았습니다"는 예이츠는 사랑에 모든 것을 내어놓은 사랑에 대한 태도를 밝히고 있다. 김소월은 "가시는 걸음 걸음/ 놓인 그 꽃을/ 사뿐히 즈려 밟고 가시옵소서"라며 이별의 태도를 밝혔다. 예이츠는 자신의 '꿈'을 여인에게 바치려는 태도를 통해 사랑에 대한 결곡한 심정을 노출한다. 뒤에 사람들이 평하기를, 두 사람이 삶을 통해 얻고자 하는 바가 확연히 달랐기에 이루어질 수 없음은 당연한 일이었다고 본다. 연구자들의 이러한 해석은 그 당시에 사랑에 빠져 있던 예이츠로서는 지각할 수 없는 부분이다. 분명 예이츠의 지순한 '임'은 단연 '모드 곤'이다. 하지만 모드 곤의 '임'은 독립이 되어야 하는 조국 아일랜드로 해석이 되는 작품이다.

예이츠팀으로 구성된 '해외탐방팀'은 예술가의 '예술적 장소'를 찾아가는 예이츠 투어를 아일랜드와 프랑스에서 10박 11일의 여정으로 마쳤다. 이 해외 답사 과정에서 춥고 지칠 때마다 자주 주문처럼 외웠던 문장을 다시 한번 써본다. "오늘의 기쁨으로 남은 생을 살자".

(단국대)

_ W. B. 예이츠 신비시의 고향을 찾아서

조미나

W. B. 예이츠의 시를 전공한 것은 순전히 대학원 석사 시절 지도 교수님의 권유에 따른 것이었다. 애초에 나는 T. S. 엘리엇의 시를 전공하고자 대학원에 진학했기 때문이다. 대학 시절 우연히 접한 T. S. 엘리엇의 장미원에서 강한 시적 영감을 얻었던 나는 엘리엇의 연구를 통해 서구시의 깊은 상징적 의미를 알고자 학문을 계속하였다. 그런데 뜻하지 않게 지도 교수님의 강력한 권고로 예이츠 시를 전공하게 되었다. 그리고 엘리엇의 장미원은 나를 실망하게 하지 않고, 더 나아가서 예이츠 초기시인 세상의 장미, 평화의 장미, 전쟁의 장미 등, 그의 불멸의 장미 시편을 시작으로 그의 후기시에 이르기까지 일관성 있게 펼쳐지는 불멸의 미를 향한 신비하고도 열정적인 시편들에 매료되면서, 본격적으로 서양의 정신적, 종교적 신비의 진수인 장미원을 맛볼 수 있게 되었다.

또한 예이츠가 연구한 마법 단체인 "장미십자단"과 연관된 사상을 섭하면서 나는 미지의 서양 마법의 세계와 신비주의를 처음 접하게 되었고, 예이츠의 심오한 상징시에 나타나는 시적 메타포를 통해 정교하게 짜인 시 세계를 통해서 우주적인 대시인의 세계를 열어가는 묘미에 푹 빠져들게 되었다. 예이츠의 신비시야말로 어쩌면 천성적으로 신비의, 미지의 세계를 상징시로 표현하고자 하는 내 천성과 딱 맞아떨어졌는지도 모를 일이다. 특히 무한한 신비주의 색채를 지니면서도 절대자를 향한 열망에 뿌리를 둔 예이츠의 상징시야말로 내 시 세계의 깊이를 더해주는 가장 이상적인 시적 모범이 되어주었다. 이는 마치 일찍이 청년 예이츠가 생전에는 만나지 못한 윌리엄 블레이크의 신비주의 시에 몰입하여 신비주의 시인인 블레이크를 자신의 시적 스승으로 삼으면서, 자신도 상징성이 가득한 마법과 종교적인 시를 쓰게 된 것과 같은 맥락이 아닐까 생각해본다.

이같이 줄곧 예이츠 시와 낭만주의 시 세계에 몰입했던 나는 자연스럽게 나의 시 세계에도 많은 영향과 변화를 초래했을 것이다. 예이츠는 비록 마법을 익힌 상징주의 시인이지만, 그 근간은 "재림"의 시를 한 예로 들더라도 기독교 신비주의와 숭엄한 생명 존중 사상에 있다고 생각한다. 나의 시 세계 역시도 자연을 신의 몸체로서 사랑하고 나무 한 그루 풀잎 한 포기에도 깃들어 있을 듯한 신의 무한한 사랑을 느끼며 무한한 창조주의 사랑을 시적 정신의 근본으로 삼았다. 이렇듯 예이츠와 나와의 시적 만남은 천국의 상징인 "장미원"이 주는 천상의 기쁨을 맛보는 기회를 준 것이다. 상징시를 쓰는 기법과 깊은 종교적 신비주의 사상이 내면에 깔린 숭엄하고도 웅장한 예이츠의 시 세계는 지금까지도 나를 매료시키고도 남음이 있다.

그러던 중 나는 2001년 여름에 마침내 예이츠 섬머 스쿨Yeats Summer school에 참가하기 위해 유럽으로 향했다. 지금은 20년이 지난 일이지만 아직도 슬라이고의 여름은 생생하게 떠오르는 값진 추억으로 남아있다. 여름 방학을 맞이하여 모처럼 불란서, 독일, 영국 등 가족과 함께 유럽 여행을 하고 난 후, 나는 마침내 가족과 헤어져서 홀로 런던에서 대형 여객선을 타고 더블린으로 향했다. 대형 선박 안으로 여행객을 태운 버스들이 줄지어 들어가는 모습을 차창 밖으로 바라보면서, 이처럼 많은 관광버스가 선박에 실릴 수 있다는 사실에 놀라워했다. 당시 초행길인데다가 홀로 여객선 안에서 밤을 지새우는 일이 조금은 낯설기도 하면서도 여러 가지로 새로운 경험들에 대한 기대와 설렘도 있었다. 특히 곧 예이츠의 고향 슬라이고에 도달할 것을 생각하니 가슴이 벅차올랐다.

마침내 더블린에 도착하였다. 그러나 예약한 슬라이고의 하숙집에 도착하기 위해서는 또다시 버스를 타고 하염없이 서너 시간을 가야만 했다. 마침내 예약된 하숙집에 당도하여 짐을 풀고 여름학교가 열리는 첫날보다 이틀 일찍 도착한 탓에 나는 한가한 오후에 근방을 산책하였다. 이곳이 그 말로만 듣던 슬라이고로 예이츠의 외가가 있고 예이츠의 어린 시절의 고향이로구나 생각하니 새삼 감개무량했다. 낯선 거리를 걸으며 주위를 두리번거리며 살펴보고 있는데, 이런 나를 유심히 본 한 젊은 신사가 여행객임을 인지한 듯 내게 다가와서 친절하게 말을 걸었다. 자신이 슬라이고 지역을 안내해 줄 수 있다고 미소로 관심을 표명했지만, 나는 이 여행 목적이 이곳에서 열릴 예이츠 여름학교에 참가하려는 것이라는 점을 알리고 그의 친절을 정중히 사양하였다.

다음날 마침내 같은 하숙집에 묵기로 한 한국 예이츠 학회 창립자이자 은사이신 윤종혁 교수님이 같은 하숙집에 도착하여 여름학교에 동참하였다. 내가 참가한 해에는 다행히 예이츠의 아들 마이클이 개회식 행사에 참여하였고, 노벨 문학상을 수상한 셰이머스 히니도 참여하여 직접 만나 이야기를 나눌 수 있는 행운을 얻었다. 그러나 불행하게도 같은 달인 7월 초에는 예이츠의 맏딸인 앤이 사망하여 드럼클리프 교회에서 추모 예배를 보게 되었다. 나는 여름학교에 참여하기 한 해 전쯤, 윌리엄 예이츠의 신비주의에 관해 알아보기 위해 개인적으로 그의 아들 마이클과 서신을 주고받은 적이 있었다. 그래서 첫날 행사를 위해 참석한 아들 마이클 예이츠를 잠시 만나 이야기를 나눌 기회를 갖기도 했다. 그에게 나는 자기소개를 간략히 하고 인사를 하니, 나를 기억해내고 아버지 예이츠에 대한 이야기 등을 짧게 몇 마디를 주고받게 되었다. 나는 한국의 기념품인 하회탈을 선물하였다. 마이클 예이츠는 아버지의 신비주의 시세계에 대한 조예가 깊지 않다고 전하면서 자신은 정치가라고 했었다. 마이클은 손수 내게 쓴 편지에서도 자신은 정치가이며 아버지의 신비시세계에 대해서는 문외한이라고 적었었다. 이는 마치 은행원의 아들이 아버지처럼 계산을 잘하는 것은 아닌 것과 같다고 비유로 내게 보낸 편지 답장에 적었던 점과 같았다. 또 다른 반가운 만남은 바로 노벨 문학상을 받은 셰이머스 히니를 만나 볼 수 있었던 점이었다.

또한 안식년을 맞이하여 더블린에 거주 중이던 예이츠학회 회원 교수님을 만날 수 있었다. 우리는 일본인 학자 두 명과 함께 한밤중에 바닷가로 드라이브를 하고 달빛 영롱한 바닷가를 산책하면서 예이츠의 시와 아일랜드의 요정 이야기 등을 떠올려보기도 했었다. 또한 이니스프리 호도에도 직접 찾아가 보기도 했다. 이니스프리 섬은 호수에서 그다지 멀지 않은 곳에 있는 마치 거북이의 등만 한 아주 작은 섬으로 풀이 무성한 채로 호수에 떠 있었다. 그 호숫가 근처에 작은 집도 있었는데 그곳에는 주민이 살고 있었다.

윤종혁 교수님은 당뇨로 몸의 컨디션이 좋지 않아서 여름학교 도중 서울로 떠나셨다. 여름학교 운영진으로부터 한국 주재원을 소개받게 되었는데, 여름학교에 참석한 예이츠학회 회원 교수님이 불벤산을 직접 올라가 보는 체험을 해보자고 제안하여, 그 주재원의 친절한 안내로 유년의 예이츠가 자주 올랐을 법한 불벤산의 푸른 언덕을 마음껏 헤매며 등산을 해보기도 했다.

이처럼 예이츠의 고향인 슬라이고의 예이츠 여름학교 시기에 얻은 좋은 만남과 값진 추억들은 지금도 어제 일처럼 생생하기만 하다. 슬라이고와 더블린 등 아일랜드의 여러 지역을 방문할 기회를 얻게 되면서 나는 예이츠가 작중인물인 레드 한라한과 자신을 동일시하면서 한평생 끊임없이 불멸의 장미인 불멸의 여성상을 추구한 예이츠의 모습을 그려볼 수 있었다. 예이츠는 아마도 이 유년 시절의 고향인 슬라이고의 전원생활을 배경으로 레드 한라한의 방랑하는 모습을 그렸을 것으로 생각했다. 따라서 슬라이고에서의 짧지만 소중한 나의 모든 일정은 예이츠가 마지막 낭만파 시인이자 불멸의 여성신성을 향한 그의 숭엄한 신앙심을 엿볼 수 있게 해주었다.

예이츠는 정통파 기독교도는 아니었지만, 그가 일찍이 신비주의 시인 윌리엄 블레이크의 시 세계에 몰입하면서 그의 신비주의적인 시 세계가 마음껏 펼쳐지게 되었을 것이다. 더 나아가서 서양 오컬트 단체인 "장미십자단"에 일평생 몸담으면서 서양 마법을 익힌 현자 시인으로서 그의 시 세계는 심오한 우주 원리를 담고 있다.

특히 불멸의 장미인 신의 여성성을 추구한 혜안의 시인인 예이츠는 그의 자서전적 소설에서 알 수 있듯이, 성배의 기사인 퍼시벌과 자신을 동일시하면서 성배가 상징하는 신의 여성 원리, 즉 불멸의 장미를 위해 헌신하는 올곧은 사제로서의 길을 걸었다. 그는 여성 신성인 불멸의 장미에 대한 열망을 그의 초기시인 장미시편에서부터 후기시에 이르기까지 일관성 있게 보여주고 있다. 이런 예이츠의 시적 자세는 그 자신이 얼마나 충실한 성배의 기사 퍼시벌로서 충실하였으며 마지막 최후의 날까지 굳건하게 수호하면서 살아갔는가를 확연히 보여주고 있다. 그런 그의 열정적 시적 자세를 통해 나는 그의 웅장한 상징시에 매료되었다.

신비 시인 예이츠는 그의 시적 인물인 방랑하는 레드 한라한처럼 불멸의 여인, 즉 불멸의 장미를 찾아 일생을 떠돌다가 말년에는 요양을 위해 불란서에 머물다가 생을 마쳤다. 이는 레드 한라한이 일평생 불멸의 미를 찾아 떠돌다가 마침내 불멸의 미의 품에서 잠들게 된 점과 유사하다. 그가 말년에 머문 불란서는 불멸의 여인이 거하는 성스러운 곳의 상징으로, 예이츠의 「동방박사의 경배“The Adoration of the Magi”」의 이야기에서 동방박사들이 세상에 거하는 불멸의 여인을 찾아서 신의 계시를 따라간 곳이 바로 불란서 파리 뒷골목이라는 점에서도 알 수 있다. 이처럼 그의 신비시는 지금도 예언적인 성향과 우주의 심오한 원리를 가득 담은 상징을 통해서 지복의 불멸의 세계인 장미원을 알려주는 장중하고도 다양한 시적 상징을 통해서 변함없이 나의 심금을 울리고 있다.

(요크대)

__ 예이츠와의 인연 그리고 아일랜드

진용우

윌리엄 버틀러 예이츠William Butler Yeats를 공부하며, 그의 작품과 같이 동고동락한 지 벌써 30여 년이 지난 것 같다. 학부 시절엔 멋모르고 예이츠에 관한 강의를 원로 교수님께 들었지만, 본격적으로 매료된 시점은 대학원 석사과정을 입학(1991년)하고 난 이후로 보아야 할 것이다. 우연 중의 우연이었다. 대학원 석사과정에서 드라마를 전공하고 싶었으나, 드라마를 지도해줄 교수님께서는 이를 사양하시고 옆 연구실의 케빈 오록Kevin O'Rourke(2020년 작고) 교수님을 추천해주셨다. 이유는 정년퇴직이 얼마 남지 않았다는 것이었다.

오록 교수님은 당시에도 한국문학 작품을 번역하는 일에 깊이 관심을 가지고, 특히 서정주 · 조병화 · 정철 · 윤선도 등 한국의 유명한 시인들을 두루 섭렵하며, 번역하는 일에 몰두하고 있었고, 나는 대학원 석사과정 2번째 학기부터 아일랜드 문학을 맛보게 되었다.

1. 아일랜드에 대해 접하기

연구 분야를 예이츠 시에 관한 연구로 정하고, 오록 교수님으로부터 강의는 두 학기를 수강하였다. 주로 아일랜드의 설화, 종교, 정치에 관한 이야기를 자주 하셨던 것으로 기억되고, 학기 중 강의는 『노턴 현대시선집*The Norton Anthology of the Mordern Poetry*』과 『W. B. 예이츠 시전집*Collected Poems of W. B. Yeats*』를 중심으로 진행하셨는데, 아일랜드에 대해 경험이 없는 나로서는 막막하고 매주 강의를 참가하고 난 이후 걱정이 앞섰다.

그 이유는 과제가 너무 많았기 때문이었다. 지금 기억해보면,

① Yeats와 아일랜드의 시가 아일랜드 민속과 농민에 근거를 두어야 함은 무엇 때문인가?

② 각자의 개인성이 문학, 특히 시에서 왜 중요한가?

③ Yeats와 Eliot을 비교하기, 한국문학의 가치?

④ 1916년 더블린에서 부활절 민중 봉기 사건의 원인?

⑤ Yeats는 여성 편력가인가? 등등

수도 없는 질문과 질책이 쏟아졌다. 이러한 질문 중에 많은 것들을 해결하지 못한 채, 『Yeats 시의 상징적 기법 연구』로 석사를 마치고, 박사과정을 수료한 후, 나는 런던의 히스로Heathrow 공항에 도착했다. 대학원 박사과정 지도교수님께서 아일랜드 학술답사를 강권하셨기 때문이다. 1997년 IMF 한파를 모른 채, 에든버러 대학교에 연구 과정을 간 것이다. 에든버러에 도착하여, 짐을 정리한 후, 이틀 만에 아일랜드로 향하였다.

2. 예이츠의 문학작품 흔적 찾기

애초의 계획은 골웨이Galway까지 비행기로 이동하려 했으나, 상황이 여의치 않아, 더블린Dublin－리머릭Limerick－골웨이Galway로 향하는 완행열차에 몸을 실었다. 그런데 멀고 먼 타국 땅에서 아일랜드 문학을 전공하는 더블린대학교 대학원생을 만났다. 우리는 서로를 소개하고 친구가 되는 데 많은 시간이 들지 않았다. 잠시 후 내가 가지고 간 이창배 교수의 『예이츠 시의 이해』를 꺼내어 메모해둔 아일랜드의 곳곳에 대해 질문과 호기심을 쏟아 내었다. 예이츠 시의 작품의 배경이었던 곳에 대해 물어보니, 그 친구가 잘 알고 있는 곳도 있고, 또 어떤 곳은 설명을 들어도 이해가 되지 않는 곳도 있었다.

1) 이동 중 만난 친구

어느새 우리 둘은 「이니스프리 호수섬“The Lake Isle of Innisfree”」에 대해 흥얼거리기 시작했다. 물론 한 소절씩 주고받음이 이어졌다. 겨울 해는 어느새 서쪽으로 기울어 가고, 천천히 달리는 완행열차에서 주고받는 “이니스프리 호수섬”은 아일랜드 현지 문화답사가 순조로울 것임을 예고해주었다.

나 일어나 가리라, 지금, 이니스프리로 가리라.
거기 욋가지 엮어 진흙 바른 작은 오두막을 짓고
아홉 이랑 콩밭과 꿀벌통 하나 두고
꿀벌 소리 요란스러운 그 숲속에서 홀로 살아가리.

I will arise and go now, and go to Innisfree,
And a small cabin build there, of clay and wattles made:
Nine bean-rows will I have there, a hive for the honeybee,
And live alone in the bee-loud glade.

2) 골웨이: 쿨 장원과 고탑을 찾아가다

골웨이에서 1박을 하며, 다음날 현지답사를 하기 위한 준비를 하느라, 여관 주인에게 늦게까지 현지 지형에 관해 물었다. 첫 방문지이면서 예이츠 문학의 많은 부분이 골웨이 주변에 근거를 둔 것이기 때문이었다. 「흰 새들"The White Birds"」, 「쿨 호의 야생 백조들"The Wild Swans at Coole"」, 「쿨 장원과 발릴리 탑, 1931"Coole Park and Ballylee, 1931"」, 「불벤산 기슭에서 "Under Ben Bulben"」, 「탑"The Tower"」 등 수많은 예이츠의 작품들이 골웨이와 슬라이고Sligo를 배경으로 하기에, 이곳은 학술답사로는 너무나 중요했다. 하지만 여관 주인은 내게 귀띔해주었다. "젊은 문학 전공자들이 가끔 이곳으로 답사를 오는데, 기대가 크면 실망도 클 것이다."라고 말하고는 웃었다.

이튿날 해가 비치자 여관을 나서는데, 12월이라 지난밤에 겨울비가 많이 와서 날씨가 너무 추웠고, 여관 주인의 만류도 있고 해서 오전 늦게 현지로 갔다. 골웨이에서 버스로 약 30분 이상 쿨 장원이 있었던 곳으로 향해 가다가, 쿨 파크의 자연보호지역에 접어들었는데 문제가 발생했다. 쿨 호에서 야생백조의 흔적을 볼 것이라고 잔뜩 기대에 차 있었지만, 쿨 호Coole Lough를 목전에 두고 진입로가 범람하여, 진입금지 팻말을 발견했다. 계절은 겨울이라 옷은 두껍게 입었고, 신었던 구두를 손에 들고 도하를 시도하려는 순간 주변 사람이 다가와 건너지 못하도록 만류하는 상황이 벌어졌다. 물살에 떠내려갈 수 있다고 극구 만류하여 포기하고 말았다. 그 길은 알고 보니 쿨 호와 예이츠가 한때 살았던 고탑으로 향하는 길임을 알았다. 진입을 포기하고 가지고 있던 카메라와 캠코더로 주변을 촬영하고는 넋이 나간 듯이 한참을 서성이다가 우회의 길을 찾아보았으나, "야생동물 출현"이라는 팻말이 군데군데 있어 또 좌절하고 골웨이에서 중요한 현지답사는 실망과 허무감만이 남기고 마무리했다.

3) 슬라이고: 길 호수와 이니스프리 섬을 찾다

골웨이에서 약 2시간 정도 기차를 달려 아일랜드의 북서부에 위치한 슬라이고에 도착했다. 그 이름도 유명한 예이츠 호텔Yeats Inn이 있었다. 슬라이고는 호텔과 식당은 물론, 슈퍼마켓, 빵집, 잡화상 가게도 예이츠 이름을 붙인 곳이 너무 흔할 정도였다. 골웨이에서 경험한 답사는 실패였다는 생각이 들어서 아침에 일찍 움직였다. 택시를 잡아타고 기사에게 「이니스프리 호수섬」이 수록된 시집을 보여주니 기사는 알았다는 듯 "따봉"을 표시하는 엄지손가락을 올려세웠고, 누런 이빨을 내보이면서 웃었다. 이동 중 택시 기사는 열심히 영어로 주변을 설명하였지만, 그것은 영어가 아니라 게일어인 듯했다. 당시를 생각해 보면 10%도 이해하지 못했던 것 같다. 택시는 길호Lough Gill라는 표지가 있는 호수 앞에 정차했다. 이니스프리 섬은 눈앞에 보이는 작은 섬이라고 했다. 이곳도 최근에 내린 겨울비로 인해 호수의 수위가 제법 많이 올라왔다고 하였고, 지금은 이니스프리 섬을 왕래하는 배가 없어 섬으로 들어갈 수 없다고 했다. 호수 주변을 잠시 보다가 담배를 한 개비 물었다. 그리곤 택시 기사가 친절하게도 기념사진을 찍어주었다. 그다지 크지 않은 호수와 조그만 저 이니스프리 섬의 존재가 대한민국의 영문학도들에게 자주 언급되고, 앞으로도 언급될 이유는 무엇일까 생각해보았다. 나의 고향에도 이보다 더 큰 호수 "진양호"가 있고 이니스프리 섬을 닮은 섬이 있건만, 둘의 차이는 무엇일까? 라는 생각도 해보았다.

4) 슬라이고의 드럼클리프: 예이츠의 묘지 방문

예이츠의 죽음으로부터 고국으로 귀환까지는 여러 추측이 있는 것 같다. 분명한 것은 생애 마지막 2년여 동안 예이츠는 남프랑스의 이데알 세주르에서 요양하며 창작 활동을 하였고, 그는 이역 땅 프랑스에서 사망한 것으로 전해진다. 고국 아일랜드에 매장되기 전 여러 여건이 되지 않아 프랑스의 로크브륀에 묻혔다. 그의 시신을 슬라이고에 매장하지 못한 이유는 1939년 가을 제2차 세계대전의 발발로 좌절되었기 때문이라고 전해진다. 1948년 그의 시신은 슬라이고로 올 수 있었고 슬라이고의 드럼클리프에 있는 작은 개신교 교회 묘지에 매장되었다. 그의 『마지막 시집 *Last Poems*』(1939)에 수록된 시 「불벤산 아래에서"Under Ben Bulben"」에서 자신이 썼던 마지막 3행이 그의 묘 비문에는 다음과 같이 기록되어 있었다. "삶과 죽음을 / 냉정히 바라보라. / 말 탄 자여 지나가라!Cast a cold Eye / On Life, on Death. / Horseman, pass by!"라는 문구는 지금도 나의 기억에 선명하게 남아 있다. 벌써 25년 전 그가 묻혀 있는 무덤을 가리키며 방문 기념 사진을 찍었지만, 아직도 나는 "말 탄 자여"가 누굴 지칭하는지 단언할 수 없고, 나의 강의 시간에도 명확한 답을 주질 못하고 있으며, 여러 생각들로 가득할 뿐이다.

5) 더블린: 연극 운동의 흔적을 찾다

예이츠가 시인이면서 연극에 매진한 이유는 아일랜드 전 국민을 변모시키기 위해서는 문학과 희곡을 통해서 가능하다고 믿었기 때문이었다. 그런 활동은 더블린에 그 유명한 애비 극장The Abbey Theatre을 설립하면서 절정에 다다랐고, 이 극장은 1904년 첫 작품을 무대에 올림으로써 극작가로서의 재능과 지도력을 크게 인정받게 되었는데, 그 과정을 찾아 더블린의 애비 극장을 찾았다. 방문하기 하루 전에 극장의 프로그램 매니저와 약속을 한 후 방문하였더니 예이츠의 기록을 준비하고 기다리고 있었다. 그가 보여준 서류는 애비 극장의 설립 당시 설계도와 극장의 운영위원, 창립자, 그리고 감독을 역임했던 기록을 보여주었고, 또한 극장의 공연장은 여러 차례 수리와 변모를 거쳤다는 설명과 함께, 구석구석을 안내해 주었다. 대한민국의 젊은 영문학도가 대단한 환대를 받은 기분은 아직도 지울 수 없다.

3. 아일랜드 학술답사를 마치며

지금으로부터 25년 전 예이츠에 대해 심도 있는 연구를 결심하고 영국으로 갔고, 아일랜드로 학술답사를 하게 된 점은 참으로 힘들었지만 잘한 결정이었다. 학술답사를 마치고 에든버러 대학교로 돌아와서 현지 지도 교수님이고 학과장님이었던 케인즈 크레이그Cains Craig 교수님과 마주 앉아 아일랜드 답사에 관한 이야기를 나누었다. 그는 『예이츠, 엘리엇, 파운드와 정치시학*Yeats, Eliot, Pound and the Politics of Poetry*』의 저자이기도 한 분이다. 놀라운 것은 그 교수님도 예이츠 작품의 흔적을 찾아 아일랜드 곳곳을 답사하지는 못했다고 했다. 그리곤 내가 다녀온 아일랜드 현지답사는 나의 평생 학문의 자산이 될 것이고, 다시 가기 어려운 길을 다녀왔다고 칭찬해주셨다.

아일랜드를 다녀온 지 25년의 세월이 지났고, 내 나이 어느새 예이츠가 「어린 학생들 사이에서」를 발표했을 당시의 나이(61세)이다. 지금도 강의 시간에 학생들에게 나의 학술답사 경험을 매년 이야기하고, 사진도 보여주곤 한다. 또한 아일랜드로 어학연수를 떠나는 후학들에게 더블린에만 머물지 말고 슬라이고도 가보라고 권유하기도 한다. 게다가 나의 강의를 수강하는 학생들에게 「이니스프리 호수섬」, 「이 세상의 장미」, 「재림」, 「레다와 백조」 등의 시편을 암송하게끔 한다. 왠지 모르게 이렇게 지나친 욕심을 내 보는 것도 예이츠에 대한 내 나름의 사랑의 표현 방식일까. 마지막으로 아일랜드 학술답사에 길잡이가 되어준 『예이츠 시의 이해』는 훌륭한 가이더였고 등대였음에 감사드리고 싶다.

(경상국립대)

__ 지금도 그럴 것이다, 아일랜드!

허현숙

아일랜드를 여러 번 여행했지만 아무래도 처음 갔을 때가 가장 기억에 남는다. 그리고 그때 만났던 사람들에 대한 기억은 지금도 여전히 아주 강렬하다. 내가 처음 아일랜드 땅을 밟았던 때는 20세기 후반, 그곳에서 만난 사람들은 모두 당시로서도 놀라울 정도로 한국을 몰랐다. 그럼에도 내 눈에 그들은 내 친구들과 마찬가지로 친절하고 호기심 가득한 사람들이었다. 그리고 그들은 지리적인 한계와 사회로부터의 힘에서 자유롭지 못했지만, 기꺼이 그 한계와 압력으로부터 벗어나려는 의지가 강한 사람들이었다. 지금도 그런 사람들이 아일랜드 사람들이라고 나는 믿는다.

영국의 노팅엄 대학에서 내 튜터로 배정된 이는 당시 그 대학에서 막 경력을 시작하고 있던 톰 폴린Tom Paulin이었다. 그는 북아일랜드 출신이었고, 아일랜드를 무척 사랑한다면서 내가 아일랜드로 여행한다고 했을 때 무척 반가워했다. 부활절 방학에 내가 아일랜드에 간다는 말에, 그는 슬라이고에 있는 예이츠 섬머스쿨 사무실에 들르면 여러 가지 도움을 줄 것이라고 했다. 나는 학생 표를 사서 리버풀에서 더블린까지 배를 타고 하루 걸려서 더블린에서 도착, 슬라이고로 가는 시외버스를 탔다. 그때만 해도 유럽 특히 영국에서도 담배는 아무 곳에서나 피울 수 있었고, 시외버스 운전사 아저씨 역시 예외 없이 담배를 피우며 운전했다. 더블린에서 슬라이고까지 예정은 3시간이었지만 중간에 두어 번 쉬면서, 쉬는 곳에서마다 운전사 아저씨는 쉬는 곳 가까이 있는 가게 사람들과 한 30여 분씩 수다를 떨었고, 버스 안의 누구도 빨리 가자고 재촉하는 사람 없었다. 그래서 예정보다 한 시간 정도 늦게 슬라이고에 도착했다.

이미 오후가 다 지나는 시각에 허둥지둥 예이츠 섬머스쿨 사무실을 찾아갔더니, 폴린으로부터 연락을 받았다며 사무실 직원이 기다리고 있었다. 그녀는 내가 슬라이고 근처에서 꼭 가봐야 하는 곳이라며 지도에 표기해주고 숙박할 곳 역시 소개했다. 그녀의 소개를 받고 찾아간 비비 Bed and Breakfast는 평범한 주택이었다. 아래층은 주인 부부가 살고, 위층에 방 셋인지를 두고 나 같은 여행객을 묵게 했는데, 2층의 한 방에 들어가 가방을 내려놓고 보니 방에 잠금장치가 없었다. 예이츠 섬머스쿨 사무실에서 소개했으니 믿을 만한 곳이라고 생각했지만, 그래도 일단 물어는 봐야 할 것 같아 주인아주머니에게 안에서 잠그는 장치가 없는 방인데 내가 좀 불안하다고 다른 방으로 바꿔 주면 안 되겠냐고 청했다. 그런데 그녀의 말이 나를 좀 놀랍게 했다. 여기에서는 다 이렇게 하고 있다고, 큰 호텔 아니고는 방문을 잠그지 않고 다닌다고, 걱정하지 말라고 했다. 그래서 반쯤 믿기도 하면서 걱정도 하면서 하룻밤을 지냈는데, 그 집에 나 말고는 아무도 묵지 않았고 너무 조용하고 한가한 골목이며 이웃이 마음에 들어 그곳에서 사흘인가 묵었다. 그동안 아침마다 주인 내외는 내가 어디에서 왔는지 어쩌다 예이츠를 공부하게 되었는지 등등 정말 많은 질문을 해댔고, 내가 태어나고 자란 한국은 어디에 있는지조차 전혀 모르는 자신들의 처지에 대해 약간은 부끄러워하기도 했지만, 그들의 질문은 이제 한국에 대해 잘 알고 말테야 라는 의지를 숨기고도 있어서 나는 그들의 질문에 아주 반가운 마음으로 답했다.

슬라이고를 떠나 예이츠의 탑과 레이디 그레고리의 저택이 있던 쿨 공원을 둘러보려 골웨이로 내려갔다. 골웨이에서의 첫날 쿨 공원으로 가려고 나는 버스 정류장에서 그곳까지 가는 버스를 알아보려 어슬렁거리고 있었는데, 가까이 있던 어떤 아저씨가 다가왔다. 어디로 가려 하냐고 내게 묻더니 자신은 택시 운전사인데 그곳까지 버스가 하루에 몇 대밖에 없다면서 자신의 택시를 타고 가서 그곳을 마음 내키는 만큼 보고 약속한 시각에 자신이 다시 그곳까지 가서 나를 태워 오겠다고 제안했다. 그 가격이 그다지 비싸지도 않아서 그러자 하고 그 아저씨가 운전하는 택시를 타고 쿨 공원에 갔다. 그리고 아무도 없는 쿨 공원을 한 세 시간 정도 돌아보고 약속한 시각에 맞춰 입구에 갔더니 약속한 대로 나를 기다리고 있었다. 그 덕택에 쿨 공원까지 편안하게 오가게 되어 그에게 고마웠고, 한편 그의 질문에 대답하느라 슬라이고에서 했던 말들을 다시 하느라 피곤하기도 했다. 그리고 나중에 내내 생각건대, 젊은 여자아이가 혼자 택시를 타고 쿨 공원으로 가서는 혼자 그 넓고 한적한 공원을 돌아다니다 다시 같은 택시를 타고 작은 읍내 정도의 마을로 되돌아오는 여행을 아무 탈 없이 할 수 있었던 것은 아무래도 그곳 사람들이 한없이 선하고 친절해서였다는 간단한 사실 덕택이다.

슬라이고와 골웨이, 그리고 코크 지역을 돌아보고 다시 더블린으로 와서 더블린 시내를 돌아다니는 여정이 3일 정도였다. 그중 기억에 먼저 떠오르는 사람은 동양계 남자이다. 그는 내가 더블린의 리피 강을 따라 걷고 있을 때, 멀리에서 뛰어오더니 내게 어디에서 왔냐며 악수를 청했다. 자세히 보니 한 30대 중반으로 보였는데, 자신은 더블린에 정착한 지 한 세대가 지난 중국계라고 했다. 그러면서 생의 처음으로 더블린에서 동양계를 만난다고 했고 더더군다나 한국인은 처음이라며 남쪽이냐, 북쪽이냐고도 물었다. 남쪽과 북쪽을 구별하는 것을 보니 한반도에 대해 얼마간은 알고 있는 것 같다고 여겨지기는 했지만, 슬라이고에서 그리고 골웨이와 코크 지역 등에서 만난 아일랜드 사람들과 마찬가지로 그 역시 한국에 대해 전혀 지식이 없기는 마찬가지였다. 그래서 길 한 귀퉁이에서 나를 붙잡고 그는 여러 질문을 했는데 주로 한국과 서울에 대한 질문이었다. 그의 질문은 물론 한국이나 서울의 현실을 알고 싶어 하는 마음에서 나온 것이었다. 예를 들자면 서울이 더블린과 비교해서 얼마만큼 큰 도시인지 얼마만큼의 사람들이 사는지 어떤 음식을 먹고 어떤 차를 마시는지 등에 관한 것이어서 나로서야 피할 이유가 없었다. 그렇게 길거리에서서 한 30여 분 질문 공세를 받고 길을 떠났는데, 그는 헤어지면서도 한국을 비롯해 저 먼 동쪽 지역을 언젠가는 가보고야 말겠다는 결의를 내게 전했다.

또 다른 기억 속의 아일랜드 사람, 그는 더블린을 떠나는 날 시내에서 우연히 만난 중년의 남성이다. 그때는 내가 더블린의 시외버스 정류장 가까이 있는 카페에 앉아 더블린 항구로 가는 버스를 기다리고 있던 때였다. 더블린 항구에서 다시 배를 타고 영국으로 가는 일정이었는데 배를 타기까지 약 두어 시간 남았고 순조로운 여행의 마지막이었으니 마음은 한가했고 여유로웠다. 카페에 들어가 점심인지 간식인지 주문하고 멍하니 창밖을 내다보는데 바로 카페 가까이 라운드어바웃 건너편에서 자전거를 타고 있던 어떤 사람과 눈이 마주쳤나 싶다. 무심하게 내다보고 있었으니 눈이 마주쳤는지 아닌지 나로서는 알 수 없는데, 그 사람이 가던 길을 돌아 내가 있는 카페로 들어와서 내 앞자리에 앉고서는 나를 빤히 보며 온갖 질문을 쏟아냈다. 난생처음 동양 여성을 본다면서! 어떻게 여기까지 왔는가에서부터 시작한 질문은 카페를 떠나 시외버스 정류장에서 버스를 기다리는 곳까지 따라왔다. 정류장의 의자에 앉아 그를 자세히 보니 팔에 문신이 가득이었다. 그래서 더블린에서 어떤 일을 하느냐고 물었더니 교회에서 일한다고 했다. 그러니까 교회지기라고 해야 하나. 호기심 가득한 눈에서 나는 그의 삶이 어떠했을까를 떠올려 보려 했지만, 떠올리는 것들이야 그저 내가 알고 있는 아일랜드 역사와 사회 현실에 대한 지식 정도에서 유추할 수 있는 정도의 것이었다. 다만 그가 서울이 어떤 곳인지 정말 가고 싶다고 말했을 때 그 호기심 가득한 눈과 마음은 이해할 수 있었고 그의 삶의 어느 한 모퉁이에서 서울까지 여행할 수 있는 시간과 경제적 여유가 있기를 진실로 빌기도 했다. 그리고 내 노팅엄 주소를 건네주고 나는 영국으로 건너왔는데, 내가 노팅엄에 있는 동안 그는 두어 번 카드를 보냈다. 그의 카드에서 그는 영국 여행조차도 쉽지 않다고 했지만, 어느 날이든 서울까지 여행할 것이라고 했다. 정녕 그가 자신의 소망대로 서울까지 여행했기를 빈다.

또 다른 아일랜드 사람은 더블린에서 영국의 리버풀로 돌아오는 배 안에서 만났던 중년 여성이다. 그 배는 영국 리버풀과 더블린을 밤새 오가는 페리호였는데, 주로 돈을 아끼는 사람들이거나 차를 갖고 영국이나 아일랜드를 여행하려는 사람들이 이용했다. 당시의 나 역시 그 배에서도 가장 싼 값으로 타는 맨 아래 칸 표를 샀고 그래서 그곳으로 내려갔다. 그런데 더블린으로 갈 때는 잘 의식하지 않은 배 냄새가 너무 심해 갑판으로 올라올 수밖에 없었다. 그 중년의 여성은 바로 그곳 갑판에서 만났다. 나처럼 뱃머리에 기대고 서서 멀리 수평선을 바라보다 나와 말을 나누게 되었다. 간단히 서로 소개하고 바로 그녀는 자신의 인생을 풀어놓기 시작했다. 40대 초반 정도로 보이는데 이미 아이를 셋인가 두었고 영국으로 가는 이유는 영국 시민이 되기 위해서라고, 그래야 남편과 이혼할 수 있어서라고 했다. 그러니까 이혼하기 위해서 영국으로 건너가는 것이고, 이혼하기 위해 영국 시민이 되려는 것이라고! 나는 그 말에 아주 놀랐는데, 물론 아일랜드에서 이혼이 쉽지 않다는 것은 잘 알고 있었지만 아일랜드 사람에게서 직접 당사자의 말을 들으니 더 놀랐던 듯하다. 더군다나 그 남편은 어느 나라인지에 가서 한 3~4년 만에 한 번 아일랜드로 돌아와 아이를 만들어 놓고 가서는 연락도 없다가 다시 돌아와 아이를 만들고 . . . 그렇게 아이를 혼자 낳고 혼자 키우고 그렇게 살다 보니 너무 억울하고 자신의 삶이 무언가 싶다는 넋두리 비슷한 이야기였는데, 넋두리라고만은 할 수 없을 정도로 이야기하는 그녀의 태도는 비장하고 단호했다. 그런 상황에서도 교회에서 이혼 허락을 받는 것이 어려우니 아예 영국으로 가서 영국인이 되려 한다는!, 그러니까 이혼을 위해 영국 여왕의 신민이 되려 한다는! 그녀로서는 절박한 결심이었고 듣고 있던 나도 응원을 하지 않을 수 없었다. 리버풀 항에서 그녀와 헤어지면서 앞으로의 그녀 삶이 그녀의 의지대로 펼쳐지기를 기도한다고 인사를 전했다.

아주 오래전 아일랜드를 여행하면서 내가 만난 아일랜드 사람들의 이야기는 예이츠의 작품을 읽거나 그의 자서전과 편지를 읽을 때마다 떠올리게 된다. 예이츠가 여러 생각들을 펼치고 특히 정치적인 맥락에서 남긴 메시지를 읽을 때마다 예이츠 당대의 아일랜드의 현실이 어떠했을까를 당연히 생각하게 된다. 뿐만 아니라 예이츠 이후 많은 세월이 지났음에도 쉬이 변하지 않고 여전히 큰 힘으로 아일랜드 사람들에게 작용하는 지리적 한계와 그 내면의 고립감, 그리고 사회적 여러 압력 등을 생각하면 예이츠의 복잡한 내면을 조금은 이해할 수 있을 것 같기도 하다.

(건국대)

PHOTO BY YOUNG SUCK RHEE

작고 3주 전 셰이머스 히니 (2013. 8. 6.)

슬라이고 매의 극장에서 예이츠 강연 후 헬렌 벤들러와 대화를 나누는 히니

— 내가 경험한 아일랜드와 그곳 문인들의 숨결

홍성숙

1. 이질적 오랜 역사가 공존하는 더블린과 아일랜드에 대한 필자의 인상

더블린은 이질적 역사가 공존하는 아일랜드의 수도다. 바이킹의 이교 문화와 가톨릭이 주류인 기독교 문화가 공존하는 도시 더블린. 5세기에 아일랜드는 선교사였던 수호성인 성 패트릭St Patrick에 의해 영국보다 먼저 기독교가 전파되었지만, 그들 무덤의 문양에서 이교와 기독교가 공존하였던 역사의 흔적을 찾아볼 수 있다. 그리고 더블린에는 트리니티Trinity대학 및 오코넬O'Cornell 거리, 강변을 따라 있는 커스텀하우스, 중앙통의 석조건물에서 12세기 이후 영국 식민통치의 잔재도 발견된다. 한편 거리 곳곳 조형물들은 1840년대의 감자 대기근을 상기시킨다. 애비극장Abbey Theatre과 국립 예술관 및 박물관 전시물들은 예이츠와 그레고리 등의 아일랜드 문예부흥Irish Literary Revival 운동을 상기시킨다. 그리고 중앙우체국과 킬마인햄Kilmainham 감옥이라는 역사적 장소를 통해 1916년 부활절 봉기와 독립투사들의 희생 흔적을 목격할 수 있다. 게다가 아일랜드어와 영어가 동시에 적혀 있는 버스 팻말에서 독립 이후의 흔적을 살펴볼 수도 있다. 한편 강변에는 IT 기업들이 있다. 오코넬 거리 중심에 위치한 120미터의 스파이어Spire라는 뾰족 탑을 통해 1973년 이후 유럽연합의 회원국으로서 켈트 타이거Celtic Tiger로 성장하고 있는 아일랜드의 모습을 느낄 수 있다.

필자는 아일랜드를 세 번 방문했는데 그때마다 조금씩 변화되어 가는 아일랜드를 발견하게 된다. '성인들과 문학 관광국', '요정이 사는 녹색 장원', '유머와 노래를 사랑하고 인간미 넘치는 아일랜드인', '종교적 절제와 소박한 가족애', '인간의 숫자보다 유난히 많은 가축' 등이 아일랜드에 대한 주요한 인상이었다. 그러나 꼭 긍정적인 인상만 있는 건 아니었다. 유령이 떠돌 것 같은 버려진 폐허와 성당들, 중세 모습을 간직한 초췌한 난쟁이 집들, 문학 관광국에 비해 초라한 작가 박물관과 극장들, 무엇보다 최근 방문 때 발견된 더블린 공항의 불상, 동물원의 중국식 화룡 인테리어, UCD의 공자학원, 엄청나게 큰 무슬림 사원 등이 그들 고유문화보다 이민족의 문화 침범이 커져간다는 인상이었다. 아일랜드의 문제점은 아직도 굴지 기업이 들어가 활기 있게 산업 활동할 토질이 결여된 국토의 한계에서도 찾아볼 수 있다. 리피Liffey강의 흑색 토양은 기반이 튼튼하지 않아 지하철조차 건설하기가 어렵기 때문이다. 그러나 그들은 현재 국민소득이 6만 불을 넘어 영국이나 대한민국을 추월한 것은 일찍이 구글, 페이스북 등 굴지의 IT 기업에 기업 세금을 낮춰가면서 자신의 나라로 유치한 그들의 지혜와 해외로 흩어진 이민의 후예들 간의 막강한 결속력 때문이었다고 생각된다.

2. 1995년 필자의 첫 번째 아일랜드 방문 기행: 셰이머스 히니의 노벨 문학상 수상을 기리기 위해

필자가 아일랜드를 처음 방문한 것은 박사논문에서 다뤘던 셰이머스 히니Seamus Heaney가 1995년 11월에 노벨 문학상을 탄 직후인 1995년 12월에 가족과 함께였다. 런던 히드로 공항의 맨 구석진 곳에서 영국인과 아일랜드인의 오랜 감정은 공항 게이트로부터도 느껴진다. 더블린 공항에서도 런던행 비행기의 게이트는 제일 구석 진 곳이 제공된다. 아일랜드로 향하는 작은 비행기로 갈아타고 질풍이 불어오는 아일랜드 해협을 건너 더블린에 도착했다. 목적은 셰이머스 히니와 아일랜드를 느껴보고 싶어서였다. 1995년 처음 맞은 더블린 공항의 모습은 아담한 느낌이었고 숙소는 더블린 중심가의 스위트룸으로 런던의 비좁은 호텔보다 그 사이즈는 넉넉했다. 오염수가 아니고 검은 토양 때문에 검은색의 물이 흐르는 리피강, 독립운동의 영웅들인 오코넬, 파넬Parnell 등의 조각상이 있는 오코넬 거리, 그리고 트리니티 대학의 중세 켈즈 수서본Book of Kells이 간직된 오래된 도서관, 대학 주변의 헌책방이 내 눈을 사로잡았지만, 제일 반가운 것은 인근의 맥도날드 햄버거 가게였다. 영국에 거주할 때 '피쉬 앤 칩스'를 발견하면 안도했던 것처럼 눈에 들어오는 익숙한 먹거리였기 때문이었다. 거리의 악사들과 틈틈이 보이는 거리의 화가들, 대낮에도 촛불 앞에서 기도하는 성당의 여인들은 낯설면서도 친숙했다,

그리고 우리 가족은 더블린 교외의 위클로우Wicklow 지역을 방문했다. 학교가 파하는 오후 시각에 우리는 그곳의 유일한 동양인이었다. 그리고 도니골Donegal을 거쳐 더블린을 향해 돌아올 때 1994년 평화조약 직후의 모습이 목격되었다. 국경에는 검문소도 없어지고 도시에서 폭탄이

터지는 일은 없어졌을지라도 알 수 없는 긴장감이 엄습해 왔다.

작가 박물관에서 눈에 띄는 것은 주로 제임스 조이스 작품들이었고, 직원에게 셰이머스 히니에 대해 물었더니, 우리나라엔 그에 버금가는 작가들이 많다고만 답을 했고 택시 운전사에게 히니의 주소를 물었더니 부유층이 사는 샌디 마운트쪽이란 답변만을 받았을 뿐 불쑥 찾아가서 만나볼 용기는 없었다. 그리고 바이킹 박물관과 성당 등을 둘러보면서 그들에게 바이킹의 강인한 피가 흐르고 있음을 느꼈으며 또한 대낮에도 촛불 속에서 기도하는 그들에게서 우리 어머니들의 미신 같은 신앙심을 읽었다. 그리고 겨우 예약해서 가본 곳이 애비 극장이었는데 마침 필자에게도 익숙한 존 밀링턴 싱J.M. Synge의 「서쪽 지방의 바람둥이"The Playboy of the Western World"」가 공연되고 있었고 중학생쯤으로 보이는 학생들의 단체 관람이 눈에 띄었다.

3. 1998년 필자의 두 번째 아일랜드 방문 기행: 리머릭 대학에서 열린 국제 아일랜드문학회에 참가하기 위하여

두 번째 방문길은 1998년도 리머릭Limerick 대학에서 열렸던 국제 아일랜드문학회 IASIL에 참가하기 위해 혼자 아일랜드 길에 올랐던 때였다. 더블린에서 리머릭까지 달리는 기차는 시골길을 느리게 달리는 완행열차였다. 매우 한적한 바깥 풍경은 사람보다는 소와 말들이 녹색 잔디에 편안히 앉아 필자를 반기는 듯했다. 리머릭 대학의 학생 기숙사는 비교적 현대적이었다. 전 세계 유명학자들이 모여 일주일간 학문의 향연을 벌이는 동안 논문을 발표하고 아일랜드 음악과 춤, 문학 감상을 하였으며 근처 지역도 둘러보았다. 처음 참가하는 국제학술대회인지라 원고를 계속 수정하다 마지막 날에서야 "아일랜드 문학의 상반된 양상: 부권살해와 부권존중"을 발표할 기회를 어렵게 만들 수 있었다. 나름대로 긴장과 호기심이 교차하였고, 문학 교수들이라 그런지 전체적 분위기는 다정다감 그 자체였다. 무엇보다 필자가 논문 쓸 때 많이 인용했던 책 저자인 마이클 파커Michael Parker 교수도 만날 수 있어 감개무량했다. 대한민국 학자로는 타 대학 교수님과 필자 둘밖에 없었다.

학술대회가 끝나고 더블린 기차역에는 오록 교수님과 서울서 온 여 교수님 한 분이 필자를 마중 나와 계셨다. 여 교수님은 제임스 조이스 연구자라서 더블린에서 조이스의 흔적을 샅샅이 찾아보고자 방문했고, 오록 교수님은 우리 문학도 일행과 서울에서 온 다른 손님에게 서쪽 딩글 반도까지의 여행을 주선하셨다. 변리사인 교수님의 형님댁에서 하룻밤 머물고 샌디 마운트 해변에서 아침 산책을 했다. 딩글로 가는 길에 킬케니 주변도 들렀고 톱밥 깔린 아일랜드 전통 음식점에서 식사도 했다. 중간중간에 들른 성곽은 높은 곳에 자리 잡고 폐허로 변해 버린 영국 고성들과는 달리 사람이 거주할 만큼 깨끗해 보였다. 하지만 사람들이 버리고 떠나 폐허가 되어버린 많은 곳을 목격할 수 있었다.

4. 2017~18년 필자의 UCD 교환 교수로서 세 번째 아일랜드 방문

그 후 세 번째 방문은 거의 20년 만인 2017년 UCD에 교환 교수로 갔었을 때였다. 20년의 세월은 더블린 공항이 1, 2청사로 나뉘어 조금 더 커진 느낌을 주었고, 트리니티 대학의 서점가는 쇼핑지역으로 탈바꿈하였다. 그리고 리피강 위에 다리도 20개가 넘게 늘어나 있었다. 관광객들도 늘어나 '생선 장수 몰리 여인상' 주변에는 매일 아침 지방으로 떠나는 관광버스 대열이 목격되었다. 유럽대학들은 9월 중순 이후나 되어야 개학이 시작된다. 아일랜드는 녹색 식물과 아이들이 잘 자랄 수 있는 환경의 나라인 것 같은 인상을 받았으며, 그 어디를 가도 우리나라에서 볼 수 있는 공장의 굴뚝이나 고층 건물이 보이지 않았다. 더블린의 주택 사정도 그렇게 넉넉하지는 않았고 살기 좋아졌다는 말은 인플레이션 덕분이란 생각이 들었다. 더블린의 중앙통으로부터 성당 너머 지역에는 흑맥주 공장이 있었는데 기네스 흑맥주를 만드는 물은 위클로우 계곡의 물이란다. 그 옆 어딘가 독립투사들이 희생되었던 감옥이 있고 우리처럼 더블린도 강남과 강북으로 나뉜다.

그런데 필자는 8월 16일 예정보다 일찍 더블린에 도착해서, 아무도 없는 캠퍼스 한구석 으슥하고 혼령이 출몰할 것 같은 옛 건물에 학교 측 배려로 입주하였다. UCD는 아일랜드 국립대학교 중 하나로서 비교적 부유한 강남에 자리 잡고 있었다. 문에서 오른쪽은 자연 계열, 영문과는 드라마와 합쳐 과Department가 아닌 학부School란 명칭을 쓴다. 더 깊이 들어가면 책방과 도서관, 평생교육원 등이 이정표가 된다. 그리고 건물마다 카페테리아와 강의실이 있고 학생회관에는 소강당 및 체육시설과 영화관까지 있었다. 인문 사회계열 1층에는 원형의 대형 강의실들이 있는데 건물 마룻바닥에 그어진 붉은 줄, 녹색 줄 등은 그 건물의 복잡함 속에서 안내자 역할을 하는 귀중한 표시였다. 호수에는 빵이나 과자 부스러기를 얻어먹으러 암수 백조와 검은 청둥오리 등 사오십 마리가 떼를 지어 사람 근처를 맴돈다. 작은 새는 날쌔게, 그러나 몸집이 큰 백조는 실컷 물놀이 하다가 맨 마지막으로 허겁지겁 거칠게 모이를 향해 달리기한다.

UCD에서는 생애 처음 스톤코티지Stone Cottage라는 오래된 색 바른 집에 머물게 되었다. 범죄학과로 쓰이는 12세기 건물 옆 구석에 울창한 나무에 가리어진 유령이 나올 것만 같은 오래된 집이었다. 학교 직원도 그 건물이 눈에 띄지 않아 헤맬 정도로 으슥한 곳에 자리 잡고 있었다. UCD 캠퍼스 안의 일종의 영빈관이었지만 너무 소박하고 낡은 숙소는 사방이 다 뚫린 듯 안전에 대한 장치가 별로 없었다. 11월 새벽에는 청설모가 밤을 줍느라 분주한 나머지 동료 청설모를 데려오고, 5월에는 할 일 없이 곰방대로 등을 긁고 있는 청설모를 발견할 수 있을 만큼 자연이 인간과 조화를 이루고 있는 곳이라 생각된다. 유럽의 다른 곳들처럼 이곳 아일랜드도 우리 식의 최신 스타일의 집보다는 우중충한 오래된 집이 더욱 눈에 띌 뿐이었다. 그나마 연구원에게 주는 특혜로, 월세는 최신식 기숙사를 쓰는 학생들이 1천 유로였다면 750유로로 비교적 저렴하였다. 학교 내 슈퍼도 학생들이 불편 없이 지낼 수 있도록 잘 차려 있었고, 특히 고기 종류는 우리나라보다 양질이었지만 저렴한 편이었다. 그리고 다양한 국가에서 온 유학생을 고려해 음식 파는 트럭Food Truck이 목요일마다 운영되어 고국의 맛도 느낄 수 있었고, 식당에도 간장소스가 들어간 질펀한 국물이 추위나 속 마름을 달래주었다. 그리고 각 건물의 카페테리아도 다양한 디저트와 빵이 우리의 눈과 코를 즐겁게 해주었기에 종종 책 읽거나 흔한 일은 아니었지만 만남의 장소로 이용할 수 있었다. 여행하거나 돈을 쓰는 과외활동을 하지 않는다면 주거비 포함해서 1,500~2,000유로면 충족될 수 있었지만, 주말마다 여행을 떠난다든지 연극 구경이나 외식을 하면 조금 더 돈을 지출해야 했다. 학생 및 버스 카드와 휴대전화를 충전하면 현금은 별로 쓸 일이 없었다.

UCD 학생회관을 방문했을 때 벽화인 듯 벽에 붙어있던 검은 외투의 긴 수염 할아버지는 캠퍼스에 거의 노숙하고 계셨고, 기숙사에 달린 카페에서는 이웃 할머니가 교수인 체 학생들과 늘 유쾌한 대화를 즐겼다. 그 후 캠퍼스 밖의 풍경에서 돈 없는 할아버지 방랑객들이 눈에 띄었고, 다른 유럽에서 온 거지들도 사람들이 모이는 곳에서 늘 발견되었다. 그리고 높은 돌담을 지닌 건물은 정신 병원이라 했고 뉴스에선 간혹 도둑 이야기도 흘러나왔다. 그 노숙 할아버지가 자주 나타나던 그 학생회관의 명칭은 홉킨즈G. M. Hopkins 기념관이었고, 한 블록 밑에 있는 도서관은 제임스 조이스 도서관이었다. 건물들이 미로처럼 이어졌는데, 인문대 본체로부터 조이스 도서관으로 가는 길에는 학교의 연혁과 역사를 증빙하는 많은 사진이 나열되고 있었다. 2차 세계대전 때 아일랜드는 영국보다 독일을 도왔다는 것은 이상한 그러나 이해할 만한 역사 스토리였다. 한가할 때는 더블린 시내의 게이어티Gaiety 극장이나 전통춤 공연과 강연을 찾아다녔다. 게이어티극장은 예약제로 운영되었고, 규모는 우리나라 소극장 정도였으며, 이곳에서는 고전 작품보다는 최신 창작품을 선보였다. 더블린은 인구 100만 정도로 유럽 대륙 서쪽의 끝자락에 위치해서 관광객도 다른 유럽국가에 비해 그리 많지 않아서 그런지 비즈니스가 잘 될 리 없었다. 개강 전 제임스 조이스의 흔적을 찾으러 제임스 조이스가 파리로 떠나기 전 잠시 머물렀던 마텔로타워Martello Tower 박물관을 가보았고, 여기저기 해변가 마을로 가기 위해 더블린 외곽철도를 타면서 여행을 즐겼다.

예이츠가 11살 때 런던에서 이사 와 살았던 호쓰Howth도 그 해변가 마을 중 하나로 기억된다. 그러나 마법에 심취한 예이츠의 숨결을 느낄 수 있는 곳은 마녀가 살았다고 전해지는 지금은 유령 나올 듯한 슬라이고 문턱에 있는 고성이었다. 더블린 역사박물관에서 예이츠 전시가 있었고, UCD의 제임스 도서관에도 모드 곤의 사진과 함께 예이츠의 시가 벽에 전시된 기억은 있지만 UCD는 가톨릭 국립대학교라서 그런지 카바나Kavanagh나 조이스가 강조되는 느낌이었다. 예이츠를 생각나게 하는 곳은 단연 슬라이고 지방이었다. 그런데 이 지방에 가면 아직도 폐허가 많이 존재한다. 슬라이고의 이니스프리의 호수섬 쪽은 한국 기업 최초로 새한미디어라는 회사가 자리 잡았던 곳이다. 아일랜드에서 초등학교부터 대학원까지 마쳐도 영주권을 얻지 못해도 예전 슬라이고에 본부를 두었던 새한 직원들에겐 영주권을 부여한 것은 아일랜드가 정작 필요한 것이 무엇이었는가를 말해준다.

그러나 무엇보다 아일랜드가 문학 관광의 나라인 것은 출입국 관리에게 '난 아일랜드 문학을 공부하기 위해 여기에 왔다. 내 전공은 셰이머스 히니'라고 말하자 그는 서슴지 않고 그의 시 한 구절을 줄줄 외우는 것만 봐도 잘 알 수 있었다. UCD에는 외국 유학생들이 많았는데, 유럽의 학생들은 영어를 배우기 위해 오고 특히 미국 학생들은 그의 조상의 문화를 알기 위해 여기를 찾는 것 같았다. 더블린에서 스페인이나 이탈리아까지도 비행기로 2~3시간의 거리이기 때문에 금요일에는 주말을 이용해 많은 학생이 유럽의 자기 집으로 가는 것 같았다. 스페인에서 온 이자벨도 이탈리아에서 온 연구원도 걸핏하면 주말에는 자기 나라로 가곤 했다. 아일랜드는 EU 국가라서 회원국끼리 상호교류가 활발했으며, 일자리도 공유되는 강점을 마음껏 구가할 수 있는 점이 부러웠다. 필자 나이 60세를 넘은 나이였지만 주말이면 아일랜드의 여러 곳과 유럽 나라들을 넘나들면서 자유로운 영혼을 지닌 문학도로서의 삶을 구가할 수 있었다.

다시 예이츠와 관련된 이야기로 돌아가자. UCD에 8월 중순에 도착했기 때문에 8월 첫째 주에 끝나는 슬라이고 학회는 2018년 여름으로 미루었다. 그 대신 2017년 10월 말에 뉴욕에서 열리는 예이츠학회에 참여했다. 미국의 입국 심사는 더블린에서 쉽게 마쳐진다. 미국 학회는 맨해튼 서쪽의 미술로 유명한 학교에서 열렸고 거기에는 아일랜드 연구Irish Studies 회관도 있었다. 규모는 슬라이고 학회와 비슷한 소규모였고 세계로부터 각국 학자들이 모여 열띤 발표와 문학 감상을 이어갔다.

2017년도 10월 아이슬란드와 아일랜드를 각각 일주일 동안 여행한 적이 있었다. 10월 중순 아일랜드에 커다란 허리케인이 불어왔는데 발바닥에 접착제를 붙여야 몸이 날아가지 않을 정도의 강풍이었다. 두나마세Dunamase에서 일행은 비바람에 몸이 날아가지 않기 위해 우비를 입고 몸을 깊숙이 숙여야만 했다. 이곳은 기독교 요새로서 점령과 파손이 지속되어 거의 폐허로 남아 있는 성곽이었다. 영화 『윤년*Leap Year*』의 촬영지이기도 하다. 아일랜드에는 영화 촬영지가 많았다.

그리고 중세도시인 킬케니Kilkenny, 국립공원이 있는 킬라니Killarney, 진흙창인 타라Tara의 언덕, 코크Cork의 힐리 패스Healy Pass 산 정상에서 십자가상을 둘러보았는데, 양떼들이 꼬불꼬불한 산 중턱에 흩어져있다. 그 한편엔 글랜모어Glanmore 호수와 계곡이 영국의 호수지방을 연상시켰다. 킬라니Killarney에서 시작해 이베라Iveragh 반도를 돌아 킬로글린Killorglin까지의 도로를 지나게 된다. 아일랜드 가장 남쪽의 킬라니 국립공원은 호수와 폭포, 산과 사슴이 있는 활기찬 관광도시이다. 대서양 쪽으로 돌출된 딩글 반도는 게일릭Gaelic어를 사용하는 지역인 겔타흐트Gealtacht이다. 이 지역 이정표는 단지 게일어로만 표기되어 있어서 처음 방문객은 어려움을 겪게 된다. 6~7월에 항구 주변에서 돌고래를 볼 수 있는 이곳으로부터 반도의 선단인 슬리 헤드Slea Head에서 구불구불한 도로를 따라가면 영화 『라이언의 딸*Ryan's Daughter*』의 촬영지인 모래사장에 도달한다. 그곳을 지나

아일랜드에서 제일 귀여운 마을 아데어Adare에 도착해서 수공예품 가게를 들러 선물을 샀다. 샤논Shannon 강 주변의 상공업도시 리머릭, 전통과 관광의 도시 골웨이Galway에서 베이컨과 계란까지 얹은 펜 케이크를 먹어보았고, 동행인은 두꺼운 울스웨터를 선물로 샀다. 그리고 짙은 녹색과 대서양이 만나는 곳에 있는 모허 절벽Cliffs of Moher. 그곳은 여러 번 방문했었는데 20년 전엔 절벽 근처에 안전을 위한 울타리도 쳐져 있지 않았지만, 이제는 식당가와 기념품 가게가 즐비한 현대식 쇼핑몰이 들어왔고 절벽으로 떨어짐을 방지하는 울타리도 눈에 띄었다.

레이디 그레고리Lady Gregory의 별장인 쿨 파크Coole Park의 서명의 나무The Autograph Tree에는 예이츠와 다른 작가들의 서명이 새겨져 있다. 이곳에서 멀지 않은 곳에 예이츠가 그의 부인 조지와 함께 자동기술로 글을 썼던 발릴리 탑Thoor Ballylee에 도착하게 된다. 이곳에서 예이츠는 아들과 딸을 낳았는데, 여기에는 좁은 폭의 나선형 계단이 탑 꼭대기로 이어진다. 예이츠의 시집인 『나선형 계단』과 『탑』의 배경인 곳이다. 그리고 세계 성체 대회가 열리고 대기근 때 성모의 발현이 있었다는 녹 성당Knock Shrine에서 필자는 담벼락에 머리를 대고 가정과 국가를 위해 기도했다.

윌리엄 버틀러 예이츠William Butler Yeats의 고향을 찾은 것은 2017년 10월 일주일간의 아일랜드 투어 때와 2018년 슬라이고 여름학교Sligo Summer School에 참여했을 때였다. 2018년 여름학교를 위해 더블린의 코널리Connolly역에서 기차를 타고 슬라이고에 도착해 주변 호텔에 짐을 풀었다. 이튿날 아침 예이츠 기념관The Yeats Memorial Building에서 1960년도부터 예이츠 학회Yeats Society가 매년 개최하는 문학 학교에 참가했다. 예이츠의 시 경력과 분위기를 맛보기 위해서는 이곳 방문은 필수인 것 같다. 동양과 서양의 예이츠 학자들의 발표와 사교모임이 이루어졌고, 슬라이고를 관통하는 가라보그Garavogue 강 주변에서 기네스 맥주와 아일랜드 음식을 주문해 먹었다. 주변에는 질 좋은 가죽제품도 팔고 있었는데 동행했던 친구는 가는 곳마다 그곳에서만 구할 수 있는 특산품을 사고 있었다. 이곳에 오면 사진 찍고 가야 할 장소가 있는데 얼스터 은행Ulster Bank 앞의 예이츠 조각상 앞이다. 그리고 또 꼭 찾는 곳은 예이츠의 무덤이 있는 드럼클리프Drumcliff 교회인데 그곳 예이츠 무덤의 묘비에는 그 유명한 「불벤 산 아래서"Under Ben Bulben"」의 마지막 구절인 "생과 사에 냉정한 눈빛을 던져라./ 말 탄 자여 지나가라!Cast a cold eye/ On Life, on Death./ Horseman, Pass By!"란 묘비 문이 불현듯 필자에게 '영묘한 불벤 산을운 분위기의 기념품 가게는 예이츠에 대한 책이나 시집 그리고 여러 아기자기한 기념품과 예이츠를 찾아온 손님을 맞는 찻집으로 이용되고 있었다. 이 밖에 이 주변에서 예이츠를 생각나게 하는 장소로는 단연 이니스프리 호수섬과 주변의 헤이즐Hazelwood 숲길이 있었다. 이곳 풍경은 시인뿐 아니라 모든 이에게 평화의 쉼터라는 생각을 하게 할 것이다. 「이니스프리 호수섬"The Lake Isle of Innisfree"」의 시가 호수 앞 팻말에 기록되어 있어서, 거기에 같이 갔던 영시 전공이 아닌 친구들에게 우리말로 번역해 읽어 주었더니 추억에 남을 장면을 만들어 주어 고맙다는 인사를 받았다.

UCD 문학 강좌에는 유명한 문인들이 초대되어 강의한다. 그리고 때로는 소학회 형태로, 때로는 출판 기념일의 모임 등이 자주 있어서 도서관과 강의실만을 왔다 갔다 하는 나에게도 권태롭지 않은 이벤트거리였다. 몇 번 가본 펍 분위기는 대학교 옆과 관광 거리 등 장소와 목적에 따라 조금씩 분위기가 달랐다. UCD의 제임스 조이스 도서관에는 조이스가 나중에 그의 부인이 되었던 노라Nora와 사랑을 나누던 시절에 읊었던 아름다운 서정시가 벽에 쓰여 있었다. 트리니티 대학 근처의 쇼핑몰인 스티븐 그린St. Stephen's Green은 아담한 현대식 흰색 쇼핑몰인데 필자는 그곳의 카페와 값싸게 파는 가게들을 심심치 않게 이용했다. 그 건너편의 스티븐 그린 공원, 그 근처에는 국립 박물관과 도서관, 미술관이 모여 있었고 1714~1830년의 조지안Georgian 건축양식의 건물, 그 옆에 『도리안 그레이의 초상*The Picture of Dorian Gray*』으로 유명한 오스카 와일드Oscar Wilde의 조각상과 그가 태어난 집이 있었다. 특히 이 중앙통인 메리온 광장Merrion Square 주변에는 19세기 독립영웅 다니엘 오코넬Daniel O'Connell 생가, 예이츠의 생가 및 워털루에서 나폴레옹을 이겼던 웰링턴Wellington 생가, 버나드 쇼우Bernard Shaw 생가 등이 즐비하게 있다.

아일랜드는 문학과 종교의 강국이다. 예이츠W. B. Yeats, 버나드 쇼우Bernard Shaw, 사무엘 베케트Samuel Beckett, 셰이머스 히니Seamus Heaney 등 네 명의 노벨 문학가를 배출했을 뿐 아니라, 제임스 조이스, 오스카 와일드, 조나던 스위프트Jonathan Swift 그리고 『드라큐라』를 쓴 브람 스토커Bram Stoker 등 그리고 사실상 브론테Brontë 자매들도 아일랜드 혈통인 것으로 알려져 있다. 더블린 골목골목 조이스의 숨결이 묻어 있다고 한다면 예이츠는 더블린과 슬라이고 모두에서 그 숨결을 찾을 수 있었다. 그리고 아일랜드에 오래 머물면 머물수록 돈이나 세상 번뇌, 경쟁 등의 잡념이 사라지는 듯했다. 푸른 녹색 때문이었을까? 나도 모르게 저절로 문인이나 사색가가 되어 가고 있었다. 그리고 금방이라도 유령이 튀어나올 것 같은 그 음침한 스톤 코티지조차 필자에게 공포의 음향보다는 아침 새소리와 청설모 친구와 더불어 따뜻한 자장가를 불러준다고 느끼게 되었다.

(청주대)

3장

예이츠와의 만남

PHOTO BY JOON SEOG KO

투르 발릴리에 딸린 초가

__ 예이츠와 아일랜드, 그리고 문학: Why Ben Bulben?

윤기호

석박사 논문을 그에 관해 썼고 영시 강의 시간에 입에 거품을 물게 하였으며, 학회 활동을 30년간 하게 한 예이츠는 과연 내게 어떤 존재인가? 반세기 전, 고등학교 국어 시간에 소월이 그의 영향을 받았다고 들은 것이 처음 그 이름을 접한 것이라 기억된다. 대학 시절 영문과 학생으로서 영시 시간에 당연히 예이츠의 시를 상당수 배웠겠지만, 유신반대 데모가 한창일 때라, 「이니스프리 호수섬"The Lake Isle of Innisfree"」과 「학생들 사이에서"Among School Children"」 말고는 기억나는 시가 없었다. 대학원 석사과정에서는 예이츠 후기시로 논문을 썼지만, 아직 캠퍼스 안에 최루탄 연기가 자욱할 때라 그의 시에 대해 크게 애착이나 즐겨 외우는 시가 없이 우리나라 식민 상황과 독립, 정치 상황 등과 비교해서 아일랜드와 예이츠를 생각한 시절이었다. 그 상황에서도 그 이유는 깊이 생각하지 않았지만, 왠지 엘리엇보다는 예이츠가 더 정감이 갔다. 모드 곤Maud Gonne 때문이었을까? 모를레라. 1980년대 초에 운 좋게 대학에 자리를 잡았는데 사범대학에 소속되어 그런지, 엉뚱하게도 우리나라에서 과연 영문학이 무슨 용도가 있을 것인가를 고민하였다. 비록 내 전공은 영문학이지만, 일반 사람들에게는 문학보다는 영어구사력이 더 요긴한 것은 아닌가 하는 회의가 들었다. 그러나 이런저런 핑계로 현실적 요구를 외면한 채, 그래도 아일랜드 역사와 문화가 우리나라와 비슷하다는 구실로, 또 기왕 석사 논문을 그에 관해 썼으니 자료도 조금 있고 하여, 예이츠 문학을 논문의 대상으로 정해 학위를 취득했다.

1991년에 이영석 교수를 비롯한 몇 분이 예이츠 학회를 발족한다고 참여를 권하여 기꺼이 응하여 학회지 창간호에 논문을 실었다. 마침 창립 모임에는 미국 모 대학에 연구차 가 있어서 참석하지 못해서 아쉬웠다. 이제 학회창립 30주년이 되어 창간호에 실린 기념사진을 보니 감회가 새롭다. 첫 페이지에는 학자, 시인, 화가인 이영석 교수가 예이츠를 그린 소묘가 있고 그 뒷면에는 창립회원 사진이 있다. 그간 세월이 흘러 벌써 두 분이 우리 곁에 안 계시지만 사진 속의 이름을 불러본다: 윤삼하, 이영석, 서국영, 이세순, 서혜숙, 윤일환, 허현숙, 한일동, 김영민, 김태윤 제위들. 고 서국영 교수는 초대 회장으로 박사학위 논문을 쓸 때 자료를 구하러 부산에 가서 뵌 기억과 돌아가셨을 때 서혜숙 회장 등과 문상을 다녀온 기억이 난다. 그 후 수십 년 동안 다들 열정적으로 공부하고 학회 활동을 했던 일이 주마등처럼 뇌리에 스친다. 2011년 회장 일을 맡아, 가을에 해외에서 저명한 예이츠 학자들을 초청하여 한양대에서 본격적인 규모의 국제학회를 성황리에 개최한 일이 뿌듯하게 남는다. 회원 모두가 다들 애썼지만 특히 이영석 교수의 열정과 헌신에 새삼 감탄하고 학회의 기둥임을 재확인하기도 했다.

또한 그동안 예이츠 시집을 해마다 회원들이 나누어 번역하여 한 권씩 출판한 책들을 모아 『예이츠 시 전집』 한 권으로 출판하였다. 이 책은 2012년 아일랜드 여행 때 슬라이고에 있는 "예이츠기념관"에 학회지 몇 권과 함께 기증했고, 연구차 방문했던 미국의 몇 대학의 도서관에도 기증했다. 이어서 예이츠 희곡도 두 권 번역, 출판했고 조만간 마지막 번역집이 나올 것이다. 그리고 이번엔 학회창립 30주년 기념사업으로 에세이집을 낸다고 하여, 그동안 학회의 도움을 많이 받은 걸 감사드리며 부족한 회원으로서 글을 쓰고 있다.

남들이 뭐라고 하건 내가 좋아하는 가수가 내게는 최고의 가수이듯, 내가 평생 그의 글을 읽고 그가 살았던 곳을 찾아가기도 한 아일랜드 사람 예이츠는 그 명성과 상관없이 과연 내게 어떤 위안, 용기, 희망을 주었을까? 운명인가, 젊을 때 만난 사과꽃 색깔의 낯빛을 한 아름다운 뮤즈 세월이 흘러 "고기 대신 바람을 마신 듯 홀쭉해진 뺨"을 보고 다들 외면하는데도 여전히 그녀의 "방황하는 영혼"을 사랑했던 남자, 감추기 마련인 개인사를 보편적 일로 만들어 동서를 초월하며 많은 독자의 공감을 불러일으킨 시인. 적극적이건 소극적이건 종교와 물질이 주도하는 식민지 현실을 안타깝게 때로는 준엄하고 용기 있게 질타한 사람. 영국계 지주계급 아일랜드인이라는 애매한 출신성분, 무력투쟁을 통해 독립을 쟁취하는 것에 동의하지 않고, 게일어보다는 영어를 창작의 매개체로 내세우고, 고대 문화유산의 공유를 통해 민족적 동질성을 되찾는 출발점으로 삼고, 문화적 독립을 주장함으로써, 문화적 민족주의를 강조했지만, 동포들로부터 회색분자라는 오해와 호된 비판을 받은 문학인. 국교 가톨릭교의 품에 안주하지 않고, 비교에 푹 빠져 한때 이상한 사람으로 알려지기도 한 인물. 블레이크, 니체를 비롯하여 수많은 책을 시력이 상할 정도로 읽고 깊은 사색을 통해 인성과 역사를 망라하여 완성한, 독특한 사상체계를 담은 그의 철학서는, 인생과 세계에 대한 나름의 해석서로서, 공부하는 시인이라는 교훈을 준다.

식민 상황에서 문학의 사회적 기능에 천착한 예이츠는, 악마에게 영혼을 팔아서라도 굶주리는 백성을 구하는 귀족 부인의 희생과 사랑을 다룬 희곡을 써서 무대에 올렸지만, 편협한 종교인들과 동조자들로부터 매도를 당하기도 하고, 거듭되는 대중의 몰이해와 무지로 인해 대중에게서 멀어지기도 한 문학인. 그러면서도 코미디언처럼 여긴 인물들이나 또는 "흐르는 물을 거스르는 돌 같은 심장을 지닌" 인물들이 독립을 외치며 끔찍하게 죽어간 부활절 봉기 사건을 보고서 이제 "모든 것이 깡그리 변했고, 소름 끼치는 아름다움이 탄생했다"라고 영웅의 탄생을 가슴으로 노래한 그의 글은 가히 '시사詩史'라 아니 할 수 없다. 순수한 상상력으로 독자적인 세계를 펼치는 작가가 있는가 하면, 그 시대의 상황을 그의 글을 통해 읽을 수 있는 작가도 있는데, 예이츠는 후자에 속하는 작가라 할 수 있다.

벼르고 벼르다가 마침내 2012년 방문한 아일랜드. 나라를 상징하는 색이 녹색이듯 초여름의 그곳은 온통 녹색의 아름다운 땅이었다. 조그만 나라인지라 어느 곳을 가든 더블린Dublin에 숙소를 정하고 아침에 나갔다가 밤늦게 돌아올 수 있었다. 위도가 높아서인지 해가 밤늦도록 지지 않는 나라. 더블린 시내 한 공원에는 와일드Oscar Wilde가 바위 위에 나른하게 누워있고, 번화한 네거리에는 조이스J. Joyce가 모자와 도수 높은 안경을 쓰고 다리를 꼬고 지팡이를 짚고 하늘을 쳐다보고 있다. 뭘 보나? 이카루스Icarus? 제임스 조이스 센터James Joyce Centre와 박물관Museum. 더블린을 가로질러 흐르는 리피Liffey강가에는 헐벗은 옷을 입고 누더기 보따리를 안고 피골이 상접하여 나라를 떠나려는 사람들과 그 옆에 역시 앙상한 뼈만 남은 개 한 마리의 동상. 19세기 중반 대기근 때 일이려니. 성 패트릭St. Patrick 성당, 중앙우체국, 아일랜드 작가 박물관Ireland Writers' Museum, 더글러스 하이드 미술관The Douglas Hyde Gallery을 거쳐 아일랜드 국립도서관

National Library of Ireland에 가니 마침 예이츠 특별 전시회가 열리고 있었다. 예이츠 여권, 예이츠가 마라톤 경기에서 입상한 트로피를 보다. 아마 이곳인지 기억이 가물가물하지만 전시된 청금석Lapis Lazuli 앞에서 한참을 머물렀다. 상원의원 시절(1922-28) 예이츠가 살았던 집도 보고, 당연히 애비극장Abbey Theatre에도 가보았다. 물론 예이츠가 드나들던 원래 건물은 아니지만. 더블린 박물관에서는 고대 금세공 작품들을 보고, 오래된 성경 필사본을 보관한 회색 벽돌 건물인 트리니티Trinity대학교에도 가보았다. 1798년 문을 연 조니 폭스 펍Johnnie Fox's Pub에서 기네스 맥주 한 컵 마시고 내친김에 기네스 맥주공장 견학.

교외로 나가니 타라Tara 언덕이 있고, 영화 촬영지가 되기도 한 고성古城들이 여기저기 보였다. 태양신과 기독교가 공존하는 원형 테두리 안의 십자가들. 북아일랜드와의 경계에는 아일랜드 쪽에서 넘어오지 말라고 살벌한 철조망이 건물에 둘러쳐 있고, 도로 표지에도 서로 거리 단위나 차량 진행 방향이 달라 영국과의 갈등의 심각성을 한눈에 볼 수 있었다.

드디어 가슴 두근거리며 "예이츠 고장Yeats Country"에 갔다. 슬라이고 중심가 얼스터Ulster 은행 앞 길가에 마치 날개인 듯 넓은 상의를 펼쳐 입고 오른손을 들고 어딘가 멀리 바라보고 있는 예이츠 동상. 늘씬한 하체가 눈에 띈다. 밑에 개천이 흐르는 다리 건너에 있는 붉은 벽돌 건물이 바로 예이츠 기념관Yeats Memorial Building. AIB 은행이 1973년 1월 24일에 기증했다고 새겨져 있다. 건물 안으로 들어가니 넉넉한 풍채의 성격 좋게 생긴 할머니 관장이 포옹하며 반갑게 맞는다. 예이츠 누이들이 자수 놓은 천도 보여주고 여러 가지 귀한 자료를 보여준다. 그림엽서를 몇 장 샀다. 가지고 간 시번역집과 학회지를 건네니 매우 반긴다. 이것저것 구경하고 한참 즐거운 대화를 한 후 아쉽게 작별하고 슬라이고 바닷가로 갔다. (당시 찍은 사진에는 희곡 『독수리 우물에서*At the Hawk's Well*』의 등장인물의 밑그림, 상원의원 때 도안에 관계했다는 동전들, 첫아이에 대한 아버지의 사랑이 깃든 어린 예이츠가 잠든 모습, 소년 때 바지 주머니에 손을 집어넣고 서 있는 모습을 그린 시인 아버지의 데생 작품 등이 남아 있지만, 오래되어 어디서 봤는지 가물가물.) 슬라이고 바닷가에는 바람이 세고 파도가 거칠다. 저쪽 저 멀리 아란Aran섬들이 있으리라. 한참 바라보다. 멀리 고성이 보이는데 무슨 여왕의 전설이 깃든 곳이라고 한다. 혹시 메이브Maeve인가?

발길을 돌려 슬라이고 근교, 길호수Lough Gill 가운데 있는 조그만 섬 이니스프리Innisfree를 보러 갔다. 마침 아무도 없어 런던에서 예이츠가 그랬던 것처럼 향수에 젖어 호숫가를 한참 동안 걸었다. 철쭉처럼 생긴 붉은 꽃이 한창. 같이 간 아내에게 헤엄쳐 저 섬에 건너가 꿀벌이나 치며 살아볼까 하니, 웃으며 그래 혼자 가 잘살라고 등을 떠민다. 건너편 산 정상에서 영면을 취하고 있던 '잠자는 무사sleeping warrior'가 잠이 깨어 고개를 돌려 우리를 보며 '멀리서 왔구려, 반갑소'하고 미소 짓더니 다시 곤한 잠에 빠져든다.

이제 시인을 만나러 슬라이고 북쪽으로 5마일가량 떨어진 드럼클리프Drumcliff로 갔다. 시인의 증조부가 드럼클리프 교구에 있는 성 콜롬바 교회St. Columba's Church의 목사였고, 그 교회 묘지에 시인 부부가 묻혀있다. 시인의 묘비는 유명한 비명epitaph－마지막 시의 마지막 구절－이 새겨져 있다. 부인 조지George, 1892-1968의 묘지석은 바닥에 눕혀져 있다. 시인의 비명에 '지나가라고' 하여 그래요 하고 뒤로 돌아가 보니, 머리털이 없는 한 남자(시인?)가 쪼그려 앉아 포장된 바닥에 새겨진 시, 「그는 하늘의 옷감을 원한다"He Wishes for the Cloths of Heaven"」를 내려다보고 있다. 민머리를 어루만지며 잠시 묵념하고 좋은 시상을 달라고 이기적인 기원도 하고, 교회에 들어가 방명록에 한국에서 온, 예이츠를 사랑하는 아무개라고 서명하고 나왔다. 떨어지지 않는 발걸음을 떼어 불벤산Ben Bulben으로 갔다. 특이하게도 정상이 평평하게 생긴 산의 기슭에는 하얀 물체들이 여기저기 꿈틀거려 물어보니 양들이 식사 중이라고 한다. 아항! '백문이 불여일견百聞而不如一見'이라더니, 왜 예이츠의 마지막 시 제목이 「불벤산 아래"Under Ben Bulben"」인지 알 것 같았다. 비록 예이츠의 외가이지만 고향이나 다름없는 슬라이고 어디에서도 이 묘하게 생긴 산이 보이는 게 아닌가. 그곳에 가면 누구든, 어디에서든 볼 수 있는!

누가 세계적 작가인가 하는 질문에 대한 한 가지 답으로 어느 학자가 말하길, 그 작가가 살았던 곳에 시간과 경비를 들여가며 찾아가 직접 현장을 보고 공기를 마시고 냄새를 맡아보지 않을 수 없게 하는 작가가 세계적인 작가라고 말한 기억이 나는데, 그렇다면 외국의 누가, 우리의 어떤 작가를 보려고 또는 그의 발자취를 찾아 설레는 마음으로 비행기를 탈 것인가? 문학 수업을 할 때 그 작가를 공부하지 않으면 뭔가 빠진 느낌이 든다면 그는 이미 훌륭한 작가이리라. 영문학 공부를 할 때뿐만 아니라 세계문학을 말할 때 예이츠를 뺄 수 없다면, 우리는 운 좋게도 문학에 대한 훌륭한 입문을 한 것이고 좋은 스승을 만난 셈이리라.

"노인을 위한 나라가 아니다"라고 분통을 터뜨릴 나이가 된 나의, 또는 우리의 마지막 시는, 혹은 그대가 이루었다고 뿌듯해하는 업적은 과연 불벤산처럼 우뚝 서 있어 어디에서나 보이는가?

(충북대)

__ 맛집 예이츠

김주성

사람들은 중년이 넘어가면서 고집이 세지기 시작한다. 젊었을 때는 융통성도 많고 사회성도 좋아 어디에서 무엇을 하든지 여유가 있고 아량이 넓어 다른 사람들의 의견과 생각에 대해 훨씬 더 수용적이었던 사람들이, 이제 나이가 들면서 이 모든 세상이 나를 기준으로 돌아가야 한다는 아집과 독선에 빠지곤 한다. 아마도 남아있는 날들이 그리 많지 않아 아쉽고 서러워서 그 자투리 같은 회색의 시간이 점점 더 소중해지기 때문일 것이다. 이런 모습들을 흔하게 찾을 수 있는 곳이 모임의 자리가 열리는 식당이다. 젊은 사람들에게 만남이란 좋은 사람을 직접 보면서 이야기를 나누고 열정을 공유하는 기회이기에 무엇을 먹는다는 것이 그리 중요하지는 않을 터이다.

아직 건강해서 무엇을 먹거나 소화하는 데 아무런 부담이 없고, 새로운 음식을 접하면 단지 젊다는 이유만으로 도전해보는 만용을 부리기도 한다. 먹은 것 때문에 속에 탈이 나도, 까짓것 하룻밤만 자고 나면 말끔해질 것이다. 무엇보다도 좋아하는 사람과 함께 한다면, 앞에 있는 음식이 뭐 그리 중할까. 뭐든지 다 맛날 것이다. 누군가 기름진 음식이 당겨도 상대편이 매운 음식을 먹자고 하면 그것도 좋겠다. 기름진 것이야 내일 먹으면 되지. 내일도 못 먹으면 모레도 있을 것이고. 시간은 모래알만큼이나 많고 먹을거리는 그보다 더 많은데 뭐가 문제가 되려나. 평생 젊을 수만 있다면 참 좋겠다.

마음이 바다처럼 넓고 구름처럼 가벼웠던 젊은이들이 나이가 들면서 자꾸 좁아지고 작아지고 겁이 많아진다. 노인이란 마치 작대기 위에 넝마 옷을 널어놓은 보잘것없는 존재일 뿐. 그분께서도 그랬듯이 어디에도 노인들을 위한 나라는 없다. 이제 아무도 그들을 찾지 않고, 부르지도 않고, 원하지 않는다. 그럼에도 굳이 그들을 찾고 부르고 청하는 사람들은 유유상종 그 또래들일 것이다. 나가보면 눈에 보이는 얼굴들이 모두 낡았고 우중충하고 서글프지만, 그래도 불러주었다는 고마움에 오랜만에 나들이를 한다. 나 자신에게 예쁘게 보이려고, 다른 사람에게 뒤처지지 않으려고, 오다가다 혹시 예전에 아는 사람을 만날까 봐서 아무리 뭘 찍어 발라도 여전히 주름이 있고, 흰머리가 보이고, 늙었다.

게다가 누가 주선을 했는지 모르겠지만, 이번 만남의 장소로 잡힌 식당에는 내가 좋아하지 않는 메뉴만 있다. 예전에, 젊고 시간이 많았을 때는 아무거나 다 맛나고 또 이번에 먹고 싶은 것을 못 먹어도 다음이라는 기약이 있었는데, 이제는 몇 번 되지 않는 기회를 다른 사람의 입맛에 맞추자고 싫어하는 것을 꾸역꾸역 먹으며 낭비하고 싶지 않다. 내가 지금까지 먹어본 것 중에서 제일 맛나고, 제일 입에 맞고, 제일 좋아하는 것으로 먹고 싶은 것이다. 요행히도 내가 그 모임에서 제일 꼰대이고 힘이 제일 센 사람이면 내 마음대로 결정하련만. 요즘은 그런 자리가 거의 없다. 다들 비슷하게 늙었고 다들 비슷한 욕심들을 가지고 있다. 어떤 이들은 따뜻한 국물을 원한다. 맨날 집에서도 먹는 국물을 왜 밖에서도 또 찾을까? 어떤 이들은 속이 편하다고 푸성귀 밥상을 원한다. 그런 것 먹어서 힘이 제대로 나려나? 어떤 이들은 고기를 먹자 한다. 제 이빨도 아니면서 너무 욕심을 부리는 것은 아닌가? 또 다른 이들은 이것저것 한 상을 펼쳐 놓고 먹잔다. 결국 반도 못 먹고 쓰레기가 될 터인데. 마지막으로 어떤 이들은 밥은 먹지 말자고 한다. 그냥 물에 가루를 타서 마시면 요기가 된다고. 에휴. 그게 어디 밥인가?

"내 마음 나도 몰라~"라는 옛노래가 있다. 뭐든지 옛이야기 생각나고 옛노래가 좋아지고 옛사람이 보고프면 그게 늙는 거라는데. 나도 내가 뭘 좋아하는지 잘 모르겠다. 변덕이 죽 끓듯 해서 비가 오는 날 참 맛있게 먹은 김치전을 바람이 부는 날 먹어보니 그저 그렇다. 낯선 곳에 여행을 가서 초저녁에 먹은 갈비탕은 천국의 맛이었는데, 그다음 날 다시 찾은 그 집 갈비탕은 그저 그런 맛이다. 평생 짜장면이 좋았는데 갑자기 짬뽕이 좋아지기 시작했다. 왜 그런지 모르겠다. 그냥 나이 들어가는 과정이려니 생각한다. 그러면서 겁이 나기 시작한다. 혹시 이렇게 음식 맛이 없어지고 좋아하는 메뉴가 바뀌는 게 저쪽 길로 가는 증상이 아닌가. 아마도 그럴 것이다. 그러면서 더욱더 내가 원하는 게 먹고 싶어진다. 이제 몇 번이나 더 남았다고.

다들 그렇게 생각하나 보다. 사람 열이 모이면 열 개의 메뉴가 등장한다. 모두 자기가 원하는 것을 먹자고 목소리를 키운다. 내가 고른 메뉴가 제일 맛나다고 거품을 물면서 자기가 아주 잘하는 맛난 식당을 알고 있단다. 그 식당에 가면 절대로 실망하지 않을 거라고 자랑질을 한다. 그런데 누구나 다른 사람이 가자는 식당은 맘에 들지 않는다. 왜냐하면, 그 집에는 내가 원하는 메뉴가 없기에. 아마도 그 사람은 철들고 나서부터 아주 오랫동안, 적어도 몇십 년이 넘도록 하나의 식당만 다녔을 것이다. 분명 그 주방장과 인사를 하고 지냈을 것이고, 오랫동안 그 집을 안 가면 혀에 가시가 돋아난다고 믿었을 것이다. 주위의 사람들에게도 그 식당에 가보라고, 맛집이라고 소문을 냈을 것이다. 그게 충성스러운 단골손님의 올바른 자세이기에.

나도 어렸을 때 그분들 따라서 그 식당에 자주 들렀었다. 정말 맛집들이었다. 최고의 요리사들이 제철 재료를 가지고 온갖 재주를 부려서 아주 멋진 한 상을 차려내곤 했었다. 아마 그 식당에서는 여전히 그런 메뉴를 내고 있을 것이다. 다만 내가, 또 우리가 늙었고, 이제는 좋은 식당에서 밥을 먹을 기회가 그리 많지 않기에, 그 기회를 내가 좋아하지 않는 메뉴에 낭비하기가 싫을 뿐이다. 내가 그러한데 다른 사람이라고 다르겠는가. 분명 그 사람도 나랑 비슷한 꼰대인지라 아마 비슷한 생각을 하고 있을 거다.

오늘 많은 사람이 모였다. 다들 나름대로 한가락씩 했던 사람들이고 나름대로 미식가였던 사람들이다. 다들 가고 싶은 식당이 다를 것이다. 그걸 누가 욕하고 비난하랴. 내가 그럴진대. 오랜만에 만났는데 밥은 제대로 먹어야지. 누구는 좋아하고 누구는 싫어하는 그런 밥 말고. 모두 함께 좋아하는 밥은 원래 없으니 찾지도 말고. 한 메뉴에서 최고의 맛집은 아니더라도 다양한 메뉴를 정성껏 조리해서 내고, 모든 메뉴가 평타 이상은 하는 그런 식당. 열 명이면 열 명, 백 명이면 백 명이 오더라도 누구나 다 입에 맞는 메뉴를 찾을 수 있는 식당. 먹고 나면 잘 먹었다고 생각이 드는 그런 식당. 바로 뷔페식당이다. 가끔 신문에 나쁜 식당으로 나오는 그런 지저분한 뷔페식당이 아니라, 요리사가 자기 이름 걸고 음식에 철학을 담아서 하나하나 만들어 손님에게 내놓는 그런 제대로 된 뷔페식당이 딱 제격이다. 내가 만나본 사람 중에서 이런 식당 싫어하는 사람 별로 없었다. 물론, 있기는 있었다. 그러면 그냥 그런 사람도 있으려니 하고 말아야 한다. 어쩌겠는가?

이 뷔페식당의 메뉴는 참 다양하다. 많은 사람이 원하는 메뉴를 거의 다 제공하는 듯하다. 물론 한 요리사가 모든 메뉴를 다 만드는 것은 불가능하기에, 없는 메뉴도 가끔 있다. 그래도 잘 찾아보면 비슷한 것은 분명 있다. 내가 원하는 막국수가 없으면 메밀국수를 먹으면 될 것이다. 더구나 그 메밀국수도 어지간한 전문점 이상의 맛을 내기까지 하는데 더 이상 무엇을 바랄 것인가. 거기에는 일식, 중식, 한식, 양식뿐만 아니라 우리가 이름만 알고 있던 이상한 메뉴까지도 제공한다. 게다가 칼로리도 낮아서 살도 찌지 않고, 속이 편해서 아무리 많이 먹어도 소화가 잘된다. 헤아릴 수 없을 만큼 음식의 종류가 많아서 매일 방문해도 항상 새로운 메뉴가 눈에 보인다. 지루할 틈이 없다.

나는 오늘도 예이츠를 만나러 뷔페식당을 간다. 내가 좋아하는 사람은 다 데리고 간다. 거기에 오는 사람들이 행복한 미소를 짓고 있는 걸 보면 이 식당은 모두를 만족시키는 것 같다. 게다가 그 음식들도 참 맛있다. 이 식당은 아마도 아주 오랫동안 장사가 잘될 것 같다.

(단국대)

__ 예이츠와 나

엄상용

무릇 영문학자라 하면 누구나 할 것 없이 자신이 전공하는 작가와 공통점 혹은 유사한 면이라도 지니고 있지 않을까 싶다. 또 영문학 공부의 뿌리라 할 수 있는 학부 시절부터 시, 소설 혹은 드라마에 심취하여 밤을 새워 가며 작품을 읽거나 연극 활동을 하기도 했을 것이다.

하지만 나는 어려서부터 영어 자체는 좋아했지만, 영문학과에 입학하고도 영문학에는 별 관심이 없었다. 다만 고등학교 1학년 시절, 영어소설을 읽으면 영어 실력 향상에 도움이 될 거라는 친구 지금도 이름이 기억나지만, 그 친구가 불편할까 봐 생략 의 권유로 영어학습용으로 쉽게 다시 쓰인, 헤밍웨이의 소설 『노인과 바다』를 완독한 기억 정도밖에는 없다. 하여 밤새도록 작품을 읽기는커녕, 문학에 관심을 가져 볼까 해서, 친구들이 함께 모여 작품, 특히 소설이나 셰익스피어의 희곡을 읽고 토론하는 모임에도 참석은 했지만, 도무지 재미를 못 느끼고 하품만 하며 그날의 아르바이트 스케줄 영어과외와 학원 강의 만 챙겼던 기억이 난다.

그럭저럭 학부 생활을 하다가 3학년 말에 일어난 10·26 사건과 이듬해인 1980년 5월 광주를 중심으로 일어난 민주화 운동은, 우리나라의 민주화에는 크게 기여했지만, 경제는 마이너스 성장을 할 수밖에 없었고, 젊은이들의 취업은 거의 불가능할 정도였다. 휴교령으로 거의 1년 동안 학교 근처엔 얼씬도 못 하다가 11월 초에 휴교령이 풀려 늦은 개강을 하였다.

참으로 암울하기만 했던 4학년 말 어느 날 해질녘, 캠퍼스를 힘없이 터덜터덜 내려가는데, 웬 택시 한 대가 내 발을 스치듯 끼이ㅡㄱ 소리를 내며 멈췄다. 세상에나 멀리에서 나를 알아보신 은사님께서 내리셨다. 고교 3학년 때의 영어 선생님이자 국민대 영문과 교수로 정년퇴임을 하신 전재근 교수님이셨다. 그날 야간 수업이 있어서 우리 대학에 오시는 길이었다고 하셨다.

그날 저녁에 나 때문에 수업을 일찍 끝내신 선생님과 다시 만났다. 그 당시처럼 취업이 어려울 땐 대학원에 들어가 석사학위부터 받으라고 하셨다. 이 어려운 시기가 끝나면 교수들을 대거 채용하는 시대가 올 거라는 말씀과 함께.... 그 예상은 적중했다. 석사학위 받고 2년 만에 전임교수로 취업이 되었으니까.

다시 대학원 시절로 돌아가자. 워낙 문학적 소양과 지식이 부족했던 터라 대학원 3학기째, 학위논문을 준비하려니, 눈앞이 막막하였다. 엉덩이가 가벼운 내가 장편 소설이나 셰익스피어의 희곡을 읽는 건 거의 불가능에 가까웠다. 그런데 갑자기 학부의 '20세기 영미시'에서 몇 편 읽은 적 있던 예이츠의 시와 고등학교 국어 교과서에서 번역시로 읽었던 「이니스프리 호도」가 오버랩되어 작가를 정하고 예이츠와 친구(?)가 되었다. 다행히 무사히 졸업하고 바로 박사과정에 입학했지만, 동료 교수들과 노는 데 정신이 팔려 아주 늦게 입학한 지 8년 만에 박사학위를 받았다.

마침 중앙대학의 이세순 교수님을 비롯한 몇몇 선배 교수님들을 중심으로 한국예이츠학회를 만든다고 하셔서 부족하지만 창립회원으로 이름을 올렸다. 지금 생각하니 예이츠만큼 좋은 시인도 없는 것 같다. 평생 40~50편 정도의 논문을 쓸 만큼 우려먹을 자료를 내게 주었으니 말이다.

또한 일일이 거명하진 않지만, 예이츠 학회가 아니었으면, 못 만났을 소중한 선배, 동료, 후배 교수님들을 만났던 일이 가장 소중한 자산일 것이다. 특히 예이츠 회원이 아니었으면, 어떻게 아일랜드의 대통령과 모란 대사와 같은 훌륭한 분들을 만날 수 있었을까 싶다.

전 세계적인 재앙인 코로나가 빨리 사라져 내가 좋아하는 교수님들과 순댓국에 소주 한 잔 기울이면 참 좋으련만....

(우송정보대)

__ 한국 무대에 올랐던 예이츠 희곡 『연옥』

임도현

"예이츠가 희곡도 썼나요?"

믿을 수 없다는 표정으로 고개를 갸웃하면서 이런 질문을 하는 사람들을 예이츠의 희곡을 전공하는 나는 심심치 않게 만나게 된다. 아일랜드를 대표하는 시인이고 노벨문학상을 수상한 20세기 최고의 시인으로 알려진 예이츠이지만, 그의 시인으로서의 명성에 비해 극작가로는 제대로 평가받지 못한 까닭에 예이츠를 깊이 있게 알고 있지 않은 일반 대중에게는 그가 희곡을 썼다는 사실도 낯선 이야기이다. 그런 이유로 예이츠의 희곡에 관한 이야기를 할 때는 변명 아닌 변명을 덧붙여야 할 것 같은데, 인기와 별개로 예이츠는 시만큼 희곡에도 많은 에너지를 쏟은 것이 사실이다. 그는 1904년 더블린에 애비극장Abbey Theater을 설립하고 아일랜드 연극운동을 주도한 핵심 인물이다.

그럼 왜 예이츠의 극은 당대에 그 가치를 제대로 인정받지 못했을까? 이러한 의문은 예이츠를 전공으로 하는 학자들의 연구과제가 되기도 했고, 그 결과 많은 학자가 해답을 찾기 위해 노력해왔다. 2009년에 폴란드의 학자 칼라우스Agnieszka Kallaus는 그 해답으로 예이츠의 희곡이 제대로 평가받지 못한 것은 그의 극작가로서의 역량의 문제가 아니라 작가의 혁신적 비전이 그의 시대보다 앞섰기 때문이라는 주장을 내놓았다. 그리고 그 증거로 예이츠의 연극이 1960년대와 70년대 아방가르드 극작가들에 의해 재평가되고 있다는 점을 지적했다. 아방가르드 극작가들은 예이츠의 제의적 연극 개념과 혁신적인 배우 훈련 방법과 같은 반연극적 기법에 공감대를 갖고 있었다. 예이츠는 1939년 사망했다. 그의 사후 거의 30년 이상이 지난 후에야 그 가치를 인정받는 예이츠의 연극이 그의 당대에 인기를 얻지 못한 것은 어쩌면 당연할 것이다. 게다가 당시에는 자연주의 연극이 팽배해 있었다. 그러한 연극계에서 예이츠는 시극詩劇을 부활시키고자 하였고, 이것은 모든 관객이 아니라 특정한 소수의 관객을 대상으로 하는 연극이 될 수밖에 없었다. 하지만 많은 관객의 사랑을 받을 수 없었음에도 불구하고, 예이츠가 시극을 고수한 것은 사실주의 연극이 주류를 이루던 20세기 연극계에 고대 그리스 연극이나 셰익스피어 극에서 사용하던 시극을 회복시켰다는 관점에서는 의미가 있다. 또한 동시대의 연극과 차별화되는 예이츠의 극의 세계는 문학비평가 푸흐너Martin Puchner에 의해 "연극적 공간에서 울려 퍼지는 시적 목소리"라고 정의되었다. 왜냐하면 그의 연극은 낭독을 목적으로 하는 시극인 클로짓 드라마closet drama와 달리 시와 연극적 요소가 혼합되어 만들어 낸 결과물이기 때문이다. 이런 까닭에 예이츠의 연극은 당대에는 많은 인기를 얻을 수 없는 숙명이었지만 아방가르드 극작가들뿐만 아니라 극장을 개혁하려는 많은 극작가에게 디딤돌과 같은 역할을 했다고 할 수 있다.

예이츠의 연극의 잠재적 가치를 경험하게 된 나는 2008년 영국 유학을 마치고 한국에 돌아왔을 때, 한국에서 예이츠의 연극이 소개되고 그의 연극적 가치가 알려지게 되기를 고대하면서 이를 현실화시키겠다는 부푼 꿈을 안고 있었다. "우리는 모두 예이츠에게 빚을 지고 있어"라고 하신 어느 교수님의 말씀처럼 예이츠를 전공하고 있는 학자들은 그에게 빚을

지고 있고 그 빚을 갚아야 한다는 생각을 항상 하고 있을 것이다. 하지만 그 패기 어렸던 꿈들은 생각만큼 구현되지 못하고 지금까지 나는 겨우 1년에 한두 편 정도 예이츠의 희곡에 관한 논문을 발표할 뿐이어서, 뭔지 모르게 해야 할 일을 하지 못하고 있다는 죄책감과도 같은 감정을 품었던 것 같다. 그러던 차에 한국예이츠학회 창립 30주년을 기념해서 출판하게 된 수필집에 원고를 기고할 기회를 얻고 어떤 이야기를 써야 할까 고민을 하면서 여러 날을 흘려보내고 있었다. 수십 년을 예이츠의 희곡과 함께하면서도 막상 수필을 쓰려고 하니 그저 막막할 뿐이었다. 그러다 문득 완전히 잊고 있었던 예이츠의 희곡을 한국 무대에 올렸던 일이 생각이 났다. 그러면서 어떻게 글을 쓰고 이 글을 통해 어떤 것들이 이루어졌으면 좋을까 하는 생각들로 머리가 채워지고 그러면서 동시에 오랫동안 묻어두었던 나의 꿈이 다시금 꿈틀거리기 시작했다. 물론 이 수필집 하나로 그동안 아무런 진전도 없었던 일이 갑자기 날개를 단 듯이 현실화할 것으로 생각하지는 않는다. 하지만 적어도 예이츠의 희곡을 한국 무대에 올렸다는 사실을 알릴 수 있고 이 사실에 공감하는 분들을 만난다면 나의 꿈이 현실화하는 것이 전혀 불가능한 것은 아니라고 하는 근거 없는 자신감이 생겨났다. 그리고 무엇보다 중요한 것은 내 심장이 다시 뛰기 시작했다는 것이다. 이러한 이유로 거의 10년 전에 한국의 한 극단과 협업해서 예이츠의 연극을 한국 무대에 올렸던 일을 이야기해 보려고 한다.

영미희곡을 연극이 아닌 문학으로 전공했지만 종종 대학로에서 공연되는 연극에 드라마투르그로 참여했었다. 이는 희곡을 완전히 이해하기 위해서는 무대에 올려진 공연을 봐야 한다는 대학교 지도교수님의 조언에서 시작된 것이었고, 그래서 나는 그 이후로도 상당한 시간을 공연장에서 보냈었다. 예이츠의 희곡을 전공으로 한 내가 무대 위에 올려진 예이츠의 작품을 보게 되는 것을 갈망하는 것은 아마도 당연한 일이었을 것이다. 하지만 본토에서도 인기를 얻지 못했던 예이츠의 연극을 한국 무대에 올리게 되는 것을 기대하기는 쉽지 않은 것이었다. 그러다가 2011년 김제민 연출가(극단거미)가 나의 뜻에 동조해서 예이츠의 『연옥*Purgatory*, 1938』을 처음으로 한국 무대에 올리게 되었다. 김제민 연출가와는 같은 해 봄에 열린 혜화동 1번지 5기 동인 봄 페스티벌에서 연출가와 드라마투르그로 만나 그가 연출하는 해롤드 핀터의 『배신*Betrayal*, 1978』 공연을 도우면서 인연을 맺게 되었다. 그 공연을 통해서 김제민 연출가와 연극에 관해 대화 할 기회가 있었고, 당연히 나는 예이츠 희곡을 화두로 하고 그의 시극이 그 가치를 제대로 평가받지 못하는 것에 대해 안타까움을 털어놓았다. 이 이야기에 반응한 것인지 김제민 연출은 그해 가을에 예정된 혜화동 1번지 5기 동인이 연출하는 가을 연극제의 테마를 시심詩心으로 정하고, 나에게 예이츠의 희곡을 무대에 올리고 싶다는 의사를 전했다. 예이츠 작품 중에서 그가 선택한 것이 『연옥』이었다. 연출가로서 무대화 하는 것이 가능하고 예이츠 당대에도 호평을 받았던 작품이어서 그의 선택에 나도 동의했다. 예이츠의 희곡을 한국에서 처음 무대에 올릴 수 있게 된다는 벅찬 마음으로 작품을 번역하여 연출에게 넘겨주고, 그 이후에는 드라마투르그로 참여하게 되었다. 번역된 희곡은 무대 위에 올리기 위해 연출가에 의해 재구성되었고 영상디자인을 전공으로 한 연출가의 전문성을 발휘해서 영상을 공연에 삽입하였다.

김제민 연출은 『연옥』을 공연용으로 재구성하여 『연옥』의 이야기 구조를 기본 골격으로 하고, 시의 삽화적 구성, 드로잉 기법을 영상과 결합하여 시적 일루전을 구현하려고 하였다. 기형도, 김중식, 이상 등의 시를 삽입하여 총 40분의 공연이 될 수 있도록 하였다. 유튜브에 올라와 있는 영어 버전 영상을 보면 원작[1]을 그대로 진행했을 때 러닝타임 23분이어서 완전한 공연이 되기에는 길이가 너무 짧아 이를 보완하기 위해 재구성과 여러 시의 삽입이 필요했던 것으로 보인다. 그리고 공연의 타이틀을 『연옥: 이탈한 자가 문득*Purgatory: Suddenly a breakaway man*』으로 정하였는데, 공연에 삽입된 김중식의 시 「이탈한 자가 문득」이란 시 제목에서 공연의 부제목을 가져왔다. 재구성된 희곡에서는 시점을 아들이 이미 살해된 이후로 잡아서 무대를 연옥의 공간과 드로잉 공간으로 나누고 연옥 공간은 텍스트상의 공간으로 그리고 드로잉 공간은 망자가 된 아들의 공간으로 규정하였다. 그래서 연옥의 공간에는 아버지만 존재하고, 아들은 드로잉 공간에 있는 아들(망자)의 입을 통해서 말을 하고, 아들(망자)의 드로잉을 통해서 생전의 모습을 회상하며 그려지는 것으로 극을 이끌어 나간다. 유튜브에 올라와 있는 공연 영상[2]이나 김제민 연출의 홈페이지에 게시되어 있는 공연 사진[3]을 보면 어떻게 극이 나뉘고 그 공간이 어떻게 활용되는지 쉽게 알 수 있다. 특히 무대의 오른쪽에 드로잉 데스크에 소년 역을 맡은 배우가 책상에 앉아서 그림을 그리다가 소년으로 극에 스며들게 되는데 이 배우의 그림 실력이 뛰어나서 무대의 배경이나 상징적 의미를 더하는데 그 효과가 배가 되었던 것으로 기억한다.

이렇게 만들어진 『연옥』 공연은 참여하는 배우, 스텝, 영상 등의 변화를 겪으면서 총 세 장소에서 공연하게 되었는데 그 정보는 김제민 연출의 사이트에 다음과 같이 정리되어있다.

---

1) 2020년에 게시된 『연옥』 유튜브 영상물: https://www.youtube.com/watch?v=Y4rcsWfDwqQ&t=148s.

2) https://www.youtube.com/watch?v=_0l0WsFYPOA.

3) https://www.kjaemin.com/untitled-c1g8g.

일시 | Date 2011.11.2.~11.6.

장소 | Place 연극실험실 혜화동 1번지

Cast 김상복/박병주/김현미(영상)

Staff 작가 W. B. 예이츠/연출 김제민/드라마투르그 임도현/

무대 이루현/음악 김병제/조명 최치환

일시 | Date 2012.2.11.~2.12.

장소 | Place 인천아트플랫폼 C동 공연장

부산국제연극제 참가작

일시 | Date 2012.5.9.~5.10.

장소 | Place 부산공간소극장

Cast 김상복/윤태웅/김현미(영상)

Staff 작가 W. B. 예이츠/연출 김제민/드라마투르그 임도현/

무대 이루현/음악 김병제/조명 최치환[4)]

혜화동 1번지에서 있었던 첫 공연 후에『연옥』공연에 대한 언론의 많은 리뷰가 있었다. 공연리뷰 대부분은 영상기법을 사용해서 무대를 채워나간 연출기법에 집중하면서 실험정신이 있었음을 다루었다. 대본을 재구성하고 한국의 시들을 삽입하고 영상기법을 가미하게 되어 다채로워진 것은 사실이었지만, 예이츠의 희곡이 원문 그대로 무대 위에 오르기를 바라는 예이츠 전공자로서 나는 이러한 리뷰에 많은 아쉬움을 느끼고 있었다. 하지만 리뷰기사 중「아츠 뉴스」의 김하얀 기자가 작품에 대한 소개

4)『연옥』공연관련 정보: https://www.kjaemin.com/untitled-c1g8g.

를 "'연옥'은 김제민 연출이 각색한 작품으로 아일랜드의 유명한 시인 예이츠W. B. Yeats의 '연옥'을 원작으로 국내에서 초연되는 작품이다."라는 기사를 실어주었는데, 이 기사 덕분에 내가 가지고 있었던 여러 가지 아쉬운 마음들을 채울 수 있었다. 어쨌든 예이츠의 희곡이 한국 무대에 올려졌으니 말이다.

다음은 혜화동 1번지 공연 프로그램에 내가 기고한 연극해설이다. 여기서도 나는 예이츠의 극작가적 역량에 대해 중점을 두어 소개하였다.

극단 <거미>의 [연옥: 이탈한 자가 문득]

"두 번이나 살해자가 되었는데도 아무 소용이 없구나"

예이츠는 아일랜드를 대표하는 시인으로서 알려진 것이 사실이지만, 그는 또한 연극에 많은 에너지를 쏟으면서 자신의 연극 이상에 맞는 형식을 찾기 위해서 끊임없이 실험적 방법을 시도했었다. 1923년 그가 노벨문학상을 받게 되었을 때, 그는 그 행사를 위해 연극 실행가theater practitioner, 애비 극장Abbey theater의 설립자 그리고 극작가로 소개될 것을 선택하였다. 예이츠가 자신의 소개로 극작가로서의 업적을 선택한 것처럼, 그는 아일랜드 연극 발전에 정신적 그리고 물리적으로 중요한 역할을 하였고 특히 현대 아일랜드 연극은 그를 매개로 탄생하였다고 평가되고 있다.

예이츠의 연극적 특성이 현저히 드러나는 것은 그의 후반기 작품들로 자연주의 연극에 반대하는 제의적 성향이 뚜렷한 심플한 무대를 사용한다. 『연옥*Purgatory*』은 이러한 예이츠의 특성이 그대로 반영된 작품으로 1938년에 애비극장에서 선보인 첫 공연에서부터 걸작으로 인정받았다. 특히 엘리엇T. S. Eliot은 그의 연극이 미래의 극작가들이 그 혜택을 부인할 수 없을 정도로 연극의 새로운 형식을 제공해 주었다고 평가하고, 또한 이 연극이 고대 그리스 비극의 뿌리를 그대로 계승하는 바람직한 현대적 연극의 표본이 된다고 언급하면서 그 가치를 인정하였다.

『연옥』의 중심에는 오이디푸스의 비극이 있다. 신이 계획한 무자비한 운명에 맞서서 끝까지 인간적인 투쟁을 한 오이디푸스처럼 이 극의 주인공 노인Old Man은 자신의 비극적 운명을 자신의 노력으로 극복해보려고 한다. 자신이 잉태되던 어머니의 첫날밤이 그의 비극의 원죄가 되어 어머니의 영혼이 이 순간을 반복해서 다시 경험하고 있다고 믿는다. 그는 어머니의 영혼을 정죄적淨罪的 고통에서 해방시키기 위한 방법은 어머니의 죄의 결과를 근절하는 것이고, 그 유일한 방법으로 자신의 아들의 살해를 택한다. 그가 16세 되던 해 같은 이유로 아버지를 죽였던 칼을 사용해 16세가 된 아들을 죽이게 된다. 하지만 반복되는 역사를 멈추게 하려는 노인의 처절한 투쟁은 아주 짧은 순간 동안에만 환희를 준다. 더러움의 근원을 찾아 근절하려고 나서지만 결국 자신이 그 더러움의 근원이 된다는 것을 깨닫는 오이디푸스처럼 이 노인도 곧이어서 다시 시작되는 어머니의 드리밍 백Dreaming-Back[5]에 의해 처절하게 배반당한다. 노인은 "두 번이나 살해자가 되었는데 아무 소용이 없구나"라고 절규할 뿐이다.

김제민 연출이 이 공연에서 중점을 두고 있는 것은 하나의 신념을 향해서 몸부림치는 노인의 열정이다. 그 신념이 망상적이고 또한 그 결과가 헛된 것일지라도 집요하게 하나의 생각을 추구하는 노인의 열정을 그

5) 드리밍 백(Dreaming-Back): 불교사상에 영향을 받은 예이츠는 죽은 후에 영혼이 다시 환생하기까지 6개의 단계를 거친다고 생각했다. 드리밍 백은 그 두 번째 단계인 명상(Meditation)에 속하는 것으로 이 단계에서 영혼은 살아있었을 때 가장 영향을 주었던 사건을 계속해서 반복하여 살도록 강요받는다고 한다.

는 예술가의 열정으로 연장시킨다. 아들을 살해할 때 노인이 스스로에 대해 느끼게 되는 찰나적 환희 그리고 곧이어서 엄습하는 거대한 운명의 힘을 철저하게 온몸으로 받아들이는 노인을 통해서 우리의 관객이 이탈한 자의 고통과 그만큼의 환희를 같이 느껴볼 수 있으면 한다.

극장 공연 이외에도 예이츠의 연극을 알리기 위해서 나는 2012년 한국여성연극협회 "드라마투르그Dramaturg"에 관한 심포지엄에서 번역극 공연에서의 드라마투르그 협업 사례로 『연옥』 공연에 대해 발표를 하였다. 번역극이 무대 위에 오르게 될 때 원작을 번역하는 데 있어서 발생할 수 있는 변형 그리고 원작이 가지고 있는 의미를 모두 다 전달할 수 없게 되는 한계점 등에 중점을 두어서 발표하였다. 다음은 심포지엄에서 발표한 내용의 일부분이다.

≪번역 언어에서 무대언어로≫

원문	번역	무대	비고
Half-door, hall door, Hither and thither day and night,	이 문, 저 문 여기저기, 낮이나 밤이나	이 집, 저 집 여기저기, 낮이나 밤이나	
Her mother never spoke to her again.	어머니의 어머니는 어머니와 다시는 말을 하지 않으셨어.	할머니는 어머니와 다시는 말을 하지 않으셨어.	아버지의 아버지처럼 어머니의 어머니로 표현해 운명의 세습을 표현하기도 하고 화자가 객관적으로 사실을 전달하려고 의도하고 있다는 것을 전달하기 위해 "어머니의 어머니"로 최종 결정함

원문	번역	무대	비고
A gamekeeper's wife taught me to read,/ A Catholic curate taught me Latin.	사냥터지기 아내가 내게 읽는 법을 가르쳐 주었고, 한 보좌신부는 나에게 라틴어를 가르쳐 주었어.	사냥터지기 아내가 나한테 읽는 법을 가르쳐 줬고, 한 어르신은 나한테 글을 가르쳐 줬어.	보좌신부와 라틴어가 주는 의미가 상실됨. 아일랜드의 국교, 귀족주의
Old Man: When I had come to sixteen years old/ My father burned down the house when drunk. Boy: But that is my age, sixteen years old,/ At the Puck Fair.	노인: 내가 열여섯 살이 되었을 때 내 아버지는 술에 취해서 집에 불을 질러버렸어. 소년: 그건 내 나인데, '퍽페어' 때 열여섯이 되거든요.	노인: 내가 스무 살이 됐을 때 아버지는 술에 취해서 이 집에 불을 질러버렸어. 소년: 그건 내 나이 땐데, 이번에 전 스무 살이 되거든요.	16년과 관련된 아일랜드 역사: 이 희곡의 첫 공연은 1938년이고 이것을 시점으로 16년 전은 1922년으로 아일랜드 자유정부가 설립된 해이다. 예이츠는 이때부터 내란으로 인해 아일랜드가 몰락의 시기로 들어섰다고 생각했다.
If pleasure and remorse must both be there, Which is the greater? I lack schooling, Go fetch Tertullian; he and I / Will ravel all that problem out Whilst those two lie upon the mattress Begetting me.	만약 쾌락과 후회 둘 다 있다면, 어느 쪽이 더 강력할까? 잘 모르겠군. 가서 터툴리안을 가져오너라; 저 둘이 나를 잉태한 매트리스 위에 누워있는 동안 그와 내가 / 모든 문제를 해결할 것이다.	만약 쾌락과 후회가 둘 다 있다면,/ 어느 쪽이 더 강렬할까? 모르겠어. 저 둘이 침대 위에 누워서 나를 잉태하는 동안에 내가 모든 문제를 해결할 것이다.	터툴리안은 2세기 말에 살았던 기독교 작가인데 그는 그의 논문에서 사후의 영혼들도 똑같이 쾌락과 후회를 경험한다고 주장하였다.

위 표의 '번역'란은 내가 원문을 번역한 것이고, '무대'란은 연출가가 무대에 적합하도록 수정한 것이다. 그리고 세 번째 '비고'란은 원문 번역

이 무대언어로 바뀌면서 잃어버리게 되는 의미들과 상징들에 관해 설명해 놓은 것이다. 무대언어로 수정된 대사는 번역자인 나와 상의 된 것도 있고 아닌 것도 있다. 위의 표에서 보는 것처럼 영문을 한국어로 번역하고 그것을 또 무대 위에서 전달되도록 하기 위해서는 원문 그대로를 사용하는 것이 불가능할 경우가 많이 있다. 한국 무대에 맞도록 변형해야 하는데 그러다 보면 원문을 그대로 전달해야 한다는 학자적 견해와 충돌을 빚게 된다.

번역을 하고 드라마투르그로 참여하면서 가장 아쉽고 후회스러운 상황은 위의 표의 4번째 항목의 노인과 소년의 대화이다. 원문의 번역에서 열여섯 살은 두 번 반복된다. 노인은 자신이 열여섯 살이었을 때 그의 아버지가 집에 불을 질렀다고 한다. 이 노인의 말에 소년은 자신이 곧 열여섯이 된다고 한다. 노인의 아버지와 노인 그리고 그의 아들이 16년이라는 숫자로 연결고리를 형성한다. 위의 표의 비고란에 설명해놓은 것처럼 이 16년은 아일랜드의 역사에서 중요한 의미가 있다. 이 희곡의 첫 공연은 1938년이고 이것을 시점으로 16년 전은 1922년으로 아일랜드 자유정부가 설립된 해이다. 예이츠는 이때부터 내란으로 인해 아일랜드가 몰락의 시기로 들어섰다고 생각했다. 그래서 16살이 된 아들은 몰락한 아일랜드를 의미하기 때문에 극에서 매우 중요한 상징성을 가지고 있다.

하지만 연출가는 열여섯이라는 나이를 스무 살로 변경하였다. 16년에 담겨 있는 아일랜드 역사를 한국 무대 위에서 의미를 갖도록 구현할 수 없으므로 한국 관객에게 받아들이기 좀 더 쉬운 나이를 선택했다. 영어에서 한국어로 번역해야 하고 아일랜드 상황을 한국 무대에 올리는 것이기 때문에 당연히 수정은 가해져야 한다. 하지만 이 부분은 너무나도 아쉬움이 남는다. 번역자이나 드라마투르그로 작업을 해본 분들은 아마

공감하실 수 있겠지만, 아무리 원작을 번역한 번역자라고 해도 일단 대본이 연출에게 넘어가면 그때부터는 연출의 통제 안에 들어간다. 원문이 가지고 있는 단어나 숫자가 가지고 있는 의미를 아는 사람은 그것이 희미해지거나 퇴색되는 것을 목격하면서 괴로워하는 수밖에 달리 할 것이 없다. 내가 연출을 하지 않는 한 지나친 간섭과 주장은 월권행위가 될 수 있기 때문이다. 16년이라는 것의 의미를 크게 두지 않는 연출로서는 16세의 아들을 살해하는 것이 관객들에게 불편할 수 있다고 생각해서 스무 살로 수정했을 것이다. 원작을 그대로 옮기는 것이 옳은 것인지, 아니면 상영되는 무대의 상황에 맞게 수정해야 하는 것인지는 영원히 해결되지 않는 문제일 것이다. 그럼에도 예이츠 전공자로서 그의 원문이 그대로 옮겨지도록 하는 노력은 계속되어야 하리라는 것은 틀림없는 사실일 것이다.

유튜브에 연극실험실 혜화동 1번지와 인천아트플랫폼 C동 공연장에서 공연한 영상을 찾아볼 수가 있다. 이 영상을 통해서 예이츠의 원작이 무대화되기 위해 어떤 변화와 각색을 거치게 되었는지 알 수 있고 이를 통해 예이츠의 희곡이 무대화될 가능성을 가늠해볼 수 있으리라 생각한다. 그 주소는 다음과 같다.

극단거미의 <연옥: 이탈한 자가 문득Purgatory: Suddenly a breakaway man>

장소 : 연극실험실 혜화동 1번지

https://www.youtube.com/watch?v=_0l0WsFYPOA

극단거미의 <연옥: 이탈한 자가 문득Purgatory: Suddenly a breakaway man>

장소 : 인천아트플랫폼 C동 공연장

https://www.youtube.com/watch?v=oU613HnLD4c

마지막으로 이 수필집을 통하여 좀 더 많은 사람이 예이츠의 연극을 경험할 기회를 가질 수 있기를 바라고, 막연하지만 예이츠의 희곡이 다시금 한국 무대에 오를 수 있기를 소망해본다. 이 글을 쓰고 있는 8월 말, 거의 끝나가는 여름밤에 이 소망이 그저 한여름 밤의 꿈으로 끝나지 않기를...

(대진대)

_ 다시 찾은 창립총회

윤일환

1

똑똑!

손잡이를 잡으면서 심호흡을 한다. 문을 여는 것은 여전히 익숙하지 않다. 언제 편안해질까? 한 손에 복사한 종이를 들고 안으로 들어간다. 퀴퀴한 냄새가 코로 훅 들어온다. 이 교수는 한창 발표 중이다. 나는 소파 뒤로 가 조용히 선다. 그는 국내 예이츠 박사학위 경향을 설명하고 있다. 왼쪽 책장에 꽂힌 오랜 책들에 눈이 간다. 어떤 기준으로 배열된 것일까? 대부분 낡은 원서들이다. 제목에서 풍기는 쾌쾌함. 익숙하고 진부하고 정겨운 냄새... 박수 소리에 정신이 이 교수에게로 갑자기 되돌아간다.

이 교수가 나에게 눈짓한다.

"교수님 여기 복사물..." 말꼬리를 흐린다. 복사물을 배포한다. 윗난에 "한국예이츠학회 회칙"이라 적혀 있다. 이 교수의 오른쪽에 앉아 있던 L 교수는 아까부터 진지한 표정이다. 펜을 꺼내 밑줄을 긋는다. 소파 왼쪽과 오른쪽 끝에 S 여교수와 H 여교수가 서로 떨어져 앉아 복사물의 뒷장을 넘겨본다. Y 교수, K 교수, H 교수는 흥미롭다는 표정을 짓고 있다. 부산에서 새벽에 올라왔다는 S 교수와 김 교수는 다소 피곤한 듯 대충이다.

학회창립 기념사진 (1991.12.)
앞줄 왼쪽부터 윤삼하(홍익대), 이영석(한양대), 서국영(동의대), 이세순(중앙대), 서혜숙(건국대)
뒷줄 왼쪽부터 윤일환(한양대), 허현숙(건국대), 한일동(용인대), 김영민(동국대), 김태윤(중앙대)

이 교수가 어련히 잘했겠냐는 표정이다. 김 교수는 이 분위기가 여전히 익숙하지 않다는 듯 자주 이마를 닦아낸다. 이 교수는 기다리는 것이 익숙하지 않은 듯 자주 안경을 고쳐 쓴다. 한동안의 침묵. 쾨쾨함이 탁해진다. 나는 다시 백일몽에 빠져든다. "복사 좀 해오지." 이 교수의 말에 깨어나, 수정을 거친 회칙 종이를 들고 다시 복사실 계단을 내려간다.

문 앞. 또 긴장이다. 문을 살포시 연다. K 교수가 먼저 눈에 들어온다. 초대 회장으로 선출된 S 교수에게 붙임성 있게 축하 인사말을 건네고 있다. 주변의 다른 이들도 S 교수에게 다가간다. 몇 차례의 축하 인사가 오간다.

"기념사진을 찍어야죠."

이 교수가 카메라를 손에 들고 있다. 뒤에는 삼각대가 놓여있다. 김 교수가 긴 소파 옆에 싱글 소파를 끌어다 놓자, 교수들이 차례차례 앉는다. 몇 명은 뒤편에 선다. 모두 자리를 잡자, 이 교수가 타이머를 설치하고는 소파로 재빨리 걸어와 앉는다.

태엽이 풀리는 소리.

틱...틱...틱...

찰칵!

"한 장 더 찍겠습니다."

다시 태엽 소리.

찰칵.

2

사진 한 장.

창립총회 날의 기억은 거의 사라지고 엷은 빛깔만 남았다. 그날과 지금 사이를 떠도는 수천의 나날들. 그사이에 놓인 뿌연 안개. 빛바랜 사진은 흐릿한 기억을 소환한다. 소파 뒤에 오른쪽 끝에 두 손을 모으고 수줍은 듯 서 있는 인물. 그것이 '나'임을 사진은 말한다. 사진 속의 나는 동질적 시간의 빈 곳을 살아남아 내 기억에 맴돈다. 그날을 찾아 기억을 거슬러 가다 보면 언제나 마주치는 쾨쾨함. 이상하게 그 쾨쾨함은 또렷하다.

학회 30주년 기념을 축하하는 글을 모으고 행사도 한다고 한다. 그날 뿌린 씨가 나무가 되어 과실도 풍성하고 잎사귀는 푸르다. 창립총회 날은 나에게 특별히 다르지 않은 그저 그런 날이었으리라. 빛바랜 사진 속에 나는 그 자리에 그대로 서 있다. 비슷한 시기의 내 삶의 대부분은 기억 속에서 사라졌고, 유독 그날만은 빛바랬어도 어떤 형체를 띠고 있다. 하지만 그 기억이 현재의 입장에서 뒤늦게 건설되는 것이 아니라고 어떻게 보장할 수 있으랴. 지금 내 기억 속에 남은 것을 사진 속의 나에게 말하면 억울해할까? 현재의 빛으로 과거에 빛을 비추면 어떤 상像으로 나에게 드러날까? 그것은 과거에 지난 것이 지금과 만나 섬광처럼 희뿌연 별자리의 상이리라. 기억은 완결되지 않은 것을 완결된 것으로 만든다. 또한 완결된 의미를 완결되지 않은 것으로도 만든다. 지나간 일은 완결되지 않았고 언제나 열려 있다. 잃어버린 과거는 되찾을 수 있고 되찾을 필요가 있는 것이다.

3

"아직 멀었어?"

밥상을 차려놓고 아내가 재차 날 부른다.

"금방 갈게"

이내 대답하고는 컴퓨터 화면으로 고개를 다시 파묻는다.

"그만 좀 하고 와."

짜증 어린 아내의 목소리가 커진다.

세 번의 재촉에 어쩔 수 없이 하던 일을 그만두고 식탁에 앉는다. 아내의 타박에 할 말이 없는 듯 고개를 푹 숙이고 한 수저 입에 넣는다. 학회창립 30주년 기념문집에 실을 원고를 쓰려 예전의 자료를 들춰보았다. 아내가 싫어하는지 알면서도 밥상머리에 늦은 것이다. 잡채를 한 젓가락 집어 입으로 가져간다. 잡채의 사리와 시금치가 입에 닿는다. 순간 뭐라고 설명할 수 없는 쾌감이 온몸을 관통한다. 그러자 갑자기 추억이 떠올랐다. 나는 1993년 홍익대 근처 식당에서 밥상 끄트머리에 앉아 있었다. Y 교수, 이 교수, L 교수가 이졸트 곤에 관해 이런저런 이야기를 나누고 있다. 나는 눈치를 보다 잡채 한 젓가락을 얼른 입에 넣고 우물거린다. 그날의 기억은 집채의 맛과 버무려져 있다. 시간과 함께 모든 것이 사라져도 향기와 맛만은 남는 것이다. 향기와 맛은 폐허 위에 기억의 건축물을 지탱한다.

아내의 눈치를 보며 한 입 넣은 잡채가 또 다른 과거를 되살려낸다. Y 교수는 홍익대에서 식사한 이후 학회에 뜸하였다가, 1995년 어느 날 갑자기 돌아가셨다. 담담하고 차분히 반성하며 삶과 사물을 사랑하던 모습으로 시를 쓴다던 시인 Y 교수, 그는 1993년 학회 회장을 하고 얼마나 있지 않다가 고인이 되신 것이다. 홍익대에서의 식사가 내가 본 Y 교수의 마지막 모습이었다. 또 다른 이의 죽음이 망각의 방파제를 넘어 파도친다. 그것은 인제대 L 교수에 대해 전해 들은 이야기이다. 서울에서 학회를 마치고 후배 교수랑 기차로 부산으로 내려가던 L 교수는 갑자기 술 생각이 났던지 소주 한 병을 샀다. 암 투병 중인 걸 알고 있었던 후배 교수가 극구 말렸지만, 기어코 소주 한 잔을 마시고는 "캬!" 하고 감탄을 내뱉었다. "이 맛을 못 보면 죽은 것이나 마찬가지지." 부산행 기차 안에서 그가 보인 행동을 어떻게 이해해야 할까. L 교수는 평론과 시 쓰기, 민족극 운동, 부산경남민교협 활동 등 어느 한 틀에 얽매이지 않았다는 지인의 말이 생각난다. 누군가 그날 L 교수의 소주 한잔은 욕망에 굴복한 어리석음이라고 쉽게 말할지 모르겠다. 하지만 나는 삶과 죽음을 똑같이 대하려 했던 기차 안에서 그가 보인 행동은 삶과 죽음도 똑같이 대하려 했던 그의 평상심에서 나온 것이라고 이해하고 싶다.

L 교수가 유명을 달리했던 2006년. 그해 창립총회에서 보았던 경상

도 신사도 세상을 떠났다. 그만 보내도 된다는 말을 들을 때까지 한동안 두 교수의 자택으로 학회지를 보냈다. 유명 시인이자 학회 원로인 K 교수의 마지막 모습도 축축한 꽃잎처럼 기억의 연못 아래로 맴돌다 서서히 가라앉는다. 2016년 가을 국제학술대회. 그 원로 교수는 노령에도 꼿꼿한 목소리로 특강을 했다. 저녁 식사를 마친 후 노교수는 헌팅캡을 고쳐 쓰고 지팡이를 짚어가며 휘적휘적 지하철 출구를 향해 내리막을 걸어갔다. 한동안 그의 마지막 모습을 떠올릴 때면, 언제나 등대의 불빛처럼 내게 쓸쓸함의 신호를 보냈었다. 그날 원로 교수를 함께 배웅했던 이 교수의 표정에서도 비슷한 우울함이 묻어났었다. 나처럼 원로 교수의 마지막 모습이라 생각해서였을까. 그때 보았던 이 교수의 표정은 2년 전 하버드대학의 A 교수가 세상을 떠났다고 소식을 전하던 때의 우울함과 많이 겹쳐 있었다.

누구나 언젠가는 죽는다. 하지만 그들이 남긴 말과 글은 우리 기억 속에서 등대처럼 어둠을 밝힌다. 인간의 삶은 학문과 예술과 동일한 법칙을 따르지 않는다. 삶은 완벽할 수 없고 순식간에 지나간다. Y 교수, L 교수, K 교수, A 교수도 모두 고인이 되었다. 하지만 그들이 쓴 글을 읽으면 여전히 고요하게 흥분된다. 그들이 바친 학문과 예술 때문이리라. 세월에 흩날리는 삶이라도 학문과 예술의 바람에 실리면 그것은 아름다운 것이 된다.

4

인절미를 맛볼 때면 가끔 2004년 경북대학교 공동학회에서 특강을 하던 학회 원로 L 교수의 곤혹스러운 표정이 떠오른다. 누군가 엘리엇과 예이츠 중 누가 더 위대한 시인이냐고 치기 어린 질문을 했다. 원로 교수는 "개인적으로는 예이츠가 더 시인다운 면이 있다고 보여요"라고 답변을 했고, 엘리엇학회 회원들은 항의를 쏟아냈다. L 교수는 예상하지 못한 일을 당하여 어찌할 바를 모르며 오랫동안 해명을 했다. 학회 후 식사 자리에서 동료들과 이런저런 대화하며 나는 잠정적으로 L 교수의 의도를 추정해보았다. 예이츠는 우여곡절의 삶을 살았으니 엘리엇보다 시인다운 기질이 있다는 의미일 게라고. 예이츠의 시 자체가 반드시 엘리엇보다 더 위대하다는 말은 아닐 것이라고. (그런데 그때 저녁 메뉴가 뭐였지? 왜 인절미만 생각나는지.) 원로 L 교수가 2013년에 돌아가셨으니, 고인이 된 지도 10년이 다 되어간다. 그날 특강 내용은 아무것도 기억이 나지 않지만, 그의 곤혹스러워하던 표정은 잊히지 않는다. 인절미 맛은 노교수의 곤혹스러움을 재미있다는 듯 내 기억에서 놓아주지 않는다.

어떤 향기나 맛을 보면 오래된 과거의 일인데도 난 어느새 옛날인 그곳에 있게 된다. 그 맛과 향기는 온몸을 그때의 쾌감으로 가득 채운다. 그 쾌감을 겪고 나면 문득 지나간 날의 나와 지금의 나 가운데 어느 나가 진짜 나일까 하는 의문이 떠오른다. 때로는 과거의 흐릿함이 지금의 선명함보다 내가 누구인지를 더 명확히 알려준다. 학회 창립총회가 있었던 날 이후 나는 30년 동안 희미한 길을 계속 걷고 있다. 그 길은 하나의 원을 이루고 있다. 나는 매번 원을 벗어나려 발버둥을 친다. 운이 좋게 원 밖에 나가도 곧 다른 원 안의 나를 발견한다. 나를 가두는 원의 연속. 원 다음에 또 원. 아니, 그것은 잘못된 생각이다. 그렇지 않다. 그 원들은 나를 가두는 것이 아니다. 나를 열게 하는 지평이다. 내가 원 밖으로 한 발짝도 뛰쳐나가지 못한 것이 아니다. 그 원은 내가 내디디고 있기에 생성된다.

5

"어, 그래 무슨 볼일이 있나?"

"부르셔서..."

"아참, 내 정신 좀 봐."

이 교수의 목소리에는 피곤이 묻어 있다. 눈 밑에는 안경 자국이 나 있고 눈동자는 충혈되어 있다. 책장 위로 수많은 책이 어지럽게 쌓여 있다. 바닥에는 꽂을 공간을 못 찾은 듯 책더미가 질서 없이 여기저기 흩어져있다. 어느 책더미 위에 놓인 세잔느 전공서가 눈에 띈다. 표지의 그림이 익숙하다. (제목이 뭐였더라?) 내 눈은 다시 바닥으로 향한다. 책더미를 쓰러뜨리지 않도록 조심해서 내디딘다.

"예이츠학회를 만들어볼 생각인데, 자료 좀 조사해주어야겠네."

"어떤 자료를 말씀하시는 건지..."

"예이츠로 박사학위를 받은 분들을 조사해주면 돼."

"언제까지 하면 되나요?"

"모레 아침에 받아봤으면 하는데."

모레 아침이라. 일이 급하다. '그건 아무래도 힘들겠는데요'라고 말이 목구멍까지 올라왔다. 하지만 말해보았자 아무 소용이 없다는 것을 안다. 이내 "네"라고 답한다. 만족한 답을 얻자 이 교수는 다시 책장 칸막이 너머로 천천히 사라진다. 저 너머에는 무엇이 있을까? 연구실에 갈 때마다 온갖 상상을 동원해 추측해보았다. 하지만 매번 답 찾기를 단념한다.

6

국회 도서관 현관 앞. 낮은 계단을 올라 두 기둥 사이를 지나 회전문을 밀고 들어간다. 보관함에 가방과 점퍼를 구겨 넣고는 열쇠를 잠근다. 1층 학위논문실로 갔다. 이른 시간이지만 여러 명이 와 있다. 40대 초반쯤 보이는 여자가 큰 테이블에 홀로 앉아 논문을 읽고 있다. 의자에 빨간색 점퍼가 걸려 있다. 살짝 엿보았더니 윌리엄 포크너의 『음향과 분노』에 관한 박사학위 논문이다. 옆 테이블에는 젊은 아가씨가 무언가를 열심히 노트에 옮겨 적는다. 저 너머에는 머리가 희끗희끗한 신사가 신문을 펼쳐놓고 이곳저곳을 훑고 있다. 굵은 뿔테 안경을 쓰고 양복을 입은 30대쯤으로 보이는 남성은 책장 곁에 서서 입에 펜을 문 채 논문을 읽고 있다. 여차하면 필요한 정보를 적을 태세다. 논문 복사실 앞에는 벌써 사람들이 줄을 서고 있다. 나는 창가 테이블 의자에 잠시 앉는다. 두리번거리다 카드 목록함을 발견하고 그리로 종종걸음으로 갔다. 주제어로 예이츠를 찾아야 하기에 'ㅅ~ㅇ' 서랍을 연다. 예이츠 박사학위 논문을 찾아내기는 쉽지 않다. 서랍은 박사학위논문 목록 카드로 가득하다. 혹시 놓칠세라 일일이 목록카드를 넘기며 저자, 논문제목, 연도, 수여학교를 독서카드에 옮겨 적는다. 노란색 카드가 빽빽하게 끼워져 있다. 자칫 놓치면 지금까지 했던 것이 수포로 돌아간다. 어디까지 찾아보았는지를 알 수 없게 된다. 저절로 손가락에 힘이 간다.

하루의 수고 끝에 노란 카드의 숲에서 1991년 8월까지 국내 예이츠 박사학위 소지자를 모두 골라냈다. 테이블로 돌아와 의자에 앉는다. 문득 눈을 감고 잠시 생각할 시간을 갖는다. 얼마 뒤 눈을 뜬다. 어제 이 교수의 표정과 말이 머릿속에서 아무런 무게도 갖지 않고 맴돈다. 바깥에서 자동차 지나가는 소리가 들려온다. 나는 깊게, 그리고 천천히 숨을 들이쉰다. 공기가 샘물처럼 달다. 의자를 밀어 넣고 일어난다. 겨울은 이내 추운 어둠을 뱉어내고 있었다.

7

저 멀리 국회 돔 지붕이 보인다. 건널목을 건너자 정문 앞에 연녹색 점퍼를 입은 경찰이 눈에 들어온다. 여기저기 철제차단물. 작은 통로로 들어간다. 경비실 앞에 섰다. 그곳에서 젊은 남자가 언성을 높이고 있다. 성경책을 오른손에 든 채 고개를 숙여 부스 안의 여직원을 노려보고 있다.

"아니 왜 출입이 안 된다는 거죠?"

"인가된 학교가 아니라니까요." 여자의 짜증이 난 목소리가 내 귓전을 때린다.

"아니 내가 등록금을 또박또박 내고 있고, 이렇게 내 사진이 박힌 학생증도 있는데 왜 안 된다는 거죠?"

"신학대학 중에서는 미인가인 경우가 종종 있어요."

실랑이가 한참을 오간다. 조마조마하며 뒤에서 기다리며 국회도서관 쪽을 바라다본다. 마침내 그 젊은이는 몸을 돌리고는 분을 참지 못한 채 식식거리며 왔던 길을 되돌아간다.

그의 식식거림이 들리지 않자 경비실로 다가가 고개를 숙인다. 학생증을 보여주자 들어가라고 손짓한다. 학생증을 돌려받고는 고개를 든다. 갑자기 겨울 햇살에 눈이 부시다. 길이 온통 밝은 빛으로 가득하다. 조금 전에 보았던 국회 돔 지붕과 철제차단물이 시야에서 사라졌다. 햇빛이 비치는 길바닥을 멍하니 바라본다. 한 번도 본 적이 없는 낯선 풍경이 이내

내 마음을 사로잡는다. 부드러우면서도 뿌연 흰빛 속에서 나는 잡을 수 없는 희망으로 가슴이 설렜다. 어제 이 교수가 시킨 박사학위 조사가 언젠가 의미 있는 일이 될지 모른다는, 부질없고 근거 없는 헛된 믿음이 솟아났다. 국회도서관으로 가는 길을 살펴본다. 하지만 햇빛에 비친 그 길은 여전히 어릿어릿하여 형체를 분간할 수 없다. 그곳에는 뭔가 두려움에 뒤섞인 희망, 행복한 한숨이 나를 기다리고 있는 것 같다. 오래전 처음으로 마천루를 올려다본 때처럼, 내 앞에 펼쳐질 세월을 바라보며 현기증을 느낀다. 다가올 미지의 앞날들을 쳐다보니 어지럽다.

끝없이 이어진 구불구불한 길들.
그 한없이 어렴풋한 기억들.
그 아득히 다가올 날들.

(한양대)

PHOTO BY HYUN HO SHIN
슬라이고의 예이츠 조각상

PHOTO BY HYUN HO SHIN
슬라이고의 예이츠 기념관

__ 예이츠 시로 엮어본 어느 방랑자의 회상*

조정명

지금으로부터 50여 년이 지난 1968년 3월에 초등학교 5학년에 접어들자 나는 낯설고 물선 도회지로 유학을 오게 되었다. 열악한 환경에 학업과 자취로 지친 난, 마음속으로 어김없이 피난처인 내 고향 송림松林, Songrim으로 달려가곤 했다. 고향의 산과 들과 개울, 송림사와 송림못, 어린 동무들, 가족이 사무쳐서 밤낮으로 고향을 잊을 수가 없었다. 그땐 몰랐지만 지금 이런 상황에 처하면, 나는 주저 없이 예이츠의 「호수섬 이니스프리"The Lake Isle of Innisfree"」를 수없이 읊조리며, 고향과 옛 친구에 대한 다시 오지 못할 그 시절을 그리워할 것이다.

---

* 본 에세이는 예이츠의 시의 여정과 필자의 삶의 여정을 대비해본 글이다. 이를테면, 예이츠의 마음의 피난처가 외가인 슬라이고(Sligo)이면, 필자의 어린 시절 피난처는 고향인 송림(Songrim)이다. 두 장소가 우연히도 S자로 시작한 '두운'에 동질감을 부여해본다. 「호수섬 이니스프리」, 「방랑하는 엥거스의 노래」, 「샐리 가든 옆을 지나」, 「그는 하늘나라의 옷감을 원한다」에서 필자는 그의 시에서처럼 친밀감을 느낀다. 아울러 그의 『자서전』에 언급된 청소년기 "성의 자각(the awakening of sex)"과 만년의 시 「박차」에서 피력한 "육욕과 격정(the lust and the rage)"의 동병상련을 비슷한 나이에 연관시켜본 것이다. 끝으로 「오랜 침묵 끝에」, 「지혜는 세월과 더불어 온다」, 「탑」, 「서커스단 동물들의 탈주」, 「불벤산 기슭에서」의 시편에서도 그의 시의 여정과 필자의 삶의 여정을 대비해보았다.

나 이제 일어나 가려네, 밤이나 낮이나 항상
호수물 기슭에 나지막이 철썩대는 소리 듣기에.
차도 위 혹은 회색 보도 위에 서 있을 때
나는 마음속 깊이깊이 그 물소리 듣기에.

I will arise and go now, for always night and day
I hear lake water lapping with low sounds by the shore;
While I stand on the roadway or on the pavements grey,
I hear it in the deep heart's core.

10개월 만에 두 번째로 옮긴 자췻집에는 인정 많은 주인집 아주머니와 내 또래의 같은 6학년 따님이 있었다. 4년간의 자취생활 동안 처음에는 부끄러웠지만 차츰 우린 자연스럽게 친구가 되어 서로에게 힘이 되었다. 난 산수에, 친구는 국어에 도움을 주었다. 마치 예이츠의 「방랑하는 엥거스의 노래The Song of Wandering Aengus」에 나오는 "예쁜 은빛 송어a little silver trout"가 어느 날 "머리에 사과꽃을 꽂은 채/ 희미한 빛 발하는 소녀가 되어had become a glimmering girl/ With apple blossom in her hair" 나에게로 다가오는 상상에 젖었다.

예쁜 은빛 송어 바닥에 내려놓고
난 불을 지피러 간 사이에,
무언가 마루 위에서 바스락 소리
누군가가 내 이름 부르더이다.
송어는 머리에 사과꽃을 꽂은 채

희미한 빛 발하는 소녀가 되어,
내 이름 부르며 달아나
눈부신 허공으로 사라졌어라.

When I had laid it on the floor
I went to blow the fire a-flame,
But something rustled on the floor,
And some one called me by my name:
It had become a glimmering girl
With apple blossom in her hair
Who called me by my name and ran
And faded through the brightening air.

그 후 우린 상급학교로 가면서 자연스레 멀어졌다. 하지만 간혹 명절 때 주인집 내외분들에게 인사를 가면 반갑게 맞아주면서 안부를 나누곤 했다. 시간이 갈수록 만남은 뜸해지고, 어느 날 부모님에게 온 청첩장을 통해서 나보다 먼저 결혼한다는 사실도 알게 되었다.

에피소드를 하나 회상해보면, 대학에 입학한 후에 처음 방문했을 때 친구는 나에게 "미팅은 했는지. 애프터 신청은 어떻게 했는지 등" 자신이 경험하지 못한 관심사를 묻곤 했다. 친구는 가정 형편상 대학진학을 그만두었다. 난 친구가 미안한 마음을 가질까 봐 그런 질문엔 대충 얼버무렸다. 대신 난 나중에 고민이 생기면 쓸 요량으로 마치 '샐리 가든의 연인' 처럼 여성의 남성관에 대한 조언을 구했다. 정확한 말은 생각나지 않지만, 아마도 세상을 순리대로 받아들일 것을 조언해주었던 듯하다. 예이츠의 「샐리 가든 옆을 지나 "Down by the Salley Gardens"」에서처럼 "하지만 나 어리고 어리석었고, 지금은 눈물 가득하네 But I was young and foolish, and now am full of tears"라는 구절에 동의하지 않을 수 없는 심정이었다. 그 후론 친구를 다시 보지 못했다. 나중에 함께 자취했던 작은외삼촌으로부터 서울에서 우연히 그 친구를 한 번 만났다는 얘기, 또 큰외삼촌으로부터 위가 안 좋아 병원에 들렀고, 급기야 투병 끝에 하늘나라로 갔다는 소식까지 들었다.

강가 들판에 내 임과 나는 함께 마주 서 있었네.
그녀는 눈처럼 흰 손을 내 기울인 어깨 위에 얹으며
강둑에 풀이 자라듯 삶을 쉽게 여기라고 내게 당부했네.
하지만 나 어리고 어리석었고, 지금은 눈물 가득하네.

In a field by the river my love and I did stand,
And on my leaning shoulder she laid her snow-white hand.
She bid me take life easy, as the grass grows the weirs;
But I was young and foolish, and now am full of tears.

사춘기를 거쳐 청년기에 이르면서 "성의 자각"(『자서전 *Autobiographies*』 62)이 일어났다. '성에 눈뜨면서' 성은 가끔은 거센 바람처럼 이리저리 휘몰면서 나를 괴롭혔다. 하지만 "도서관 한 구석 침침한 속에서/ 온종일 글을 읽다/ 돌아오는 황혼이면/ 무수한 피아노 소리/ 피아노 소리 분수와 같이 눈부시더라. //그 무렵/ 나에겐 사랑하는 소녀 하나 없었건만/ 어딘가 내 아내 될 사람이 꼭 있을 것 같아/ 음악 소리에 젖은 가슴 위에/

희망은 보름달처럼 둥긋이 떠올랐다.” 장만영의 「정동골목」의 시구처럼 마음 한 자락에는 내 아내 될 사람을 기다리며 희망을 놓지 않았다. “나의 빛깔과 향기에 알맞은”(김춘수의 「꽃」) 내 임을 만나길 얼마나 기다렸던가. 예이츠의 「그는 하늘나라의 옷감을 원한다“He wishes for the Cloths of Heaven”」에서처럼 나도 임이 생기면 상상할 수 있는 최고의 선물을 비슷하게 생각해보았다. 마치 서정주가 「동천」에서 “내 마음속 우리 님의 고운 눈썹을/ 즈문 밤의 꿈으로 맑게 씻어서/ 하늘에다 옮기어 심어” 놓는 심정 이상이었다. 이런 심정을 예이츠는 천의무봉天衣無縫의 하늘나라의 옷감으로 임의 발아래에 펼쳐드리고 싶은 소망을 피력했다.

내 만일 금빛과 은빛으로 짠
밤과 낮과 어스름으로 빚은
파랗고 흐릿하고 깜깜한 옷감,
하늘나라의 수놓은 옷감이 있다면
그대 발아래 펼쳐드릴 것을.

Had I the heavens' embroidered cloths,
Enwrought with golden and silver light,
The blue and the dim and the dark cloths
Of night and light and the half-light,
I would spread the cloths under your feet.

그 당시 난 학생이고 아내 될 사람이 없는 처지에 비록 가난했지만, 꿈과 정성과 애송시로 된 옷감을 하늘나라의 옷감 대신에 임의 발아래에 기꺼이 깔아드리고 싶었다. 심지어 어른이 된 지금도 그 마음은 변함이 없으며, 진정으로 그런 옷감을 펼쳐드리고 싶은 심정이다.

예순을 넘은 입장에서 「지혜는 세월과 더불어 온다"The Coming of Wisdom with Time"」는 예이츠의 이 시야말로 꽃과 잎으로 치장한 젊은 시절의 허장성세를 뒤로하고, 이제는 참된 것을 깨달으려고 더욱 애쓰면서 세월에 순응하다가 조용히 이울 것이라는 예이츠의 예언에 귀 기울인다.

나뭇잎은 많고 많지만, 뿌리는 하나.
허장성세 많았던 내 젊은 나날 동안
난 햇빛 속에 잎과 꽃을 흔들어댔지.
이제 나는 진실 속으로 이울어지리라.

Though leaves are many, the root is one;
Through all the lying days of my youth
I swayed my leaves and flowers in the sun;
Now I may wither into the truth.

예이츠의 「오랜 침묵 끝에"After Long Silence"」를 접하면서 60여 년을 방랑한 나그네에게 이 시는 특별한 의미를 주는 것 같다. 지금까지 나와 인연을 맺은 다른 이들 죽었거나 소원했건만, "예술과 노래의 숭고한 주제the supreme theme of Art and Song"를 얘기할 사람 만났다면 이 또한 복이 아니겠는가.

오랜 침묵 끝에 드리는 말씀입니다.
다른 연인들은 모두 소원해지거나 죽고,
무심한 등불은 갓 아래에 숨어 있고,
무심한 밤은 커튼 내려 가리었으니,
'예술'과 '노래'의 숭고한 주제를
얘기하고 또 얘기하는 것은 당연한 일이죠.
육신의 쇠퇴는 지혜로워지는 것을.
젊었을 땐 우린 서로 사랑하고 무지했지요.

Speech after long silence; it is right,
All other lovers being estranged or dead,
Unfriendly lamplight hid under its shade,
The curtains drawn upon unfriendly night,
That we descant and yet again descant
Upon the supreme theme of Art and Song:
Bodily decrepitude is wisdom; young
We loved each other and were ignorant.

정년이 다가오면서 종전보다 더 자주 "육욕과 격정lust and rage"(「박차 "The Spur"」)에 사로잡힌 이즈음에 난 예이츠의 「탑"The Tower"」의 첫 구절에 매료되어 음미해본다. "개 꼬리에 매달린tied to a dog's tail" 나의 "이 황당한 생각this absurdity"과 "이 우스꽝스러운 모습this caricature"으로 점철된 지금의 나는 "무기력한 늙음Decrepit age"에 노출되어 있다. 그러면서도 상념의 검은 무리가 서로 연상되면서 잠을 설친다.

이 황당한 생각을 내 어찌할 것인가—

아 마음이여, 괴로운 마음이여—이 우스꽝스러운 모습,

개 꼬리에 매달린 듯이 나에게 매달린

무기력한 늙음을?

나는 이보다 더 흥분되고,

열정적이고 환상적인 상상력을,

불가능을 이보다 더 기대하는

눈과 귀를 가져 본 적이 없었네.

What shall I do with this absurdity—

O heart, O troubled heart—this caricature,

Decrepit age that has been tied to me

As to a dog's tail?

Never had I more

Excited, passionate, fantastical

Imagination, nor an ear and eye

That more expected the impossible.

'무기력한 늙음'을 앞에 두고 있지만, 여기서 멈출 수는 없지 않은가? "해 한번 떠본 일 없어도 내 가슴은 나의 하늘"(이호우의 「나의 가슴」)처럼 소중한 것이지. 생명이 다하는 날까지 넘어지고 깨어지더라도 나날이 새로운 출발을 다짐한다. 마치 예이츠의 「서커스단 동물들의 탈주"The Circus Animals' Desertion"」에서처럼 "이제 내 사다리는 사라졌으니,/ 나는 모든 사다리가 시작된 곳, 누추한 누더기와/ 마음의 넝마 가게 안에 누워 지낼 수밖에 없다Now that my ladder's gone,/ I must lie down where all the ladders start,/ In the foul rag-and-bone shop of the heart.". 더러는 내 마지막 사다리인 비빌 언덕마저 사라져가는 심정이 들 때도 있다. 예이츠의 심정처럼 누추한 누더기에 넝마 같은 마음이 나를 덮치더라도, 현실을 직시하고 인정하는 예이츠의 처절한 현실 인식에 힘입어 작은 몸짓이라도 시도해야지. 마치 "밤마다 고민하고 방황하는 열사의 끝// 그 열렬한 고독 가운데/ 옷자락을 나부끼고 호올로 서면/ 운명처럼 '나'와 대면하게 될지니 . . . . 그 원시 본연한 자태를/ 다시 배우"는 결의에 찬 유치환의 「생명의 서」에서처럼.

언젠가는 닥쳐올 죽음을 상정하면서 나의 묘비명은 무엇으로 할 것인가 생각에 젖는다. 예이츠는 「불벤산 기슭에서"Under Ben Bulben"」에서 자신의 묘비명을 다음과 같이 설파했다. "삶에 죽음에/ 냉철한 시선을 던져라./ 말 탄 이여, 지나가시오!Cast a cold eye/ On life, on death./ Horseman, pass by!" 생을 마감하는 인생의 선배로서 후배들에게 진중하고 "냉철한 시선"을 당부한 예이츠. 나는 예이츠의 차분하고 '냉철한 시선'을 '삶과 죽음' 즉 모든 일에 꼭 요구되는 덕목으로 역설한 그의 혜안을 닮으려고 발돋움하면서 새삼 기린다.

2021년 8월 광복절 즈음에 예이츠 시의 힘을 빌려 한 방랑자의 삶의 편린을 회상해보았다.

(경운대)

__ 촛농처럼 뜨거운 이름, 예이츠

한세정

가만히 두 눈을 감고 바람 소리에 귀를 기울이면, 아일랜드의 아름다운 에메랄드빛 바다와 초록색 구릉이 눈앞에 펼쳐진다. 나의 피붙이인 언니와 아일랜드인의 피가 흐르는 조카들이 사는, 한국과 유사한 식민지의 역사를 지닌 형부의 조국 아일랜드. 아일랜드를 대표하는 시인 예이츠와 나의 인연은 운명처럼 찾아왔다.

언니는 유학을 떠난 아일랜드 더블린에서 골웨이 출신의 형부를 만났다. 아일랜드 바다를 닮은 파란 눈의 형부는 해맑은 미소가 인상적인 청년이었다. 국문학과 졸업을 앞둔 스물넷의 나에게 형부가 처음으로 건넨 말은 예이츠에 대한 것이었다. 예이츠 시를 읽어본 적이 있냐는 질문에, 나는 두 볼이 붉게 달아오른 채 고개를 끄덕였다. 언젠가 고등학교 영어 선생님께 배웠던 「이니스프리 호수섬"The Lake Isle of Innisfree"」의 첫 행을 낭송하자, 신이 난 형부는 이니스프리 섬에 대한 이야기를 들려주었다. 반짝이는 푸른 눈동자에는 아일랜드인으로서 예이츠에 대한 자부심이 가득했다. 곧 가족이 될 아일랜드 형부와 수줍게 나눴던 그 대화가 예이츠와 나를 잇는 연결고리가 되리라곤 그때는 짐작하지 못했다.

내가 다시 예이츠와 인연이 닿았던 것은 2005년 7월 고려대 국문과 대학원에서 석사논문을 제출한 직후였다. 앞으로의 진로를 고민하며 나는 언니네 가족이 있는 아일랜드로 떠났다. 두 달여 동안 나는 여러 서점과 도서관을 드나들면서 내가 하고 싶은 건 무엇인지, 내가 쓰고 싶은 시는 무엇인지 진지하게 고민할 수 있었다. 형부는 시간이 날 때마다, 시인 지망생인 처제를 위해 예이츠의 흔적을 찾아다니는 소소한 여행을 준비했다. 예이츠가 여름휴가를 보내며 작품을 썼던 발릴리 탑, 고즈넉한 풍광이 아름다웠던 쿨 파크를 비롯하여 잠시 살았던 집, 잘 알려지지 않은 시의 배경이 된 장소 등 형부는 현지인이 아니면 찾아가기 어려운 곳까지 나를 안내하였다. 형부의 세심한 배려 덕분에 나는 더블린, 골웨이, 슬라이고, 코크 등 아일랜드의 곳곳을 여행하며 예이츠의 숨결을 느낄 수 있었다.

아일랜드 여행을 마치고 귀국한 후, 국문과 대학원 박사과정에 입학하고 나서는 한동안 예이츠를 잊고 지냈다. 하지만 어느 순간 예이츠는 다시 내 삶에 틈입했다. 백석 시를 공부하는 강의시간이었다. 백석 시에 나타난 방언이 아일랜드 농부들의 방언을 작품에 활용했던 싱과 연관되었을 가능성을 시사한 글을 읽으며 서른 살의 초여름이 뜨거워지기 시작했다. 일본 청산학원에서 영문학을 수학했던 백석이 1934년 조선일보에 중역重譯해 발표했던 미르스키의 논문 「죠이쓰와 애란문학愛蘭文學 "Joyce and Irish Literature"」은 이러한 나의 호기심에 불을 지폈다. 미르스키는 세계주의 작가로서 조이스를 생성하기에 이른 아일랜드 문학사를 개관하면서, 식민지 문학의 관점에서 문예부흥운동과 관련된 예이츠의 문학적 특징과 아일랜드 고유어가 남아있는 아란 섬의 농부들이 쓰는 방언을 차용하여 새로운 언어를 창조했던 싱의 특징을 서술하였다. 식민지 조선의 시인 백석과 식민지 아일랜드의 시인 예이츠, 하나의 연결고리가 생성되는 순간 가슴에 뜨거운 불길이 휘몰아치기 시작했다. 이를 토대로 한국 근대시인과 예이츠의 상관성을 살핀 나의 첫 논문 「백석 시의 창작 기법에 나타난 아일랜드 문학의 영향－예이츠와 싱을 중심으로」가 집필되었다. 이 논문에서 나는 백석 시에 나타난 풍속적 소재와 예이츠가 아일랜드의 민족성을 복원하기 위해 창작 소재로 삼았던 신화, 민담, 전설과의 유사성을 주목했는데, 이는 훗날 나의 박사학위 논문 「한국 근대시에 나타난 예이츠 수용 양상 연구－김억 · 김소월 · 김영랑 · 백석 시를 중심으로」의 출발점이 되었다.

이후 나의 관심은 식민지 조선의 근대 시단에서 예이츠가 어떤 문학적 함의를 지니고 있었으며, 그의 문학적 특징이 어떠한 방식으로 근대시에 수용되었는가로 확장되었다. 이를 위한 기초작업으로 수개월에 걸쳐 1920~30년대 번역, 소개되었던 예이츠 시와 학술적 논평 등의 자료를 확보하고 서지 목록을 작성하면서, 주요 번역시와 학술적 논평의 원문을 입력하였다. 식민지 조선의 근대시단에서 예이츠는 특별한 함의가 부여된 서구시인이었다. 조선과 같은 식민지 약소국 출신으로서 노벨문학상을 수상했던 예이츠의 문학적 이력은 '근대시의 창출'과 '식민지 현실에 대한 시적 대응'이라는 이중의 문학적 의제를 짊어진 조선 시인들에게 중요한 귀감龜鑑이 되었다. 근대시인들은 식민지의 시대 인식을 뛰어난 문학적 방법론으로 승화시켰던 예이츠의 문학적 특징을 창조적으로 수용, 변주하면서 독창적인 창작 방법을 구축하였다. 식민지 시기 예이츠가 근대시에 수용되는 뜨거운 국면들은 나를 겸허하게 만들었다.

논리의 행간行間에서 길을 잃고 헤맬 때마다, 예이츠가 낭송한 「이니스프리 호수섬」을 들었다. 한밤중으로 치닫고 있는 합동연구실 한편에서 예이츠의 육성을 듣고 있노라면, 어느덧 나는 작은 섬이 되어 아일랜드 바다를 떠돌고 있었다. 예이츠의 떨리는 음성에 배어 있는 시에 대한 열정을 가슴에 돋을새김하며 박사학위 논문을 완성할 수 있었다. 2015년 7월, 나는 첫 시집 『입술의 문자』와 박사학위 논문을 가슴에 안고 10년 만에 다시 아일랜드로 떠났다. 강산이 변하는 세월 동안 나는 그토록 갈망했던 시인이 되었고, 한국 시문학사의 관점에서 예이츠의 수용 양상을 살핀 연구자가 되었다.

햇살이 눈부시게 찬란했던 늦여름, 나는 언니네 가족들과 슬라이고에 있는 예이츠의 무덤으로 향했다. 10년 전 아일랜드에 왔을 때 태어난 둘째 조카 가흘이가 "이모, 예이츠 무덤에 가면 울 것 같아?" 하며 나를 놀려댔다. 잘 모르겠다고 대답을 얼버무리는 사이 어느새 나의 발길은 예이츠 묘비 앞에 다다랐다. 한참 동안 아담한 묘비를 눈으로 쓸어내렸다. 그리고 한국에서 가져온 나의 첫 시집과 박사학위 논문을 예이츠 무덤가에 놓고 작은 헌정식을 치렀다. 예이츠라는 문학적 프리즘을 통해 식민지의 시대 인식을 근대시의 방법론으로 구축해갔던 근대시인들의 얼굴이 스쳐 갔다. 예이츠를 매개로 그들이 꿈꾸었던 문학적 이상들과 그들이 이룩해낸 시문학사를 밝히는 한 귀퉁이에 모래알처럼 작은 내 그림자가 서 있었다.

예이츠와의 운명적인 인연은 박사학위를 받은 후에도 계속 이어졌다. 「백석의 「북방北方에서」와 예이츠의 「골 왕의 광기」 비교 연구」, 「김수영의 예이츠 문학의 수용 양상 연구」, 「식민지 조선 문인들의 "The Lake Isle of Innisfree" 수용과 전유-김억, 김영랑, 한흑구, 정인섭을 중심으로」, 「시문학파의 아일랜드 시 번역의 특징과 의미 연구」 등의 논문을 발표하면서 좀 더 다각적으로 예이츠의 수용사를 고찰할 수 있었다. 특히 2017년 공동학술대회를 계기로, 참고문헌에서 접했던 한국 예이츠학회의 여러 선생님과 교류하면서 예이츠와의 인연은 더욱 견고해졌다.

학회 선생님들의 따뜻한 격려와 가르침 속에서 나는 한국 시에 수용된 예이츠의 문학적 계보를 밝히는 데 더욱 몰두할 수 있었다.

머리가 희끗희끗해진 파란 눈의 형부는 지금도 변함없이 아일랜드에 남아있는 예이츠의 흔적과 기념 장소를 발견할 때마다 사진과 동영상을 찍어 나에게 전송한다. 형부와 언니가 낳은 첫 조카 유나가 대학 입학을 앞둔 지금에 이르기까지, 예이츠는 그렇게 언니네 가족과 나의 삶을 관통하여 시인과 연구자의 길을 걷는 내 인생의 동반자가 되었다. 삶에 치여 시와 연구에 소홀해지는 나를 발견할 때면, 노년기에도 시 창작에 매진했던 예이츠를 떠올리며 그의 시집을 다시 펼친다. 예이츠의 아름다운 시편들은 나태해진 나의 몸과 맘을 꾸짖는다. 지문이 닳도록 뜨겁게 예이츠를 부르며 불면의 밤을 지새웠던 시간들을 떠올리며 나는 마음을 가다듬는다.

촛농처럼 뜨거운 이름, 예이츠. 그 이름 옆에 쓰인 내 이름이 부끄럽지 않도록 오늘도 나는 아직 내가 읽어내지 못한 예이츠를 위해, 아직 당도하지 못한 나의 시를 위해 촛불의 심지를 돋운다. "나 이제 일어나 가리라, 이니스프리로 가리라.I will arise and go now, and go to Innisfree." 예이츠의 음성이 나의 어깨를 따듯하게 어루만진다. 이니스프리의 물결 소리가 귓가에 일렁인다.

(고려대)

4장

예이츠 시와 희곡, 그리고 사랑

PHOTO BY SE SOON LEE
길 호수 (1983)

__ 이니스프리는 진짜 섬인가요?

이세순

1

"예이츠 선생님, 이니스프리는 진짜 섬인가요?" 이 말은 아일랜드가 전국의 모든 초등학생들에게 예이츠의 시 「이니스프리 호수섬"The Lake Isle of Innisfree"」을 암송하도록 했는데, 그 당시 한 소도시의 북문초등학교 Northgate School 여학생들이 단체로 예이츠에게 편지를 써서 물은 말이었다. 이는 곧 아일랜드 사람들조차도 몰랐던 이니스프리가 예이츠의 시를 통해서 국내뿐만 아니라 세계적으로도 널리 알려지게 됐다는 뜻이다.

사실 이니스프리는 주먹만 한 무명의 섬에 불과하였다. 예이츠의 외가가 있는 아일랜드의 서북쪽 항구도시 슬라이고Sligo 동남쪽에 꽤 큰 "즐거운 호수"라는 뜻을 가진 록 길Lough Gill이 있다. 이 호수에는 크고 작은 여러 개의 섬이 있는데, 그중에는 교회가 들어설 정도로 제법 큰 섬도 있지만 이니스프리는 뭍에서 가까이 자리 잡은 그저 작은 섬들 중의 하나에 지나지 않는다. 이니스프리를 아일랜드말로는 "인 이쉬 프리in ish free"라고 발음하는데, 이것은 "heathy island," 즉 "보랏빛 꽃이 피는 히스가 군생하는 섬"이라는 뜻이다. 낮에는 호수 주위에 그 보랏빛이 비치기 때문에 "한낮엔 보랏빛 광채"라는 구절이 나온 것이다. 이런 섬이 유명해진 것은 바로 예이츠 시 덕분이다.

내가 윌리엄 버틀러 예이츠를 처음으로 알게 된 것은 대학 시절 그의 시 「이니스프리 호수섬」을 접하면서부터였고, 영시개론 담당 최창호 교수님의 연구실에서 시인 자신의 육성으로 낭송하는 이 시를 들은 뒤부터는 그곳이 마치 내 고향이라도 되듯 꼭 가보고 싶었다. [그것은 예이츠가 1937년 7월 3일 벨파스트Belfast의 BBC 방송에 출연하여 현대시 강의 도중 낭송한 것을 녹취한 것이었다.]

그러던 중 마침내 이 시의 배경이 된 현장을 방문한 것은 박사과정을 밟으면서 예이츠를 연구하던 1983년 여름, 옥스퍼드대학교에 개설된 국제대학원하계학교IGSS: International Graduate Summer School에 참가하기 위해 영국을 방문했을 때였다. 그때 슬라이고에 사는 개프니 씨Mr. Gaffney 부부가 승용차로 현장까지 데려다줬다. [여기서 아일랜드 사람들의 특이한 믿음 한 가지를 소개한다. 귀국해서 그들에게 감사 편지를 보냈으나 답장이 없었다. 물론 꼭 답장을 원한 것은 아니지만, 나는 좀 섭섭한 마음이 들었다. 그리고 11년 후 일본 교토에서 개최된 IASIL: The International Association for the Study of Irish Literatures 국제학술대회에서 만난 아일랜드 교수 셰이머스 맥글웨인Saemus MacGlwain에게서, 그들은 아일랜드에 한 번 온 사람은 분명히 머지않아 또 온다고 믿기 때문에 답장을 하지 않는다는 설명을 들었다. 사실 그들의 믿음이 거의 실현될 뻔했었다. 내가 1996년에 슬라이고에서 개최되는 예이츠 여름학교에 가기 위해 모든 절차를 밟았었는데, 갑자기 부득이한 사정이 생겨 못 갔었기 때문이다.] 그들의 안내로 현장에 도착해서 보니, 섬은 아홉이랑 콩밭은커녕 오두막 한 채 들어서기에도 좁은 곳이었지만, 위대한 시의 탄생지를 보는 나로서는 감개무량하였다.

나 이제 일어나 가리라, 이니스프리로 가리라.
외 엮고 진흙 발라 조그만 오두막 한 채 짓고,
그곳에 아홉 이랑 콩밭 갈고, 꿀벌 한 통 치며,
벌 소리 요란한 숲속에서 나 홀로 살리라.

그곳에서 나는 평화를 누리리라, 평화가 천천히
아침 너울에서 귀뚜라미 우는 곳으로 방울져 떨어지고,
한밤중엔 온통 가물가물한 빛, 한낮엔 보랏빛 광채,
저녁엔 홍방울새 가득히 나는 곳이기에.

나 이제 일어나 가리라, 밤낮 언제나
낮은 소리로 호숫가에 출렁이는 물소리 들려오기에,
신작로에 서 있거나 회색 포도에 서 있을 때도
그 물소리 가슴 속 깊이 들려오기에.

—「이니스프리 호수섬」 전문

호숫가로 밀려드는 잔물결 소리가 들려오는 가운데 이 시를 원어로 음송하면, 현실의 이니스프리의 모습과 동영상으로 촬영한 듯이 묘사된 시 속의 모습이 완전히 겹쳐 보이는 느낌이 든다. 이것은 이 시에 다양한 운율, 음조, 비유 외에도 시청각적 심상과 동적 심상 등 복합적 심상이 사용되어, 보고 들을 수 있는 한 편의 동영상처럼 시인이 갈망하는 평화롭고 한적한 전원적인 호수섬의 풍경이 세세하게 잘 표출되어 있기 때문이라고 생각한다. 즉, 현실의 이니스프리의 모습이 시인의 시적 꿈에 반영되고, 다시 시인의 시적 꿈은 현실에 생생하게 투영되었다는 말이다.

이와 같은 이 시의 특징적인 면을 도외시한 채, 영국의 계관시인이자 고전주의 비평가였던 로버트 그레이브즈Robert Graves, 1895-1985는 이 시를 가리켜 "시인이 정말로 깨어있지 않다."라고 말한 적이 있다. 이는 곧 이 시의 몽상적인 분위기가 너무 짙다고 비판한 것이지만, 이 시는 역시 자타가 공인하듯이, 예이츠의 초기 낭만시의 백미편이다. 시를 표면적으로 나타난 인상만을 가지고 평가하는 것은 피상적인 수준을 벗어날 수 없다. 이런 식의 비평은 시의 진가를 모르는 소치이며, 특히 이 시에 있어서는 이 시가 지닌 심층적인 의미와 상징성 등을 간과하는 것이기 때문이다.

2

이 시가 발표된 것은 1890년으로 예이츠가 25세 때였다. 그는 어느 날 사무치는 고향 생각을 품고 런던의 플리트가Fleet Street를 걷던 중 한 점포 진열장의 소형 분수대에서 떨어지는 물방울 소리를 듣는 순간, 불현듯 기쁠 때나 슬플 때나 즐겨 찾았던 호수의 물결 소리와 이니스프리가 기억에 떠올라 자신의 운율로 이 시를 쓰게 되었다고 그의 자서전에서 밝힌 바 있다.

그러나 이것은 일시적이고 충동적인 그리움이 아니라 10대부터 쌓여 날이 갈수록 깊어져만 가는 고향에 대한 애절한 그리움의 발현이었다. 그에 따르면, 어렸을 때 아버지가 읽어 준 쏘로우Henry David Thoreau, 1817-62의 『월든*Walden*』 몇 구절을 듣고서, 10대의 소년 시절부터 언젠가는 쏘로우를 본떠서 이니스프리에 오두막을 짓고 홀로 살리라는 계획을 세웠다고 한다. 하지만 예이츠에게는 이니스프리가 이런 단순한 그리움의 대상만은 아니었던 것이 분명하다. 이런 점에서 생각해볼 때, 예이츠가 일부러 상궤를 벗어나 방탕의 길을 걸었던 것도 아닌데, 일각에서 이 시의 첫 구절 "나 이제 일어나 가리라I will arise and go now"를 성서에 나오는 탕자의 귀가에 비유하는 것은 다소 견강부회牽强附會라는 생각이 든다. 즉, 이 시는 어느 한 종교의 틀에 가둬둘 시가 아니다.

어린 시절 고국을 떠나 런던에서 초등학교에 다닐 때 예이츠는 친구들과 고향을 잃는 슬픔과 외로움을 겪었을 뿐만 아니라, 영국 아이들로부터 "아일랜드 새끼"라고 무시당하고, 걸핏하면 그들에게 얻어맞아 제대로 학교생활에 적응하기가 힘들었다. 예이츠는 방학이 되어 귀향하거나 런던으로 돌아올 때는, 외할아버지의 외항선을 타고 다니는 대접받는 꼬마 신사였고, 고향에서는 어디를 가나 왕자 취급을 받았다. 하지만 런던에만 오면 이리 차이고 저리 굴리는 한갓 천둥이 신세였다. 이런 상황이 계속되는 가운데, 신체적으로 허약하고 내성적이고 몽상적인 그는 외부세계와의 접촉을 단절하고 자기만의 내적세계로 몰입하기가 일쑤였다. 그래서 그는 20대가 되면서부터 온갖 것을 뿌리치고, 복잡하고 소란스러우며 안식을 주지 못하는 도회생활을 벗어나, 고국의 이니스프리 같은 한적하고 평화로운 섬에 가서 자연을 벗 삼으며 아무런 욕심 없이 순박하게 살려는 일종의 낭만적 도피를 꿈꿨던 것이다.

한편, 시인 자신의 말을 빌리면, 20대에 들어서면서 그는 "두꺼운 껍질이 터지는 듯한" 심한 성적 충동과 욕망을 경험했다고 한다. 예이츠가 그의 평생 인생과 시에 지대한 영향을 끼치는 운명적 여인 모드 곤Maud Gonne, 1866-1953을 만난 것은 이 시를 발표하기 직전인 1889년 1월이었다. 예이츠는 첫눈에 그녀에게 반하여 사랑에 빠졌으나, 행동제일 주의자였던 여성독립운동가 곤은 그에게 냉랭하기만 했다. 거기다가 예이츠는 그의 정신편향적인 낭만주의적 성향과 소심한 성격 탓으로 그녀를 현실적 존재로 접근하지 못하고, 이념적 존재로 본 나머지 과감히 사랑을 고백하거나 행동으로 옮길 수도 없었다. 예이츠에게 곤은 범접하여 꺾지 못할 지고한 한 송이 장미꽃이었던 것이다. 그래서 예이츠는 억누르기 힘든 성적 욕망의 고통을 이니스프리 같은 섬에서 낭만적 금욕주의로 극복할 지혜를 얻고자 하는 성향을 상당 기간 보여줬다.

3

시의 직접적인 이해와는 별도로, 이니스프리에 깃든 전설과 관련하여 한 가지만 더 언급하기로 하겠다. 전설에 따르면, 이 섬에는 신들만이 열매를 따 먹을 수 있는 사과나무가 한 그루가 있었다. 어느 날 두 연인이 이 섬이 빤히 보이는 호숫가에 이르렀다. 섬의 사과나무에는 마침 먹음직스럽게 잘 익은 사과가 달려 있었다. 여자는 그 사과를 사람이 따먹으면 죽는다는 말에도 불구하고, 애인에게 사과를 따다 달라고 졸라댔다. 여자가 하도 집요하게 졸라대는 바람에, 남자는 하는 수 없이 헤엄쳐서 섬으로 건너가 사과를 하나 땄다. 그리고 그는 사과를 가지고 돌아오는 길에 혹시나 하는 마음에 사과를 한 입 베어 먹었다. 그런데 뭍에 당도한 남자는 사과의 독성이 전신에 퍼져 숨을 거두고 말았다.

이 이야기는 바로 예이츠가 견지한 "이원질서異元秩序"에 대한 믿음을 피력한 것으로 해석할 수 있다. 즉, 인간과 신이 먹을 수 있는 음식이 따로 있듯이, 인간과 초자연계의 불멸의 존재는 각각 다른 존재질서를 가지고 있기 때문에, 현실에 발을 딛고 있는 인간은 현실세계에 불만을 품고 있다고 해서 현실을 일탈하여 초자연계의 불멸의 무리와 언제까지나 함께 어울려 살 수가 없다는 점을 넌지시 말해주는 것이 아닐까 한다. 아무튼 같은 시일지라도, 독자들이나 학자들이 그 배경지식과 관련 정보를 많이 갖추고 읽을 때 시가 지닌 의미와 상징성이 더욱 확장되고 풍부해진다는 것을 알면 더 좋을 것이다.

(중앙대)

__ 예이츠를 읽는 세 가지 방법과 글로컬 예이츠 학자들과의 만남의 중요성

김영민

1. 방법

1) 예이츠의 서정시: 예이츠의 사랑과 욕망의 재현

1889년 1월 30일 런던 교외의 베드포드 공원Bedford Park의 한 조용한 거리에 22세의 벨그라비아Belgravia에서 온 한 젊은 여인이 탄 마차가 멈추어 선다. 모드 곤Maud Gonne이 윌리암 버틀러 예이츠William Butler Yeats와 그의 아버지 존 예이츠John Yeats를 방문한 것이다. 모드 곤은 그 당시 아일랜드 민족주의자로 잘 알려진 존 오리어리John O'Leary의 여동생인 엘렌 오리어리Ellen O'Leary가 Willie예이츠에게 쓴 소개장을 지니고 있었다. 이 소개장에 다음과 같이 쓰여 있다.

> 나(존 오리어리)는 우리의 새로운 여성 친구이자 아일랜드를 사랑한 새로운 개종자인 미스 곤에게 당신 아버지에게 보내는 소개 편지를 주었습니다. 미스 곤과 당신이 서로를 좋아하리라 확신합니다. 예술가와 시인은 결코 그녀를 숭배하지 않을 수 없을 것입니다. 그녀는 더할 나위 없이 너무 매력적이고 멋지며 이목구비가 뚜렷합니다. 대부분의 우리 남성 친구들은

그녀를 숭배합니다.

I gave Miss Gonne, a new lady friend of ours and new convert to love of Ireland, a letter of introduction to your father. I'm sure she and you will like each other. An artist and a poet could not fail to admire her. She is so charming, fine and handsome. Most of our male friends admire her.

이 당시 모드 곤은 민족주의적 정치적 투쟁에 동참하고 있었다. 당시 토지 연합Land League의 폭력적 수단에 의해서 영국인 지주들의 권력이 침식당하고, 정치범들이 수감되고 있는 상황이었고 존 오리어리는 모드 곤의 정치적 열망을 문화적으로 방향을 전환케 하고자 예이츠의 최근 출간된 시집을 주고 그를 방문하게 하였던 것이다. 23세의 예이츠1965-1939는 그날 창가에서 사과나무꽃과 같은 화사한 얼굴을 지닌 모드 곤을 바라보며 첫눈에 운명적인 사랑에 빠지게 되는데, 이때부터 여신과도 같은 아름다운 모드 곤의 첫인상은 예이츠의 망막에 지워질 수 없는 이미지로 남게 되고, 좌절과 고통으로 점철된 사랑과 욕망의 긴 역사의 방아쇠가 되어 시인 예이츠의 시와 삶을 구성해나가게 된다. 이 첫 만남에 대해 예이츠는 『회고록*Memoirs of W. B. Yeats*』에서 자신의 "삶의 고통이 시작되었다 the troubling of my life began."라고 하면서 다음과 같이 기록하고 있다.

나는 살아있는 여성에게서 이렇게 훌륭한 아름다움을 볼수 있으리라 꿈에도 생각해본 적이 없다. 그 아름다움은 유명한 그림이나, 시, 또는 전설적인 과거에서나 볼 수 있는 그런 아름다움이었다. 사과꽃과 같은 안색, 그러면서도 얼굴과 몸 전체가 블레이크William Blake가 젊어서부터 나이 들어서까지 좀처럼 변하지 않아 최고의 아름다움이라 불렀던 그러한 선의 아름다움을 지녔고, 그 자태가 너무 훌륭해서 그녀는 마치 신의 세계의 여신과 같았다. 그녀는 나의 삶에 . . . 무수하게 유쾌한 여운을 주는 압도적인 격동tumult인 버마의 징Burmese gong과 같은 소리를 가져다주었다.

I had never thought to see in a living woman so great beauty. It belonged to famous pictures, to poetry, to some legendary past. A complexion like the blossoms of apples, and yet face and body had the beauty of lineaments which Blake calls the highest beauty because it changes least from youth and age, and a stature so great that she seemed if a divine race . . . she brought into my life . . . a sound as of a Burmese gong, an overpowering tumult that had yet many pleasant secondary notes.

그 후 삶은 영화의 파노라마와 같은 장면으로 빠른 속도로 진전된다. 1891년 런던에서 모드 곤은 꿈에 전생에 자신이 예이츠와 친 남매간이었다고 편지를 쓴다. 예이츠는 이 편지를 받자 곧장 모드 곤에게 달려가 처음으로 청혼을 한다. 그리고 거절당한다. 다음 해 1892년 예이츠가 더블린에서 전국문학회National Literary Society를 설립했을 때, 모드 곤이 예이츠를 돕고 있던 당시 예이츠는 다시 청혼하였지만 또 거절당한다. 1894년 파리에서, 1899년과 1900년에 파리와 런던에서, 그리고 그 이후에도 무수한 청혼을 하였지만 번번이 거절당한다. 1903년 모드 곤은 존 맥브라이드John McBride와 결혼한다. 그 후 1916년 부활절 봉기사건으로 맥브라이드가 처형당하자, 노르망디에서 예이츠는 다시 모드 곤에게 청혼을 한 후 거절당한다. 1917년 모드 곤의 딸 이졸트Iseult에게 청혼을 하나 역시 거절당하고, 1917년 마침내 조지 하이드-리즈Georgie Hyde-Lees와 결혼을 하게 된다. 이러한 사랑과 좌절의 역사적 기록을 살펴보는 것만으로도 흥미롭다. 그러나 예이츠의 초기시의 전반과 이후의 시에 이 모든 사랑과 욕망 그리고 좌절의 고통이 스며있어, 읽을수록 낭만적이면서 애절한 구석 구석의 아름다운 시 구절을 음미할 수 있다.

그러나 모드 곤 쪽에서 보면 반드시 거절만 한 것은 아니었다. 1898년부터 1903년, 1908년부터 1909년까지, 예이츠와 모드 곤은 "영적 결혼spiritual marriage"을 체험한다. 한때 모드 곤은 자신의 회고록에서 예이츠가 아름다운 시를 쓰게 하려면 그와 결혼할 수 없다고 고백하기도 했다. 모드 곤의 회고록, 『여왕의 종복: 회고담*A Servant of the Queen: Reminiscences*(1938)』에 인용된 그들의 대화를 직접 들어보자. 직접 그녀가 한 말을 들어보자.

"윌리, 그 질문하는 데 지치지 않니? 내가 너와 결혼하지 않겠다는 것에 대해 신들에게 감사한다고 내가 얼마나 자주 네게 말하지 않았니."

너 없이는 난 행복하지 않아.

오, 그래, 그렇지. 넌 네가 불행이라 부르는 것으로부터 아름다운 시를 쓰기 때문이야. 결혼이라는 게 지루한 일이라는 것 때문에 너는 행복한 거야. 시인은 절대 결혼하지 말아야 해. 세상이 내가 너와 결혼하지 않은 것에 대해 감사해야 해.

"Willie, are you not tired of asking that question? How often have I told you to thank the gods that I will not marry you. You would not be happy with me."

"I am not happy without you."

"Oh yes, you are, because you make beautiful poetry out of what you call your unhappiness and you are happy in that. Marriage would be such a dull affair. Poets should never marry. The world should thank me for not marrying you." (329)

모드 곤이 이야기한 예이츠의 "아름다운 시beautiful poetry"의 한 예로 「방랑하는 엥거스의 노래"The Song of Wandering Aengus"」에 보면, 시인의 모드 곤에 대한 사랑과 욕망의 신화 속의 이미지가 투사되고 있다. 낚시꾼 엥거스는 머리에 불타오르는 상사병의 열정으로 "조그만 은빛 송어a little silver trout"를 낚아 올린다. 이 송어를 집에 가지고 와서 마룻바닥에 놓았을 때 "머리에 사과나무꽃을 꽂은 빛나는 소녀a glimmering girl/ With apple blossom in her hair"로 변신하여 엥거스의 이름을 부르며 밝아오는 공중으로 뛰어나가며 사라진다. 「그는 자신과 자신의 연인에게 다가온 변화를 애도하며 세상의 종말을 바란다"He mourns for the Change that has come upon him and his Beloved, and longs for the End of the World"」라는 시에서는 어쉰Oisin은 "귀가 하나 붉은 사냥개"로 변신하여 "증오와 희망과 욕망과 두려움"을 담아 "뿔 없는 하얀 사슴white deer with no horns"을 좇아 목메어 부른다. 아일랜드 신화 속의 인물들인 엥거스와 어쉰, 송어와 사슴, 낚시꾼과 사냥꾼의 이미지에서 독자는 과연 무엇을 읽을 수 있을까? 시인 예이츠는 자신의 애절한 마음을 어떻게 표현해야 모드 곤에게 전할 수 있을까? 아니면 결코 전할 수 없는 무의식의 내면의 음성을 보낼 수 없는 편지인 시로 남긴 것인가?

이렇듯 예이츠의 사랑과 욕망의 역사의 처음과 마지막이 예이츠의 서정시에 어떻게 투사되어있는가를 살펴보는 것만으로도 박사논문감이다. 다른 식으로 표현하자면 영미권에서 20세기의 대표적 시인으로 인식되어 다양한 열림의 시간적 공간적 글쓰기 주체가 되어왔던 예이츠의 정서적 서정시의 주체로서의 사랑과 욕망을 다루는 것은 보기보다는 쉽지 않은 작업이다. 동시에 서정시의 본질을 글쓰기 주체인 시인의 정서적 역사에 두고, 사랑과 욕망의 이면에 놓인 무의식적 정치성을 파헤쳐 보는 것도 또한 쉽지 않다. 구체적으로 예이츠의 모드 곤에 대한 사랑과 욕망의 역사를 전기적 사실에서 추적하고, 예이츠의 서정시에 그 역사가 투사된 것을 찾아내어 두 사람 간의 사랑과 욕망의 정치학을 시학poetics의 관점에서 구성해보는 것은 의미 있는 일이다. 예이츠 자신도 "만족한 욕망은 큰 욕망이 아니다the desire that is satisfied is not a great desire"라고 주장하고, "사랑은 끝이 있지만 욕망은 무한하다while love may end, desire is infinite"라고 하고 있다. 소크라테스도 "우리가 이미 소유한 것은 욕망할 수 없다we cannot desire what we already possess"라고 하고 있다. 따라서 죽음만이 모든 욕망의 궁극적인 목적이다.

2) 예이츠 시 분석방법의 다양성과 그의 『비전』과 후기시

예이츠의 시를 이해하는 데에 현대의 독자들은 그 다양성에 가끔 경외감을 느끼고 있다. 초기의 사랑의 시에서 젊음의 열정을 느낄 수가 있고, 「학생들 사이에서"Among School Children"」같은 시에서 압축된 사색의 깊이에 대해 긴장 상태에서 읽어 내려가기도 하며, 『비전*A Vision*』이 출판되고 난 후의 후기시에서 나타난 기이하고도 신비로운 분위기에 놀라움을 금치 못할 때도 있다. 따라서 예이츠의 시를 분석하는 데도 방법론적인 다양성이 드러난다. 어떤 비평가들은 주로 운율과 리듬의 구조와 같은 시어 연구에 중점을 두고 분석하고 있으며, 어떤 비평가들은 예이츠의 시에 나타난 모드 곤과 예이츠의 사랑을 분석하는 전통적인 전기적 분석 방법에서 탈피하여, 혹은 프로이드적 시각으로 혹은 융의 시각으로, 혹은 라깡의 시각의 정신분석학적 방법론을 적용하여 분석한다. 예이츠의 시에 나타난 시각적 패턴으로서의 이미지와 상징, 즉 상징주의의 관점에서 작품분석을 하는 이도 있는가 하면, 모더니즘의 시각에서 에즈라 파운드와 T. S. 엘리엇과 함께 모더니즘의 문맥에서 혹은 포스트모더니즘, 포스트식민주의, 포스트민족주의 등 예이츠를 바라보는 시각은 다양하였다. 이 중 특히 니체가 예이츠에게 미친 영향의 관점에서 예이츠의 시를 분석하고 있는 비평가들도 있다.

그러나 이러한 예이츠 시 분석 방법론의 다양성에도 불구하고, 예이츠의 시에는 시인의 의도적인 측면과 비의지적이고 몰개성적인 측면이 동시적으로 표출되는 경우가 빈번해서, 시인 외적인 요소와 시인 내부적인 요소에 대한 동시적인 깊이 있는 이해가 필요하다. 개성적인 의지와 몰개성적인 의도성에 대한 동시적 이해를 위해 예이츠 자신이 구성해 놓은 시론을 추적하여 파악할 필요성이 있는 것이다. 왜냐하면 의지와 의도성의 문제는 글 쓰는 주체writing subject인 작가author 자신의 본질에 대한 논의가 선행되어야 하기 때문이다. 이 필요조건을 충족시킬 수 있는 작품이 곧 『비전』이다. 21세기 들어서서 비전에 대한 연구는 체계적으로 진행되어 왔다. 20세기 후반에는 무어Moore(1954), 벤들러Vendler(1963), 휘테이커Whitaker(1964), 프라이Frye(1965), 블룸Bloom(1970), 올니Olney(1980), 휴Hough(1984), 레인Raine(1986), 크로프트Croft(1987) 등의 비평가들이 『비전』의 이해와 이 작품이 예이츠의 시에 미친 영향에 대해 탐구해 왔지만, 예이츠의 시 분석과 이해에 본격적인 이론적 틀을 마련하지는 못했다. 다만 헬렌 벤들러 Helen Vendler(1963)와 해자드 아담스Hazard Adams(1995)만이 『비전』의 본질을 문학과 상상력에 두어 예이츠의 작품 전반의 분석을 위한 이론적 틀로 삼고자 시도했다. 특히 벤들러는 제1권을 문학사, 제2권을 시 창작, 제3권을 시작 활동, 제4권을 상상적 역사의식, 제5권을 시신 뮤즈에 관한 이론으로 이해하여 미학적 측면에서의 예이츠의 이론으로 제시하고자 했다. 그러나 아직 예이츠의 시론이라 하기에는 그 적용성과 효용성에서 단편적이고 견강부회 적인 요소가 많고, 그 적용도 주로 예이츠의 극에 국한되었다. 노스롭 프라이, 해롤드 블룸 등의 논의도 예이츠의 철학, 미학, 신비주의, 역사 등의 제 요소를 포괄적으로 제시하여 예이츠가 도달하려 했던 "존재의 합일Unity of Being"을 시각화해보려고 했지만, 여전히 미완성에 그쳤다. 한편, 1990년대에 이르러 조지 밀즈 하퍼George Mills Harper가 『비전』이 쓰이기까지의 과정을 다룬 자료집을 1987년과 1992년 2차에 걸쳐 『예이츠의 비전의 창작과정*The Making of Yeats's 'A Vision'*』, 『예이츠의 비전문헌*Yeats's Vision Papers*』을 각각 출판한 뒤로 더욱 예이츠의 시론으로서의 『비전』의 위치를 절감하게 한다. 또한 조지 하퍼의 딸 마가렛 하퍼Margaret Harper가 그 뒤를 이어 2008년과 2015년에 『비전』을 재정리하여 출판한 이후 『비전』에 대한 연구가 본격화되고, 예이츠의 『비전』과 예이츠의 후기시의 상호연관성이 점차 구체화되어 국내에서도 연구가 활발히 진행되어왔다. 이러한 『비전』 연구의 글로벌한 관점에서 보면, 『비전』은 예이츠 자신이 말했듯이 죽은 영들이 예이츠 자신에게 선물한 "시를 위한 은유metaphors for poetry"이다. 특히 이론theory의 어원인 그리스어의 "Θεορια"의 의미가 "vision"임을 고려할 때, 예이츠의 『비전』은 문자 그대로 "시를 위한 메타포" 즉 시론poetic theory임을 구현하고 있음을 알 수 있다.

예이츠의 시를 분석하는 데 있어서 방법론적인 다양성이 노출되고 있는 상황에서, 한 가지 시각으로 다원적 해석의 가능성을 드러내는 시 텍스트를 바라본다는 것은 또 하나의 시각을 덧붙이는 결과가 된다. 그러나 역사성의 시간과 동서양의 공간을 극복하여 "원초적인 텍스트Ur-text"로 남는 것은, 결국 시인 자신이 의지적이건 몰개성적이건 자신의 글쓰기로 제시한 시론이라고 할 수 있다. 다른 비평가들이 구성한 시인의 시작품을 분석한 결과로 생성되는 시론은 시인 자신의 원형적인 시론 자체에 대한 무수한 다른 얼굴 중의 하나에 불과할 것이다.

이러한 맥락에서 예이츠의 『비전』에서 발견된 시론은 예이츠 시 분석에서 통시적, 공시적으로 구성된 다른 다원적인 분석의 중심에 닻을 내리는 역할을 할 것이다. 예이츠 자신이 말했듯이 죽은 영들이 예이츠 자신에게 "시를 위한 은유"로 선물한 『비전』을 예이츠의 시론의 비밀이 담긴 체계적 이론서라고 보고, 예이츠의 후기시, 나아가서는 예이츠의 작품 전체를 분석하는 이론적 틀로 활용할 때, 예이츠 연구에 새로운 활력을 제공하는 전기가 될 수 있음을 실제 후기시 분석을 통해 볼 수 있을 것이다.

어떤 비평가들은 『비전』에 지나치게 의존하는 것은 예이츠의 시의 본질을 왜곡시키는 결과가 된다고 주장하고 있다. 그러나 『비전』에 근거하여 예이츠가 20세기의 위대한 시인이 되었다는 사실을 간과할 수가 없고, 그의 소재가 보다 다양하고 풍성하며 미묘하고 심오한 시가 되었으며, 또한 그의 운율과 상징, 구조가 더욱 완벽에 가까울 수 있었다고 할 수 있다. 『비전』을 통해서 예이츠는 자신의 심리적인 갈등을 해소할 수 있었으며, 모든 인간 경험의 이중성을 균형 있는 조화에 다다를 수 있게 하였으며, 신비적인 꿈과 세계령을 현실화시킬 수 있었다. 또한 시인의 의식을 고양시키고 모든 인생의 복합성을 동시에 현실화시키면서, 그의 후기시는 그 결과보다 깊이 있는 강력한 시적 감성을 표현할 수가 있었다.

한 마디로 예이츠의 『비전』은 달의 주기와 이율배반 그리고 소용돌이 이론을 이용하여 자신의 후기시의 시적 구조와 디자인에 새로운 활력과 복합적인 이론적 틀을 가져다주었으며, 개별적 단편으로 존재하는 후기시에 암시성, 신화성, 보편성, 예술성 간의 상호텍스트성intertextuality을 부여하여, 그의 전 작품을 현대시의 하나의 위대한 신화의 전형으로 제시할 수가 있었다.

3) 예이츠와 문화민족주의의 복합성complexity 읽기: "시인 예이츠는 참 난해하다"

1990년대 이전의 현대 아일랜드 시에 드러난 민족주의에 대한 연구에 따르면, 예이츠가 두 가지 흐름 가운데 하나의 주류를 이루고 있음을 파악할 수 있다. 한편으로는 예이츠와 존 밀링톤 싱John Millington Synge과 그레고리 부인Lady Gregory과 같은 문예부흥론자Irish Literary Revivalists들이 그 한 주류를 이루고, 한편으로는 제임스 조이스James Joyce와 사무엘 베케트Samuel Beckett, 플란 오브라이언Flann O'Brien, 토마스 맥그리비Thomas MacGreevy 등과 같은 코스모폴리탄 모더니스트들cosmopolitan modernists이 그 주류를 이루고 있다. 예이츠와 싱, 그레고리 부인 등과 같은 아일랜드 문예부흥론자들은 켈트족의 신화와 모국 아일랜드Mother Ireland의 신화 속에서 영국에 의한 식민지 지배의 상처뿐인 역사에 대한 상징적 보상을 추구함으로써 민족주의를 옹호하는 것으로 지적하고 있다. 반면, 조이스와 베케트, 플란 오브라이언, 맥그리비 등 코스모폴리탄 모더니스트들은 예이츠 등이 신화를 통해 자기 자신의 개인적 고뇌에 대한 보상을 공동체적 영역에서 상징적으로 추구하는 것은 착각이라고 비판하면서, 아일랜드 문예부흥운동의 신화 만들기에 반대하고 아일랜드를 떠나 이국 땅에 망명하여 국수적인 민족주의를 혐오하면서 자기 반영적인 모더니즘을 주창하였다고 보고 있다. 요컨대, 예이츠와 조이스로 대표되는 두 가지 태도는 이후 현대 아일랜드의 시인들의 시론과 시에 두 축을 형성했다고 이해됐던 것이다. 아일랜드 민족주의에 대해, 톰 가빈, 데즈몬드 페넬, 마리안 엘리엇, 로이 포스터, 셰이머스 딘, 데클란 카이버드, 루크 기본스 등이 아일랜드의 민족주의에 대한 이분법적인 논리를 극복하는 대안을 재조명하는 탐색작업에 대해 활발히 논의를 해왔었다.

기본적으로 이 논의의 기반은 아일랜드의 민족의 신화는 서술과 상징에 기반을 둔 "상상적 공동체imagned communty"를 구성하는 전형적 사례라는 관점에서 출발하여, 민족주의를 그 "상상적 공동체"라고 정의 내리고 있다는 점이다. 이러한 재조명을 위해 민족nation에 대한 이론적 근거를 특히 어니스트 겔너, 베네딕트 앤더슨, 리아 그린필드, 호미 바바, 에릭 홉스바움, 존 브리울리 등의 자기반영적인 관점인 다양한 시각에서 파악하여, 민족주의에 대한 새로운 이해를 해왔던 것이다. 이들의 다양한 시각은 포스트모더니즘이나 포스트식민주의의 개념 우산을 벗어나는 새로운 현상이라고 지적되고 있는데, 리차드 키어니Richard Kearney 같은 이는 이 현상을 포스트민족주의Postnatonalism라 명명하고, 이 시각에서 서술의 닻을 신화에 놓고, 현대 아일랜드 시에 나타난 변형된 민족주의의 여러 가지 얼굴을 포스트민족주의라는 현상으로 설정하여, 예이츠의 켈트 신화의 부활을 기점으로 패트릭 캐버나, 오스틴 클라크, 플랜 오브라이언, 토마스 킨셀라, 존 몬태규, 셰이머스 히니, 데렉 마혼, 폴 더칸, 메에브 머카키안, 브렌단 케넬리, 폴 멀둔 등의 시를 분석하였다.

그들은 아일랜드의 신화와 아일랜드 민족주의를 논의하기 이전에 신화와 민족주의 자체의 개념에 대한 새로운 인식과 재조명이 필요했으며, 신화와 민족주의와의 상관관계에 대한 설득력 있는 논의를 함으로써 예이츠 연구의 중요한 전환점을 마련해왔다. 이러한 문맥에서 보면 앞으로 예이츠의 민족주의nationalism와 민족성nationality에 대한 논의는 새롭게 다가와야 할 것이다. 때로는 아일랜드 민족주의자로, 때로는 앵글로 아이리쉬 반동주의자라 평가되어온 예이츠에 대해 에드워드 사이드Edward Said는 "탈식민지화의 시인the poet of decolonialization"이라고 명명하였다. 예이츠의 민족주의를 잠재적으로 역행적이지만 민족해방을 위한 투쟁을 위해서는 필요한 단계라고 하였던 것이다. 반면 셰이머스 딘Seamus Deane과 리차드 키어니Richard Kearney 같은 이는 예이츠가 민족주의의 파괴적인 면과 신화와 신비화, 피의 투쟁 등의 경향을 드러내어, 오히려 포스트민족주의적 경향을 드러내고 있다고 주장한다.

키어니의 저서 『포스트민족주의 아일랜드*Postnationalist Ireland*』에 따르면 예이츠는 켈트 문예부흥을 통해 아일랜드의 모국신화를 역사의 식민지적 재앙에 대한 상징적 보상으로 제시하고, 신화적 모국mythological motherland을 상상적 차원에서 자기 아들들의 희생을 통한 재생의 신성한 의식으로 불러일으켜, 상실된 민족의 정체성을 회복하도록 하는 주권의 여신으로 변형시키고 있다. 그 결과 아일랜드 민족은 역사적 시간을 초월하여 신성한 시간으로 들어가 역사의 잘못을 시정할 시각을 마련하게 된다. 현실이 분리separation와 박탈deprivation을 나타낼 때, 신화는 통합과 주권의 시학을 제공한다. "The Trembling of the Veil"(1922)에서 예이츠는 아일랜드 인종의 집단무의식에 기초한 신화적 종교가 개인의 기억을 넘어선 기억의 형태로서의 "위대한 기억Great Memory"이 아일랜드의 땅의 파편화된 공동체를 다시 회복한다고 확인하고 있다. 예이츠는 또한 자신의 소명은 "아일랜드 시인의 공동체a company of Irish poets"를 형성하고, 그들의 종교적 철학이 시인과 정치가를 다 변형시켜 "예언자ecstastics and visionaries"로 만든다고 선언하고 있다. 예이츠의 영혼의 통일Unity of Spirit은 이미지의 통일Unity of Image로 전환될 수 있고, 따라서 "모든 삶은 신화적 체계all life as a mythological system"이며, 따라서 "민족문학의 원래적인 상징originating symbol of a national literature"으로 작용하게 된다(키어니 113-5). 이러한 문맥에서 초기 예이츠와 켈트 문예부흥은, 신화를 역사가 부인한 연속성의 담론으로 바라보았다. 역사 이전의 통합성이 아일랜드 역사의 균열을 보상하리라고 보았고, 역사의 부단한 투쟁을 종식시키리라 보았다. 고대의 시간을 초월한 쿠훌린과 같은 신화상의 인물, 갈등의 상처보다 더 오랜 치유의 기억들은, 곧 아일랜드의 모든 종족을 위한 민족적 주권의 유산으로 존재하는 것이다. 이렇듯 신화는 원초적 일체감으로 복원되는 새로운 아일랜드를 위한 상징으로 전개되었다. 초기 예이츠와 문예부흥론자들은 신화가 역사의 원동인이라고 믿었던 것이다. 피의 희생의 신화적 영웅과 동일시되었던 1916년 의거의 지도자들의 표상은 쿠훌린의 동상으로 세워져 새로운 아일랜드국가의 탄생에 신화적 의미를 부여했다. 요컨대 초기 예이츠와 문예부흥론자들은 신화를 아일랜드의 분리를 극복하는 수단으로 간주했으며, 부활된 민족적 주권의 신화는 문화의 통합Unity of Culture 나아가서는 통합의 정치Politics of Unity를 활성화했다. 이러한 문맥에서 아일랜드 문예부흥운동의 주창자로서 아일랜드 역사의 연속성을 찾고자 하는 시인으로 초기의 예이츠는 오스틴 클라크, 패트릭 캐버나, 토마스 킨셀라에 의해 민족주의 시인으로 존경을 받았다.

그러나 많은 다른 아일랜드 시인들은 신화를 부단한 연속적 전승의 상징으로 보지 않고, 비판의 수단agency of critique으로 보았다. 이러한 시인들은 조이스로부터 실마리를 잡아 신화를 고정된 정체성의 전복으로 보았던 것이다. 예이츠와는 다른 의미인 탈신화의 차원에서 신화에 관심을 돌리기 시작한다. 망명자 조이스와 조이스의 문학비서 역할을 한 베켓Samuel Beckett은 예이츠의 신화 만들기mythologizing를 비난하고 반대하였고, 존 휴윗John Hewitt, 존 몬태규John Montague, 셰이머스 히니, 데렉 마혼Derek Mahon, 마이클 롱리Michael Longley, 폴 멀둔Paul Muldoon과 같은 북아일랜드의 얼스터 시인 군과 패트릭 캐버나, 토마스 킨셀라, 폴 더칸Paul Durcan, 그리고 메이브 멕가키안Mebdh McGuckian 등의 시인들도 조이스의 탈신화demythologizing, 나아가서는 신화의 재창조remythologizing에 동참하였다. 이 시인들은 고향을 떠나서 고향을 재발견하고 다른 장소에서 주권의 고향 신화를 다시 읽는 데 성공한다. 예를 들어 히니의 북아일랜드Other North의 타자인 주트랜드Jutland, 폴 더칸의 타자적 고향인 러시아, 데렉 마혼의 벨파스트Belfast의 타자인 델프트Delft 등을 들 수 있다. 이 시인들의 상상력은 유추analogy에 기반을 두고, 다른 곳에 있음의 중요성을 환기시켜, 서로 연관되지 않는 별개의 이미지를 병치시킴으로써 우리 내면에 새로운 타자적 공간을 발생시키고 있다. 이러한 타자적 비판적 신화가 민족국가의 주권의 이데올로기와 정반대에 놓이는 탈신화와 신화의 재창조를 주축으로 하는 포스트민족주의적 특성을 지니게 된다. 이들에 의하면, 시에 나타난 신화는 변형된 세상에서 자유의 영역을 향한 욕망에 자리 잡은 문화적 무의식의 표현이라는 것이다. 이는 곧 낯설게 하기defamiliarization의 결과로 나타나는 탈신화 현상이라고 할 수 있다. 물려받은 전통적인 유산에서 소외되고 전복된 다른 방식으로 신화를 바라보아, 대체적 공동체를 상상하는데, 이는 곧 신화의 타자성을 수반하는 포스트식민주의적인 나아가서는 포스트민족주의적 체험이라 할 수 있다. 신화가 일반적으로 우리에게 가장 친숙한 것을 제공하는 데 비해, 탈신화는 습관적인 사고에 약간의 왜곡과 일종의 타자성에 충격을 가하는 것이다.

그러나 탈신화와 신화의 재창조의 동전의 다른 면을 보게 되면, 이미 예이츠가 신화에 접근할 때 추구했던 그 양면성은 이미 예이츠의 신화에 내재해 있었던 것이다. 1940년대에 북아일랜드에 거주했으며, 얼스터 박물관Ulster Museum의 관장을 지냈던 존 휴윗John Hewitt의 에세이, "The Bitter Gourd"(1947)의 다음과 같은 질문은 신화에 담긴 그 양면성을 잘 드러내주고 있다.

> 뿌리 문제를 다시 거론하자면 뿌리란 작가가 자신의 아버지 집에서 살고 죽어야 하는 것을 의미하지는 않는다. 오히려 작가가 장소와 시간에서의 초점에 소속되었다고 하는 것을 느껴야 한다는 것을 의미한다. 그 감정을 어떻게 확신하는가 하는 것이 바로 그의 문제인 것이다. 그에 따라 조상을 가져야만 할 것이고, 단순한 혈육의 조상이 아니라 감정과 특질과 정신적 성향의 조상을 가져야만 하는 것이다. 그렇지 않다면 자신이 가야 할 곳을 어떻게 알겠는가?

시인은 자신이 살고 있는 그리고 상상의 지역region에 대한 소속감을 "감정과 특질과 정신적 성향"에 근거한 시에 표현하여, 자신의 거주지인 북아일랜드에서의 지역주의regionalism를 정체성의 갈등에 대한 해답으로 제시한다. 또한 아일랜드계 영국인Irish-British이라는 민족적 차원에서의 이중적 정체성의 갈등을 해소하기 위해, 오히려 지역적 차원에서의 얼스터Ulster와 감정과 정신적 성향에서의 초민족적인 수준의 유럽에의 소속감을 선언한다. 이러한 지역주의와 초민족주의적 유럽주의가 휴윗의 시에 드러난다. 예이츠와 조이스의 두 가지 흐름의 아일랜드 시는 결국 동전의 양면을 드러낸 포스트민족주의 시대로 가야 하고 지금은 트랜스국가주의transnationalism와 초문화주의transculturalism라는 이름으로 이해될 수 있는 것이다.

셰이머스 히니는 신석기 시대, 켈트적, 겔릭의 기원의 신화는 상실된 것으로 기억하고, 특히 주틀랜드Jutland의 북유럽의Nordic의 신화를 히니 자신의 고향인 북아일랜드North의 신화와 유추적으로 병치시킨다. 히니는 또한 그리스, 로마, 그리고 노르딕의 신화를 통해서 간접적으로 아일랜드의 토착 신화를 접근하여, 조이스의 시각으로 고고학적 신화를 현재화하여 포스트민족주의/트랜스국가주의의 새로운 면모로서의 신화재창조의 작업을 하였다. 특히 히니는 P. V. Glob의 『늪지의 사람들*The Bog People*, 1969』을 읽고서 철기시대의 톨런드 인간Tollund Man과 얼스터에서의 살해를 병치시켜 신화를 탈창조를 거쳐 재창조과정을 겪는다. 그의 시 "Tollund"와 "The Tollund Man"에 잘 드러나 있다, 또한 "Hercules and Antaeus"에서는 이성의 신 허큘리스Hercules와 기억의 신 앤티우스Antaeus를 대비시켜서, 신화적인 요소를 현대적 상황에 적용하여 탈신화, 신화재창조의 과정을 표현한다. 히니가 주틀랜드의 노르딕 이미지에서 자신의 고향 얼스터의 신화적 상관물을 발견했다면, 데렉 마혼Derek Mahon은 델프트Delft의 뜰의 네덜란드 그림에서 신화적 상관물을 발견했다. 프로테스탄트 얼스터 전통에 상응하는 퓨리탄 질서를 대변하는 이 그림에서, 1659년 피터 드 후치Pieter de Hooch가 그린 델프트와 1690년 오렌지의 윌리암William of Orange이 이끄는 네덜란드 군의 승리를 구가했던 보인Boyne의 전투를 대조시켜, 북아일랜드의 벨파스트에서 일어났던 폭력적 전쟁과 병치시킨다. 델프트가 마혼의 지리적 유토피아라면, 포스트민족주의 미학은 그의 시적 유토피아라 할 수 있는데, 이러한 이중성의 이상향적인 신화의 재창조를 통해 마혼은 코스모폴리타니즘과 지역주의가 포스트민족주의/포스트국가주의로 변형된 새로운 아일랜드 신화로 재창조하고 있는 것이다. 여기에 예이츠의 "감정과 특질과 정신적 성향"의 뿌리가 놓여있다. 복잡하고도 미묘한 예이츠의 이중성은 참 난해하여, 때로는 포스트모더니즘postmodernism, 때로는 포스트식민주의postcolonialism, 포스트민족주의postnationalism, 때로는 초국가주의transnationalism, 초문화주의transculturalism 등을 대변하기도 한다.

2. 글로벌 예이츠 학자들과의 만남의 중요성: 예이츠국제섬머스쿨과 국제아일랜드문학협회

한국예이츠학회는 1991년에 창립된 이래 지난 30여 년간의 과거를 거슬러 회상해보면, 다른 전문학회와는 달리 젊은 기백과 불타는 열정으로 시작되었다. 그동안 예이츠 산업의 폭과 깊이를 더하여 예이츠의 작품론과 작가론에 새로운 이정표를 세워왔으며, 예이츠 세계의 천착과 예이츠 연구의 확산을 위해 국제적인 예이츠 학자들과의 교류를 통해서 국내에서의 예이츠 연구의 세계화를 이룩해왔다. "오늘의 삶을 죽고, 오늘의 죽음을 사는" 예이츠의 모토와도 같이, 안으로는 예이츠 임원진과 회원들의 부단한 집단적 노력으로 밖으로는 영문학을 전공하는 많은 교수, 학생의 아낌없는 성원으로 예이츠 산업의 소용돌이와 가이어의 현장에 그 역동성을 유지해왔다.

예이츠학회의 국제화에는 아일랜드의 예이츠국제섬머스쿨Yeats International Summer School과 국제아일랜드문학협회IASIL: International Association of the Study of Irish Literatures가 중요한 역할을 해왔다. 특히 아일랜드 슬라이고Sligo에서 매년 개최되는 예이츠섬머스쿨은 1960년에 처음 출범하여 2019년에 60주년을 맞았다. 한국예이츠학회는 1996년 처음으로 국제학술대회를 열어 예이츠섬머스쿨의 당시 Director였던 로날드 슈하드Ronald Schuchard 에모리 대학교수를 초청하였다. 그때 이후로 밀접한 관련을 맺고 무수한 외국 저명 예이츠 학자들을 초청해왔다.

필자는 1995년 미국의 Hofstra대학에서 개최한 국제아일랜드문학협회IASIL가 주관하는 국제학술대회에 처음 참석하였다. 그다음 해 1996년부터 매년 빠지지 않고 7월 말과 8월 초에 열리는 예이츠섬머스쿨에 참석하기 시작하여, 매년 150여 명이 넘는 예이츠에 관심이 있는 교수, 대학원생 등 예이츠 전공자들 뿐 아니라, 시인과 일반 예이츠에 관심이 있는 다양한 사람들을 만나 예이츠에 대해 함께 세미나와 강연에 참석하였다. 흥미 있는 것은 학술적인 연구와 더불어 아일랜드 문화를 깊이 체험할 기회가 2주간 매일 펼쳐졌고, 예이츠가 살았던 슬라이고와 골웨이 Galway 같은 주변 도시에 남아있는 예이츠의 흔적을 답사할 수 있고 체험할 수 있었던 것이다. 시와 드라마와 에세이에 담긴 모든 전기적인 연관성이 있는 지리적, 정서적, 역사적 자료들을 접하고 체험할 수 있었다. 책으로만 읽고 연구하는 것을 넘어서서 본격적인 예이츠 연구를 하게 된 것이다. 무엇보다 유익했던 것은 참여한 교수와 대학원생들과의 예이츠에 대한 토론을 세미나와 강연뿐 아니라 도처에 위치한 아이리쉬 바에서 한 파인트 기네스를 기울이며 자유로이 담소하고 토론하며, 아이리쉬 음악을 배경음악으로 들으면서 즐겁게 지낼 수 있었다는 점이다. 또한 세계 각국에서 참석한 교수, 대학원생, 시인 등과 교류하면서 예이츠를 보는 비평적 시각과 국제적 안목이 달라지기 시작했다. 2002년도부터 예이츠 섬머스쿨에서 lecturer로 세미나 리더로 간간이 참여하면서 슬라이고 예이츠 서사이티Sligo Yeats Society의 모든 사람과 친분이 있게 되고, 슬라이고 지역의 주민들과도 친하게 지낼 수 있었다. 이제 돌이켜 보면 1996년부터 2019년까지 한해도 빠지지 않고 참석했으니 무려 23년이나 참석한 셈이다. 매년 슬라이고 버스 정류장에 내리면 고향에 온 느낌이었다. 예이츠는 필자의 삶에 무수한 이미지와 소리와 장소의 기억을 남겼다. 지금 팬데믹 기간에도 눈을 감으면 가끔 슬라이고의 장면과 소리가 마치 현재인 것처럼 보이고 들린다.

한편으로는 국제아일랜드문학협회 학술대회가 매년 세계 각국을 순회하면서 열렸는데, 1996년 이후 포르투갈과 브라질에서 개최했던 2회를 제외하고는 매번 참석하였다. 3년마다는 아일랜드로 돌아와서 개최하여, 더블린, 코크, 리머릭, 벨파스트, 머누스, 골웨이에 위치한 아일랜드대학 등지를 순회하면서 열린다. IASIL국제학술대회는 예이츠뿐만 아니라, 예이츠의 문맥을 설정하는 다양하고도 복잡한 아일랜드의 작가와 문화에 대한 연례행사이고, 매년 400~500명의 아일랜드 문학전공 교수, 대학원생들이 참여하는 지적인 페스티벌이었다. 1주일간 지속되는 이 학술대회에서 노력만 하면 무한한 지식과 정보를 얻을 수 있었다. 사실 너무 광범위하고 다양해서 사전에 정밀한 시간표를 작성하지 않으면 감당하기 힘들 정도였다. 그럼에도 불구하고 20년이 넘는 기간 동안 단순히 세션에 참석하기만 해도 습득한 정보가 무수히 많아, 때로는 읽어보지도 못한 작가에 대해서도 말할 수 있을 정도가 되었으니 참으로 유용한 1주일이었다. 더욱 기억에 남는 것은 1주일간의 집중적인 학술대회 후에 2일 정도의 포스트컨퍼런스 투어는 그야말로 압권이었다. 아일랜드 이외에서 개최되는 학술대회를 제외하고는, 2일 동안 각 나라의 학회 개최의 도시와 주변을 관광하면서 문화를 체험할 수 있어서, 은근히 학회 참석 때마다 포스트컨퍼런스를 기대했던 추억이 있다. 무엇보다 중요한 것은 아일랜드를 포함해서 세계 각국에서 온 수많은 학자와 대학원생들과 친구가 될 수 있었다는 것이다. 아일랜드에 대학은 그리 많지 않아서 IASIL이 개최되는 모든 대학의 아일랜드 문학의 전공자들은 거의 모두 알고 지낼 수 있을 정도이고 페이스북 친구가 되어있다. 한마디로 20여 년이 넘는 동안 예이츠국제섬머스쿨과 IASIL학술대회에 참석하면서 글로벌 예이츠 학자들과의 만남의 중요성을 깨닫게 되었다.

이제 30주년을 맞은 한국예이츠학회의 젊은 학자들과 대학원생들이 예이츠섬머스쿨과 IASIL에 참석할 수 있게 되어 글로벌 시각과 체험으로 예이츠와 아일랜드 문학에 좀 더 깊고 넓은 연구를 하여, 보다 더 좋은 논문이 산출되고 학회회원 수의 확장으로 21세기를 주도하는 예이츠학회가 되기를 소원한다. 또한 새천년에는 한국예이츠학회와 학회지가 새 모습으로 거듭나 지속적인 발전을 기약할 수 있도록 우리 모두 함께 노력해야 할 때가 왔다고 생각한다.

(동국대/중국항주사범대)

＿「이니스프리 호도」 랜선 여행

김영희

예이츠W. B. Yeats의 「이니스프리 호도」"The Lake Isle of Innisfree"를 읽고 자연의 경이에 빠지지 않을 사람은 거의 없을 것이다. 12줄의 짧은 시지만 마음속 깊이 아련하고 깊은 감동을 주는 시이다. 이 시는 대학 영미시 수업에서 단연 으뜸이었고, 무엇보다도 아일랜드에 꼭 가보고 싶은 소망을 지니게 하는 시였다. 코로나 이전에 한국예이츠학회는 매년 국제학술대회를 열었고 전 세계 예이츠 학자들이 참가하여 예이츠의 시와 시극, 아일랜드에 관한 발표와 토론의 잔치를 열었다. 특히 아일랜드와 이니스프리 호도를 방문했던 학자들은 관련된 흥미로운 여행 스토리를 나누기도 한다. 그 예이츠의 성지를 상세히 설명하면서 마치 며칠 전에 갔다 온 것처럼 추억의 보따리들을 풀어 놓았다. 그들의 다양한 이야기를 듣다 보면, 예이츠의 마음처럼 행복하고 설레서, 아일랜드와 이니스프리 호도를 방문하려는 마음을 다짐하게 된다.

하지만 최근 2020년 초부터 이례 없는 Covid-19 바이러스의 창궐로 인해, 전 세계적으로 병자와 사망자가 급증하여 사실상 해외여행이 금지되었다. 국가 간 여행을 하려면 2주의 자가격리 기간을 채워야 하거나 백신을 다 접종하더라도 변종 감염에 대한 걱정을 놓을 수 없는 실정이다. 감기나 독감처럼 또는 이전의 사스나 메르스 전염병처럼 한두 달 내에

종식될 것 같았던 코로나는 2년째 기세를 멈출 기미를 보이지 않는다. 내년에는 해외여행을 갈 수 있을지 아니면 내후년에 가볼 수 있을지 안전을 예측하기 어렵다. 따라서 요즘은 실제 여행보다도 TV, 유튜브Youtube나 블로그, 인스타그램 등을 통한 랜선 여행이 인기가 있다. 이니스프리 호도를 언젠가 방문하겠지만, 여기에서 미리 랜선 여행을 해보고 시에 대한 이해를 나눠보고자 한다.

「이니스프리 호도」는 예이츠가 런던에 있을 때 어린 시절을 보냈던 아일랜드 슬라이고Sligo의 이니스프리 섬을 그리워하며 쓴 시이다. 이니스프리 섬은 아일랜드 북서부 코노트Connacht 지방에 있는 슬라이고주의 주도 슬라이고에 있는 섬이다. 슬라이고는 아일랜드 최초의 농경 정착지가 발굴된 곳이고, 그리스, 페니키아, 로마에까지 잘 알려진 고대 자연 항구로서, 1243년 노르만 기사인 모리스 피츠제럴드와 페드림 오코초바에 의해 설립되었는데, 노르만의 영향은 60년 정도 유지되었다가, 1310년부터 게일 문화와 융화하면서 발전한 항구도시다. 슬라이고는 조개가 많은 곳이란 뜻으로 강어귀에 조개가 풍부하다고 한다. 특히 슬라이고는 1998년 7월 2일에 결성되어 지금까지 활동하는 세계적인 아일랜드의 5인조 팝그룹 "웨스트 라이프Westlife" 멤버 중 셰인 필런, 마크 필리, 키언 이건의 고향이기도 하다. 또한 슬라이고 불벤산Ben Bulben 아래에는 프랑스에서 이장한 예이츠의 묘지가 있는 드럼클리프Drumcliff가 있다. 이런 예이츠의 마음의 고향 슬라이고와 이니스프리 호도에 가는 방법은 인터넷에서 쉽게 찾아볼 수 있다.

길Gill 호수의 남쪽에 있는 이니스프리는 사람이 살지 않는 작은 무인도이다. 현재는 섬 안에 들어갈 수 없고 유람선으로 외부에서 둘러볼 수 있다고 한다. 한국에서 섬으로 가려면, 더블린행 항공편을 타고 더블린 공항에서 다시 슬라이고행 버스나 기차를 이용해야 한다. 슬라이고에서 이니스프리 호도의 길 호수로 가는 5가지 방법이 있다.

① 차량을 렌트한다.

② 자전거를 렌트한다.

③ 택시를 타고 갔다가 트레킹하여 되돌아온다.

④ 트레킹으로 왕복한다.

⑤ 금요일마다 운행하는 관광버스를 이용한다.

어떤 블로거[1]는 금요일 버스를 타지 못해 애석해하며 트레킹으로 2시간 이상 걸려서 파크스 캐슬Park's Castle에 가서 구경하고 유람선을 타는 모습을 상세히 설명해준다. 트레킹을 하려면 도로표지판 R286 드로마헤어Dromahair 방향으로 직진하면 된다고 한다. 슬라이고 글라스 하우스–The ModelThe Mall Street–언덕과 표지판–주유소 사거리에서 오른쪽 방향–R286을 따라 직진–슬라이고 관광버스 차고지–큰길을 따라 계속 직진–도요타공장–콜가 로 뷰포인트Colgagh Lough Viewpoint–파크스 캐슬에서 유람선을 타면 된다. 트레킹으로 파크스 캐슬까지 2시간 30분, 유람선 2시간, 드로마헤어까지 2시간으로 6~7시간 정도 전체 시간을 예상하면 좋을 것 같다. 아일랜드 경관을 살펴보면서 트레킹을 한다면 그것도 멋진 일이긴 하지만 여행에 익숙하지 않은 여행자들은 안전을 위해서 택시나 렌터카[2]를 대여하는 방법이 권장된다.

"https://www.youtube.com/watch?v=l9YykzLSukw"처럼 낚시꾼으

---

1) https://blog.naver.com/forlondon/220071055957

2) https://www.rentalcars.com/en/

로 보이는 사람들이 이니스프리 호도에 직접 들어가 섬 전체의 풍경을 찍은 유튜브 채널도 있어서 랜선으로 이니스프리 섬 안쪽도 살펴볼 수 있다.

「이니스프리 호도」는 예이츠가 1888년에 써서 1890년 『내셔널 옵저버*National Observer*』에 출판한 시이다. 예이츠는 아일랜드에서 출생하여 예술가인 아버지를 따라 영국 런던에서 자라고 교육을 받았다. 그는 어린 시절 슬라이고에서 유년 시절을 보냈는데, 「이니스프리 호도」는 그 아름답던 어린 시절을 회상하며 쓴 시이다. 예이츠는 런던의 플리트Fleet Street 가를 걷고 있다가 문득 과거에 기억하던 호수의 물소리가 들렸고 이를 시로 쓴 것이다. 번잡한 영국 도시에 살면서 고요와 평화가 감도는 화자의 고국 아일랜드에 대한 그리움을 그렸는데, 아래의 주소로 유튜브 "https://www.youtube.com/watch?v=QLlcvQg9i6c"에 들어가면 예이츠의 생생한 음성이 담긴 「이니스프리 호도」를 들을 수 있다.

이니스프리 호도

나는 일어나 이제 가리라, 이니스프리로 가리라,
진흙과 욋가지로 지은 작은 오두막이 있는 그곳,
거기서 아홉이랑 콩밭, 꿀벌 한 통으로,
벌 소리 윙윙대는 그 숲속 빈터에서 나 홀로 살리라.

나는 거기서 어떤 평화를 얻으리라, 평화는 서서히 내려오고,
평화는 아침 장막에서 귀뚜라미 우는 데로 내려오기에,
한밤은 희미한 빛으로, 한낮은 보랏빛으로 반짝이며,
저녁은 홍방울새 날개 소리 가득한 그곳.

나는 일어나 지금 가리라. 밤낮으로
나는 기슭에 철썩이는 나지막한 호수 물소리를 듣는다,
차도에나 회색빛 인도에 섰을 때,
나는 마음속 깊은 중심에서 그 소리를 듣는다.

The Lake Isle of Innisfree

I will arise and go now, and go to Innisfree,
And a small cabin build there, of clay and wattles made;
Nine bean-rows will I have there, a hive for the honey-bee,
And live alone in the bee-loud glade.

And I shall have some peace there, for peace comes dropping slow,
Dropping from the veils of the morning to where the cricket sings;
There midnight's all a glimmer, and noon a purple glow,
And evening full of the linnet's wings.

I will arise and go now, for always night and day
I hear lake water lapping with low sounds by the shore;
While I stand on the roadway, or on the pavements grey,
I hear it in the deep heart's core.

「이니스프리 호도」는 *abab cdcd efef*의 압운을 지닌 12행의 4행시 quatrains로서 고전적인 운율의 아름다운 형식을 지닌 시이다. 화자는 "자 이제 일어나 가리라 이니스프리로 가리라"라며 시를 시작한다. 이 부분은 성경 "신약"Ellmann 22에서 누가복음 15장 18절에서 예수의 "탕자의 비유"에 나오는 문장이다. 한 부자 아버지에게 두 아들이 있었는데, 작은아들이 아버지에게 유산을 청하여 미리 상속받고 타국에 가서 허랑방탕하게 탕진하다가 거지가 되어 거의 굶어 죽게 되자, "자 일어나 아버지께로 가리라"라며 아버지에게 돌아가게 되는데, 아버지는 돌아온 탕자를 크게 환영한다는 내용이다. 이는 기독교를 떠나서 방황하던 성도가 교회로 다시 돌아오면 하나님이 크게 기뻐한다는 암시를 주는 예시이다. 예이츠는 「이니스프리 호도」에서 하나님 아버지 대신에 이니스프리 호도/자연을 넣어 시를 완성한다. 따라서 이니스프리 호도는 기독교도였던 예이츠가 자연뿐만 아니라 아버지 하나님에게 돌아가고픈 의미를 담은 시로 해석될 수 있다. 또한 예이츠는 미국 초월주의자 소로우Henry David Thoreau의 『월든 *Walden*』을 읽고 영감을 받아 자연과 함께 하는 삶에 대한 시를 썼다고 말한다. 이에서 "작은 오두막"과 "아홉 이랑 콩밭"(2), "귀뚜라미 울음"(6)과 "홍방울 새"(8) 소리 등은 『월든』에서 소로우의 생활과 유사한 자연의 삶을 갈망하던 시인의 모습을 반영한다.

「이니스프리 호도」는 숨 가쁜 현대인에게 가장 필요한 평화와 안식을 주는 시이기도 하다. 예이츠는 평화의 빛깔을 "보랏빛"으로 특징하였다. 이는 도시의 "회색빛"Ellmann 137과 대조를 이루는 빛으로, 잠들지 않은 노곤하고 평온한 오후 해 질 무렵의 호수의 황혼Twilight 빛으로 시인의 마음에 온종일 비추는 마음의 빛이다. 하지만 이 빛은 현실의 햇빛이라기보다 신비스러움과 마력을 느끼게 하는 평화의 빛, 천국과 극락을 상징하는 오묘한 빛으로 보인다. 아마 예이츠의 가슴 속 깊은 곳에서 울리는 「이니스프리 호도」의 물결 소리는 어머니 배 속의 양수 안에서 아기가 듣는 엄마의 자장가 소리처럼 평온하게 울려 퍼졌을 것이다. 그리고 예이츠의 영감의 원천으로 마음에 흐르던 그 물결은 바로 독자들의 마음속에 서도 평화의 소리로 고요히 흐르게 하고 있다.

(군산대)

__ 죽은 자도, 산 자도 편안치 못하다:
W. B. 예이츠의 『백골의 꿈꾸기』와 『연옥』

박미정

사람이 죽은 후에 그 영혼이 떠돌며 생전의 삶에서 해방되지 못하고 고통을 겪는다는 이야기는 예이츠의 후기 극에서 자주 등장한다. 동서양을 막론하고 죽은 후의 영혼에 대해서는 다양한 이야기가 전해지지만, 서양 문학의 고전 가운데서는 단테의 『신곡*La Divina Commedia*』을 바로 떠올릴 수 있을 것이다. 「지옥"Inferno"」과 「연옥"Purgatorio"」, 「천국"Paradiso"」으로 이루어진 『신곡』은 중세 시기의 기독교에서 특히 죄악으로 여기는 인간들의 배신과 반역, 모사, 탐욕, 욕정 등의 죄를 저지른 사람들이 지옥과 연옥의 세계에 갇혀 고통받는 이야기를 담고 있다. 예이츠는 아일랜드 시골에서 전해 내려온 혼령에 관한 민담과 스웨덴보리 신비 사상, 그리고 동양의 윤회 사상에 영향을 받아 사후 세계와 영혼에 관심을 두었고, 죽은 자와 교감하는 데도 깊은 관심을 가졌다. 이 글에서 소개하고자 하는 극은 특히 일본의 가면 춤극인 노 극에 영향을 받은 한 두 편의 비극 작품이다. 이 극의 등장인물들은 살았을 때 저지른 과오와 죄에 대해 죽어서 회한에 시달린다. 삶과 죽음은 조화롭게 이어지지 못하고 서로를 물고 놓지 않은 채로 계속 이어지고, 그 속에서 인간은 자신의 행위의 결과에 출구 없이 갇혀 있다.

단테가 고향 피렌체의 정쟁에 휘말려 추방당한 후에 이탈리아의 변방을 떠돌며 피렌체의 온갖 죄악상을 떠올려 지옥과 연옥 그리고 구원에 이르는 과정을 『신곡』이라는 역작으로 탄생시켰듯이, 아일랜드의 격동에 찬 현대사를 경험한 예이츠도 여러 세대에 걸쳐 이어지는 반목과 증오를 깊이 있고 인상적인 문학작품으로 창조해냈다.

예이츠는 죽은 후에 영혼은 생전에 열정이 지나쳐서 저지른 과오를 그 열정이 강했던 만큼 강렬하게 반복해서 겪게 되는데, 이때 그 행위로 인해 빚어진 결과에 대해 고통과 회한도 같이 경험하게 된다고 생각했다. 즉, 살았을 때 그 행위를 하게끔 촉발시킨 욕망이 강하면 강할수록 고통과 회한도 그에 비례해서 강해진다. 한국에서는 그것을 가리켜 한이 남는다고 표현한다. 예이츠가 영향받은 일본의 노 극에서는 부처의 자비로 고통의 순환에서 벗어날 수 있다는 희망이 있지만, 예이츠의 극에서는 그러한 자비조차 허락되지 않는다. 그래서 예이츠의 극에서는 삶과 죽음, 그리고 살아있는 자와 죽은 자가 같이 얽혀서 출구 없는 고통을 겪는다. 이렇게 어둡고 철학적인 주제가 초자연적인 양식으로 표현된 것이 바로 『백골의 꿈꾸기*The Dreaming of the Bones*』와 『연옥*Purgatory*』이다.

필자는 1998년에 아일랜드의 더블린국립대학교에서 아마추어 극단이 상연한 『백골의 꿈꾸기』를 관람한 적이 있다. 단막극의 짧은 길이에 절제된 무대 장치 그리고 배우들이 천천히 읊는 대사와 끝내 극적 갈등이 해소되지 않은 채로 여운이 남는 결말이 무척 인상적이어서, 예이츠의 시극이 주는 매력에 크게 감동하였다. 그래서 예이츠의 시뿐만 아니라 극에 대해서도 많은 사람이 알고 즐겼으면 하는 바람이 있다. 예이츠는 당시의 사실주의 극을 별로 달가워하지 않았고, 짧은 길이에 전체적으로 강렬하고 단일한 효과와 인상을 주는 시극을 선호했는데 이는 관객들에게 강렬하고 극적인 경험을 선사하고 싶었기 때문이다.

『백골의 꿈꾸기』는 1916년에 더블린 시내 한가운데 중앙우체국에서 일어난 부활절 민족운동을 예이츠가 지켜보면서 쓴 극이다. 아일랜드인들은 민족해방이라는 대의를 위해서 영웅적인 행위를 했지만, 영국은 주동자 15명을 바로 처형하여 공포스러운 분위기를 조성했다. 예이츠는 시 「부활절 1916」에서 "무서운 아름다움이 생겨났다"라는 말을 세 차례나 되뇌며 이 사건에 대해 놀라움을 나타내기도 했다. 그리고 이 극도 이때 받은 충격으로 단숨에 써 내려갔다고 한다.

예이츠는 이 극에서 노르만족이 아일랜드에 처음으로 발을 들여놓게 된 시초의 사건으로 거슬러 올라간다. 그리고 당시에 부활절 봉기에 참여했던 청년을 등장시켜, 몇백 년 동안이나 이어지는 아일랜드의 비극적 상황을 펼쳐 놓는다. 아일랜드에서 내려오는 전설에 따르자면, 고대 아일랜드 왕국 가운데 하나인 레인스터의 왕인 디어머드와 브레프네 왕국의 왕비인 더보길라는 서로 사랑하게 되어 야반도주했고, 이에 분노한 그녀의 남편은 레인스터와 전쟁을 일으켰다. 점점 열세에 처하게 된 디어머드와 더보길라는 영국의 헨리 2세에게 군대를 지원해달라고 요청했고, 그 대가로 레인스터 왕국을 헨리 2세에게 바치게 되어 이후 700여 년에 이르는 영국의 식민 지배가 시작되었다. 디어머드와 더보길라는 민족을 배반한 엄청난 죄를 저질렀으므로, 사람들에게 저주를 받아 쫓겨 다니다가 비참하게 생을 마감했다. 예이츠가 지은 『환상록*A Vision*』에 나오는 「심판에 처한 영혼」에 비추어 보면 이들은 죽어서도 죄책감에 시달리고 있으며, 연옥의 고통에서 벗어나 영적으로 다시 태어나려면 반드시 살아있는 사람의 용서를 받아야 한다.

극에 등장하는 주인공 "이방인"과 "젊은 여인"은 바로 이 두 인물을 모델로 하고 있다. 그들은 젊었을 때의 모습으로 사랑의 열정을 그대로 간직한 채로 사후에 떠돌아다니고 있다. 그러나 서로를 쳐다보기만 할 뿐, 손을 잡거나 입을 맞추려고 하면 생전에 저지른 죄가 떠올라서 고통스러워하며 서로를 놓아줄 수밖에 없다.

극의 공간적 배경은 클레어 군이고, 부활절 봉기에 참여했다가 영국군에게 쫓기는 청년이 한밤중에 이곳의 산에서 길을 잃었다. 청년은 산꼭대기에 올라가 망을 보다가 배를 타고 아란 섬으로 도주할 계획이다. 길을 잃은 청년 앞에 어둠 속에서 정체 모를 두 사람이 나타나 길을 안내해 주겠다고 제안하고 그들의 동행이 시작된다.

이들이 이 산에 묻혀 있는 디어머드와 더보길라의 혼령임을 알지 못하는 청년은 산속에 버려진 이들 혼령에 대해 이야기를 전해 들으며 그들의 처지를 안타까워한다. "어떤 사연이기에, 어떠한 죄의 기억이 남아있기에, 사랑하는 사람끼리 서로 손도 못 잡고 입술을 맞추지도 못하며 그렇게 간절하게 쳐다보면서 그리워하는 것인가" 하고 궁금해한다. 혼령은 살아있는 누군가가 그들을 용서해주기만 하면 지금의 고통에서는 벗어날 수 있다고 간절하게 호소한다. 그러나 청년은 그들을 용서할 수는 없다고 단호하게 대답한다. 그들만 아니었더라면 아일랜드가 오랫동안 무참히 수탈을 당하며 궁핍하게 살지는 않았으리라고 한탄하면서. 그 대답을 듣고 절망하는 혼령들의 춤사위가 비통스럽게 포개지듯 이어지자, 청년은 그제야 그들이 이 세상 사람이 아닐지도 모른다고 생각하며 묻는다.

청년. 당신들 왜 춤을 추는 거요?
왜 그렇게 서로를 애타는 눈으로 바라보고는 돌아서서

눈을 감고, 춤사위로 그것을 엮어내는 거요?

당신들 누구요? 뭐하는 사람들이오? 이 세상 사람들이 아닌 것 같은데.

젊은 여인. 칠백 년 동안 우리의 입술은 닿은 적이 없어요.

청년. 왜 그렇게 서로를 이상하게 쳐다보는 거요?

참으로 묘하면서도 다정하게 말이오?

이 대사에서 보듯이 두 혼령이 구원을 얻을 희망은 사라지고 연옥의 고통으로 다시 돌아가야 하는 그들의 낙담한 심정과 극렬한 고뇌가 인상적인 춤으로 표현된다. 손을 뻗어 "마치 하늘의 심연 속에서 내내 서성대는 잠을 잡을 수 없는데도 잡아보려는" 동작의 춤은 그야말로 안식의 기대가 좌절된 죽은 자들의 마음을 절절하게 전달해준다. 날이 밝아오자 이 모든 것이 한순간에 감쪽같이 사라져버리고, "하마터면 그들을 용서할 뻔했네, 정말이지 여기는 사람의 정신을 끔찍하게 홀리게 하는 곳이야!" 라는 청년의 독백만이 무대에 남는다.

으스스하고 초자연적인 분위기는 예이츠가 사망하기 바로 전 해인 1938년에 상연된 『연옥』에서도 이어진다. 이 극도 아일랜드의 역사를 배경으로 하고 있는데, 20여 년이 흐른 뒤에 예이츠의 역사적 전망은 더 어두워졌고 역설적으로 극의 깊이는 더 깊어졌음을 보여준다. 많은 비평가는 이 극이야말로 예이츠가 쓴 이전의 작품들의 성과가 집약된 걸작이라고 높이 평가한다. 『백골의 꿈꾸기』에서처럼 사후 세계의 혼령과 살아있는 자가 모두 곤경에 처해있다는 비극적 인식은 유사하다. 달라진 점은 영국계 아일랜드인으로서 당시 예이츠가 겪었던 비관적인 전망이 짙게 깔려있다는 점이다. 1910년 이후에 아일랜드는 토착 아일랜드인이 독립운동을 주도하면서 두 차례의 전쟁을 치렀고, 그 과정에서 영국계 아일랜드인들은 이전에 누리던 권력을 상실하고 주변부로 소외되고 있었다. 영국계 아일랜드인에 속하는 예이츠가 느끼는 염려와 위기감 또한 점점 커졌다. 이러한 그의 불안감으로 인해, 이 극에서도 영국계 아일랜드인이 현실에서 곤경에 처해있기는 하지만 토착 아일랜드인보다 지적이나 문화적으로 우월하다는 생각이 자기방어적으로 드러나 있다.

무대는 그야말로 단출하고 황량하다. 한때는 화려했던 영국계 아일랜드 귀족 가문의 저택이 불에 타서 무너져있고, 옆에는 앙상한 나무 한 그루가 서 있다. 20세기 인간의 부조리한 삶의 모습을 황량한 무대 장치로 재현한 사무엘 베켓의 『고도를 기다리며*En attendant Godot*』의 상징적 무대 배경과도 비슷하다. 이어서 여기저기 떠돌아다니는 행상인인 늙은 아버지와 아들이 등장한다. 이 남루한 모습의 노인이 바로 화려했던 저택의 외아들이다. 그동안 무슨 일이 있었던 것일까. 극이 진행되면서 관객은 그 노인이 아들을 데리고 오랜만에 이 집을 다시 찾아온 까닭을 알게 된다.

아들이 보기에 그 집은 창문도 없고 비와 햇빛을 피할 천장도 다 날아가 버려서 새의 알껍데기만 널려있는 폐가일 뿐이다. 하지만 아버지에게는 화려했던 과거의 영광을 고스란히 기억나게 해주는 귀한 집이다. 내로라하는 권력자들과 유명 인사들이 이 집을 드나들었고, 나무에는 반짝이는 잎들이 무성했으며 꽃피는 5월이면 런던에서도 사람들이 구경하러 왔었노라고 노인은 아들에게 잘 알아두라고 일러준다. 그러나 아들은 아버지의 말에는 관심이 없고 돈을 챙기는 일에만 관심이 있다. 정신적 가치와 예의범절을 중시하는 귀족 문화를 그리워하는 노인은 돈만 밝히는 무식한 아들이 못마땅하다. 20세기 초의 아일랜드는 영국의 자본주의가 본격적으로 유입되면서 물질주의적 사고가 우세해졌고, 이는 세대 간의 가치관의 차이로도 드러난다. 노인이 아들에게 "저 나무를 잘 봐라, 무엇처럼 보이냐?"라고 물었을 때 아들은 "멍청한 노인" 같다며 과거의 영광에 젖어있는 아버지를 빗대어 비아냥거린다.

노인은 영국계 아일랜드 귀족 태생인 어머니가 마구간지기였던 토착 아일랜드인을 남편으로 맞아들였기 때문에 이 집이 몰락했다고 생각한다. 잘못된 선택의 대가로 어머니는 자신을 낳다가 산고의 고통으로 죽었고, 비천한 신분의 아버지는 방탕한 생활을 일삼다가 집에 불을 질러 가문을 몰락시켰고, 자신은 이런 아버지를 "형편없는 인간"이자 "짐승"과 다를 바 없다고 여겨 살해하는 엄청난 죄를 저질렀다. 그 후로는 떠돌아다니다가 이제 아들을 데리고 다시 집을 찾아온 것이다.

이 극의 중심 사건은 이처럼 "가문과 핏줄의 오염"이며, 이후의 세대는 전 세대가 저지른 과실의 결과로 해를 입고 고통에 시달린다. 예이츠의 말에 따르면 인간은 사후에 자신이 저지른 행위의 인과적 과정에 대해 참된 깨달음을 얻을 때까지 계속 회한 속에서 고통을 당할 수밖에 없다. 극 속의 노인도 어머니가 가문의 전통을 저버리고 자신의 욕망을 따르는 선택을 했으므로 후대의 몰락을 가져왔고, 이제 죽어서는 회한으로 고통스러워한다고 여긴다.

이러한 노인의 생각은 무대의 다른 쪽에서 무언극으로 진행된다. 폐허가 된 집의 창문에 불이 켜지고, 젊은 시절의 어머니가 술에 취해 도착한 아버지를 기다리다 반갑게 맞이하는 장면이 펼쳐진다. 이 광경은 무대 위의 노인에게만 보이고, 집으로 돌아오는 아버지의 말발굽 소리는 노인의 귀에만 들린다. 노인은 어머니를 향해 자신을 잉태한 그 순간을 거부하라고 절박하게 외치지만 그 외침은 가닿지 않는다.

노인은 어머니가 일탈의 욕망이 강했던 만큼 사후에 그녀가 겪고 있는 회한의 고통도 그만큼 크다고 여기며, 그 위반의 순간을 고통스럽게 바라본다. 급기야 아버지에 대한 증오는 더 커지고, 어머니의 잘못된 선택으로 잉태된 자신의 존재를 부정하고 싶은 생각에 이른다. 잘못된 역사와 가문의 오점을 바로잡아야 한다는 생각으로 노인은 아버지를 찔렀던 칼로 옆에 있던 아들을 찌른다. 노인의 눈에 아들은 돈만 밝히는 가망 없고 한심한 존재일 뿐이다. 노인은 살인 후에 일말의 죄책감도 없이 이렇게 말한다. "아들이 살아서 어느 여인의 환상을 자극하여 오염된 핏줄을 후대로 전할까 봐서 죽여야 했다"라고. 그리고 이제 어머니를 연옥의 고통에서 구해냈다는 승리감마저 느낀다. 이런 노인의 생각을 보여주듯이 무대 위에는 볼품없던 나무가 환하게 빛나고 노인은 나무를 향해 "저기 정화된 영혼처럼 서 있구나. 아주 차갑고 감미롭게 반짝이면서"라고 황홀해한다.

그러나 곧이어 집을 향해 달려오는 아버지의 말발굽 소리가 노인의 귓가에 다시 들려오고, 노인은 자신이 행한 일종의 "죄의 정화 의식," 즉, 어머니를 사후의 고통에서 구해내기 위한 자신의 행위가 결국 실패했다는 것을 깨닫는다. 자신이 행한 모든 노력이 다 헛되었다고 인식하는 순간, 무대에는 인간의 힘을 뛰어넘어 자연과 우주의 힘이 우세해지면서 극의 분위기를 압도한다. "아 하느님, 어머니의 영혼을 그 꿈에서 벗어나게 해주십시오. 인간의 힘으로는 더 이상 어떻게 할 도리가 없습니다. 달래주십시오. 살아있는 자의 고난과 죽은 자의 회한을."이라는 노인의 절규가 마치 노년에 이른 예이츠의 통렬한 자기 인식과 고통을 대변하는 것처럼 느껴지기도 한다.

이처럼 극의 결말에서는 현실과 초자연세계 그리고 과거와 현재 간의 어떠한 화해도 이루어지지 않았다. 현실과 역사가 개인에게 가하는 가혹함 앞에 노인은 무력하게 그저 서 있을 뿐이다. 이 극에서 우리는 등장인물의 과격하고 극적인 행위에 놀라게 되기도 하고, 예이츠의 계급적인 세계관에 대해서 비판할 여지도 찾을 수 있을 것이다. 그러나 무엇보다도 이 극이 주는 강렬한 비극적 페이소스는 변해가는 역사 앞에 선 한 개인, 나아가 예이츠가 절감한 무력감과 한계 의식이라고 할 수 있다. 19세기 말부터 20세기 초까지 급격하게 변화해가는 아일랜드 사회에 적극적으로 참여하여 성취와 좌절을 경험하면서, 그가 느낀 비극적 전망을 개성적인 문학적 양식으로 표현한 예이츠의 삶과 미학적 성과에 대해서는 모두 크게 이견이 없을 것이다.

(한국외대)

— 영문학 전공 수업 속 예이츠

성창규

나의 소속인 영어교육학과에서 학생들은 1학년 때 처음 예이츠의 시 「아일랜드 비행사가 자기 죽음을 예견하다"An Irish Airman Foresees His Death"」를 보게 된다. "영문학 개론" 교재의 마지막 장 "20세기 시"에 그의 사진과 함께 내용이 실려 있기 때문이다. 그가 아일랜드인이며 그의 시적 관심사는 아일랜드의 전통과 역사를 글로 보여줌으로써 아일랜드와 그 민족의 본성과 특질을 제시하려 했고, 그의 후기작은 보편성을 추구하며 세계와 인간이 분리되어 있어서 하나로 통합하려 애썼다는 내용으로 교재는 진행된다. 위 시에서 1차 세계대전 당시 비행사가 전쟁에 죽음을 앞두고 자신의 희생이 고국 아일랜드인의 삶에 어떤 영향도 주지 않을 것이라 깨닫고는, 그의 전투 이유로 책임감이나 애국심보다는 오히려 위험을 무릅쓰는 쾌락과 공중전의 흥분을 든다. 그래서 "나는 모든 것을 따져보고 생각했다/ 앞으로 올 세월은 호흡의 낭비/ 지난 세월도 호흡의 낭비처럼 보일 뿐/ 이 삶, 이 죽음과 견주어 볼 때 I balanced all, brought all to mind;/ The years to come seemed waste of breath,/ A waste of breath the years behind,/ In balance with this life, this death."라는 시 내용을 제시한다. 역사의 흐름을 소개하고 당시 다른 전쟁 관련 시를 언급하려고 교재의 저자는 많고 많은 예이츠의 시 중 이 작품을 고른 듯하다. 16행짜리 짧은 시로 1918년 이탈리아 전선에서 37세로 전사한 예이츠의 지인이었던 로버트 그레고리Robert Gregory 소령을 떠올리며 전쟁의 비참함과 무의미함을 나타낸다. 그저 반전 시인으로 학생들에게 예이츠를 소개할 수 없기에 그의 생애와 대표적인 시론인 마스크, 가이어Gyre, 켈트 신화, 아일랜드 민족성, 존재의 통합Unity of Being 등을 알려주면 학생들 대부분은 어리둥절해 한다. 전쟁 시 역시 다툼이나 분쟁을 겪거나 본 적 없는 20대 청춘에게 마음을 흔들어 놓기 어렵다.

다음으로 이어지는 시는 예이츠의 생애 마지막 작품 「서커스 동물들의 탈주"The Circus Animals' Desertion"」인데, 그의 삶을 회고하기에 교재에 인용된 내용으로는 학생들이 이해하기 어려워 40행의 시 전문을 모두 알려주는 편이다. 시인이자 작가로서 예이츠가 살아온 자신을 되돌아보는 반추의 내용이다. 시 초반은 지금까지 창작한 작품의 동기와 내용을 훑으며 지난 삶에 대한 회한 내지는 허무함을 비친다. 스스로 "그저 부서진 사람but a broken man"으로 현재 70대 중반 노시인의 마음을 고스란히 보여준다. 젊은 시절 아일랜드의 독립과 종교적 신념, 아일랜드의 전통과 민족성과 같은 대의를 위해 열정을 태웠던 자신을 떠올린다. 그것은 "저 오만한 이미지들은 완전했기에/ 순수한 마음에서 자랐는데Those masterful images because complete/ Grew in pure mind" 돌이켜보니 탈출한 서커스 동물과 다를 바가 없다. 젊은 시절에 예이츠는 현실을 적나라하게 고발하거나 자신의 마음을 토로하는 고백하는 글보다 시 예술을 이상적인 수준으로 상정하고 형이상학적, 신화적, 환상적 소재로 시 창작을 시도한다. 그러나 이러한 소재였던 서커스 동물들은 다 도망가고, 노년의 예이츠는 자신만을 위한 진정성 있는, 글다운 글이 없음을 그 이미지들의 출처가 "어디냐out of what began?"라며 개탄한다. 예이츠 자신은 지금까지 내적 토로보다는 고양된 주제만 추구하는 "사다리ladder"임을 스스로 인지한다. 그래서 자신의 사다리를 소멸시키고, 이제는 내려와 비록 "더러운 고물 잡동사니를 파는 이 마음의 가게In the foul rag-and-bone shop of the heart"이지만 현실에 굳건히 뿌리내리는 진정한 한 인간으로 서려 한다. 개론 수업이라 예이츠의 시학을 심도 있게 말할 순 없지만, 적어도 초심으로 돌아간다는 의지에서 학생들은 수긍하는 듯했다. 문학literature이란 영어 표현도 "글자letter"를 어원으로 두고 있지만, "쓰레기litter"로 본다면 누군가에게 버려지고 흩어져 어질러진 곳에서 삶의 소중한 어떤 것을 찾는 작업을 문학 활동이라 상상할 수 있다고 말을 건네기도 했다.

2학년부터 학생들은 영문학뿐만 아니라 영어학, 영어교육 관련 전공 수업을 다양하게 듣고 여러 수업 시연과 실습을 병행한다. 3~4학년 때 "영미시 교육론"이나 "영미문화와 글쓰기" 과목에서 다시 예이츠와 만난다. 예이츠의 유명한 시 「레다와 백조"Leda and the Swan"」, 「비잔티움 항행"Sailing to Byzantium"」, 「재림"The Second Coming"」, 그리고 「쿨호의 야생 백조"The Wild Swans at Coole"」 등의 걸작을 맞닥뜨린다. 내가 학부생일 때 처음 접한 예이츠의 시는 「이니스프리 호수섬"The Lake Isle of Innisfree"」으로 기억하는데, 그를 서정시인으로 첫인상에 담아둔 기억 때문이다. 지금까지 내가 20대 학생들을 접한 바로는 「레다와 백조」를 배울 때 예이츠 시학의 깊이와 규모에 놀라는 눈치다. 레다는 그리스 신화에 등장하는 스파르타의 왕비이며 제우스신의 쌍둥이 아들 디오스쿠리Dioscuri를 낳는다. 그래서 레다를 디오스의 여신이라고도 부른다. 그녀는 강에 나아가 자주 목욕을 했는데, 올림포스에서 인간 세상을 내려다보던 제우스가 그녀의 아름다운 자태를 보고 반한다. 제우스는 기회를 엿보던 중 레다가 연못가에서 목욕하는 동안 백조로 변신한다. 그때 독수리 한 마리가 백조를 잡아먹으려고 주위를 맴돌고, 레다는 허둥대는 백조를 가엾게 여겨 자기 품에 꼭 안아 숨긴다. 이때 백조는 폭력적인 남성으로 변해 레다를 범하게 되는데, 독수리도 사실 제우스의 아들 헤르메스Hermes가 변장한 것이며 아들 헤르메스가 아버지의 욕심을 도운 셈이다. 그 일로 레다는 임신하여 두 개의 알을 낳고 각각 남녀 1명씩 2쌍의 쌍둥이가 태어난다. 한 알은 제우스의 자식으로 볼 수 있는 헬레네Helen와 폴리데우케스Polydeuces, 다른 알은 스파르타 왕의 자식으로 볼 수 있는 클리템네스트라Clytemnestra와 카스토르Castor가 태어난다. 이 신화를 바탕으로 「레다와 백조」는 여러 화가의 단골 소재가 되고, 예이츠도 신화 이야기를 알뿐더러 그림도 감상했을 가능성이 크다.

마지막 3연에서 "허리의 전율은 무너진 벽, 불타는 지붕과 탑 그리고 아가멤논의 죽음을 낳았다. 그렇게 붙잡혀서, 그렇게 하늘의 육욕에 정복당한 상태에서, 그녀는 무관심한 부리가 그녀를 놓아주기 전에 그의 힘과 함께 그의 지혜도 받았을까?A shudder in the loins engenders there/ The broken wall, the burning roof and tower/ And Agamemnon dead./ Being so caught up,/ So mastered by the brute blood of the air,/ Did she put on his knowledge with his power/ Before the indifferent beak could let her drop?"라고 묻는다. 신과 인간의 결합으로 폭력이 난무하고 불행이 점철된 인류 역사를 보이며, 예이츠는 신의 지혜와 힘을 인간이 모두 얻었는지 묻는다. 그리스 신화 요소의 인유법과 예이츠의 "가이어" 이론, 새로운 문명의 시작과 역사관 등을 차근차근히 짚다 보면 14행짜리 이 짧은 시를 알려주는 데 1시간이 훌쩍 넘는다. 학생들이 1~2편의 시를 발표하도록 유도하는데, 그 어떤 시인의 작품보다 「레다와 백조」를 맡은 학생들의 질문이 가장 많았다. 그 뜻은 나름 읽고 자료를 찾아보아도 난해하기 때문이다. 그러나 레다와 백조로 변신한 제우스가 왜 등장하며, 둘의 사건이 어떻게 인류의 역사를 겨냥하는지, 또 신성과 인성의 결합으로 보는 예수의 탄생 순간인 수태고지Annunciation를 토의하면 학생들이 예이츠의 독창성과 혜안을 조금씩 수긍한다.

마블 영화인 『어벤져스*Avengers*』 시리즈처럼 세상의 역사를 바꾸고 인류를 좌지우지하는 영화에 익숙해선지, 학생들은 거의 100년 가까이 전에 쓴 시를 예상보다 잘 이해하는 편이다. 예이츠의 문명과 역사 관련 시나 산문 『비전*A Vision*』을 보면 어벤져스의 캐릭터인 아이언맨, 캡틴 아메리카, 타노스 등 세상을 바라보고 대하는 방식이 엿보이기도 한다. 공교롭게도 "비전"이라는 캐릭터도 영화에 있으며 아이언맨의 인공지능인 자비스에서 출발했고, 비전의 반대급부인 "울트론"과 대결 구도를 취하는 모습은 이성과 감정, 인간과 신, 지식과 힘 등의 투쟁과 갈등을 인류 문명과 역사로 보는 예이츠의 시각을 떠올리게 한다. 영화에서 "전 울트론이 아닙니다, 자비스도 아니죠. 전 저일 뿐입니다."라는 비전의 대사가 있다. 이는 성경의 출애굽기에서 모세가 불타는 덤불을 보고 누구냐는 물음에 대한, "나는 나 자신이다."라는 신의 답을 상기하게 되는데, 인간이 만든 인공지능이자 인조인간인 비전이 창조주의 말을 답습한 것이 아이러니하다. 북유럽과 켈트 신화 요소가 많은 예이츠의 작품처럼 『어벤져스』 시리즈에도 제법 나타난다. 특히 『어벤져스: 에이지 오브 울트론』에서 여러 슈퍼히어로의 모습은 올림포스 신전에 모인 신처럼 보여주며, 재력을 과시하는 아이언맨은 미다스, 헐크는 괴력을 지닌 헤라클레스, 호크 아이는 활의 신 아폴론, 캡틴 아메리카는 전쟁의 신 아레스를 떠올리게 한다. 토르는 아예 북유럽 신화에 나오는 천둥의 신으로 풍요와 농업을 상징하며 그의 동생인 로키도 신화에 등장한다.

또 영화 내용에서도 "파괴가 곧 창조이고 선과 악이 하나"라는 인도 및 힌두교 신화의 모티브가 존재한다. 인도 신화는 창조의 신 브라마, 유지의 신 비슈누, 파괴의 신 시바가 있어 파괴가 재창조로 이어지고 창조-유지-파괴가 끝없이 반복됨을 보여주는데, 이 지점은 예이츠의 영원 회귀적 순환 사상과 문맥이 같다. 영화 속 울트론은 본래 아이언맨인 토니 스타크가 개발한 평화 유지 프로그램의 오류로 탄생한 존재다. 자신의 결점을 끝없이 보완하고 업그레이드하며 네트워크를 이용해 인간의 모든 기술에 접근한다. 선한 의도로 만든 울트론이 슈퍼히어로에겐 악의 축으로 그려지고 토니 스타크의 비서 격인 인공지능 자비스가 울트론의 능력을 흡수하고 비전으로 재탄생해서 선을 회복한다. 울트론은 한 번에 모든 정보를 습득하고 인터넷에 접근해서 세상 사람들의 분쟁을 알게 되고, 그 과정에서 인류 자체가 문제의 원인임을 깨닫고 모든 인류를 제거함으로써 평화를 이루려는, 나름의 논리가 있다. 또 이어지는 다른 시리즈에서 슈퍼히어로들이 악당들을 물리치다가 민간인들이 피해를 받게 되어, 그들을 규제해야 한다는 여론이 형성되어 이들 또한 두 세력의 대립 구도가 발생한다. 이렇게 선과 악이 혼재되어 반복되는, 인도 신화를 연상케 하는 대목이 『어벤져스』 시리즈를 철학적으로 해석하게 하며 예이츠의 비전을 떠올리게 한다. 학생들에게 예이츠의 영원회귀와 존재의 확장 및 통합 개념을 설명하며 소통하기란 만만치 않다. 그러나 마블 영화 시리즈가 빌린 신화와 윤회 사상을 영화 캐릭터와 내용을 통해 학생들은 다소 편안하게 개념의 초안을 그릴 수 있었다.

예이츠는 주관과 객관, 영혼과 육체, 이성과 감성, 천국과 지옥, 빛과 어둠 등 상반되는 요소들의 갈등과 조화로 세상 만물이 이루어지고 발전해나간다고 본다. 그는 서로 대립하는 힘을 두 개의 나선형 소용돌이 형태의 힘인 가이어가 서로 맞물려 작용한다고 본다. 그래서 한 가이어가

강해지면 다른 가이어는 약해지는, 상반적 원리에 의해 움직이는 이론을 편다. 이는 동양 철학에서 말하는 음양의 대립 또는 조화 개념을 떠올리게 한다. 또 이 대립적 힘의 작용은 인간의 성격에서뿐만 아니라 문명과 역사의 흐름에도 나타난다. 그는 두 힘의 생성과 쇠퇴의 주기를 "거대한 바퀴"라는 상징으로 나타내며, 이 바퀴의 회전을 달이 차고 기우는 과정에 비유해 "달의 28상"이라는 개념을 보인다. 달의 28상은 다양한 인간의 성격을 보여줄 뿐 아니라 시대와 역사의 성격을 드러내기도 한다. 대립하는 세력이 인류 문명에서 약 2천 년을 주기로 발전해왔다고 보고, 기원전 2천 년부터 예수 탄생 때까지 그리스 로마 문명이 있었고, 이후에 이와 대립하는 기독교 문명이 나타나 기원후 2천 년까지 진행하리라 예측한다. 이 내용은 예이츠의 『비전』에서 엿볼 수 있는 사상이며 그의 시 「재림」을 통해 예언하는 바이며, 시인이자 예술가로서 예이츠가 추구하려는 곳은 「비잔티움 항행」에서 드러난다.

중등교사 임용시험에 「비잔티움 항행」이 출제된 적이 있었고, 시인이 비잔티움으로 온 이유를 주제와 관련하여 서술하는 문제였다. 최근 시인에 관한 배경지식이나 시 작품을 처음 접하더라도 어느 정도 영어 독해력이 있다면 시를 읽는 능력에 초점을 맞추는 문제 유형과는 거리가 있다. 20여 년 전에 출제된 이 문항과 유사한 형식으로 임용시험에 출제된다면 상당히 고난도 문항이 될 것이다. 그러나 예이츠나 엘리엇 또는 셰익스피어, 존 던의 소네트처럼 독해 자체도 까다롭고 시의 이미지와 주제를 떠올리기도 쉽지 않은 작품을 이해하려 애쓸 때, 되려 일상적이고 편안하게 쓴 다른 작품이 정말 쉽게 학생들에게 다가오리라 생각한다. 또 내가 학부생이든 석박사 과정생이든 난해한 대가들의 시를 어렵게 읽어내어, 영미권 시 작품의 어렴풋한 지도를 그리고 어떤 시든 대략의 지점을 설정할 수 있는 계기가 된 경험을 높이 평가한다. 충돌하는 두 속성이 「레다와 백조」에서 지식과 힘이고 「재림」에서 기독교 문명과 반기독교 문명이라면, 「비잔티움 항행」은 유한한 인간세계와 영원한 예술세계라 볼 수 있다. 총 4연의 시인데 1~2연만 제시하고 출제되었다. 다음은 이 시의 제1연이다.

> 저것은 늙은이들의 나라가 아니다. 서로서로
> 팔짱을 낀 젊은이들, 나무 속의 새들
> —저 죽어가는 세대들—은 자신의 노래를 하고,
> 연어의 폭포, 고등어 득실거리는 바다,
> 물고기나 짐승이나 새들은 긴 여름 내내 찬미한다,
> 무엇이고 잉태되고 태어나서 죽는 것을.
> 모두가 저 관능적인 음악에 빠져서 늙지 않는
> 지성의 기념비를 무시한다.

> That is no country for old men. The young
> In one another's arms, birds in the trees
> —Those dying generations—at their song,
> The salmon-falls, the mackerel-crowded seas,
> Fish, flesh, or fowl, commend all summer long
> Whatever is begotten, born, and dies.
> Caught in that sensual music all neglect
> Monuments of unaging intellect.

학생들은 1연을 읽고 시인이 노년에 이른 자신의 주변 세계에 불만이 있으며, 젊은이를 포함하여 모든 것이 쾌락에 사로잡히고 늙은 자신은 하찮은 존재로 취급당한다는 어조를 읽어야 한다. 이 시의 제2연은 이렇게 이어진다.

늙은이란 다만 보잘것없는 것,
막대기에 걸친 누더기 외투일 뿐이다, 만일
영혼이 손뼉 치며 노래하지 않는다면, 육신의 옷이
갈가리 찢어지는 것을 큰소리로 노래하지 않는다면.
또 영혼의 장엄한 기념비를 공부하지 않으면
노래를 가르쳐줄 학교는 어느 곳도 없으니,
그래서 나는 바다를 항해해 왔다,
성스러운 도시 비잔티움으로.

An aged man is but a paltry thing,
A tattered coat upon a stick, unless
Soul clap its hands and sing, and louder sing
For every tatter in its mortal dress,
Nor is there singing school but studying
Monuments of its own magnificence;
And therefore I have sailed the seas and come
To the holy city of Byzantium.

학생들은 2연을 읽고 늙은 화자의 무력감과 소외감을 눈치채고, 그가 유한한 육체의 쾌락을 벗어나 더 깊은 영혼의 노래에 관심을 가지고 비잔티움으로 가려는 의지 표명으로 요약해야 한다. 그래서 답안은 화자(시인)가 비잔티움을 세월의 흐름으로 인한 변화와 고통이 존재하는 현실이 아닌, 영원불멸의 이상향 또는 찬란한 예술세계가 있는 곳으로 간주한다는 내용으로 전개되어야 한다.

4학년 2학기에 이 시를 접하더라도 「레다와 백조」, 「재림」과 같이 예이츠의 영원회귀, 마스크 이론, 존재의 통합 등의 개념을 떠올리지 않는다면, 「비잔티움 항행」도 학생들이 이해하는 데 어려운, 울림과 깊이가 있다. 한국 영화 『은교』에서 노시인이 "너희 젊음이 상이 아니듯, 나의 늙음이 벌이 아니다."라는 대사를 언급하며 노년의 예이츠를 상상해보라고 조언했더니 학생들은 수긍하는 듯했다. 욕망과 욕정이 들끓고 탐닉하는 젊음과 유한하고 관능적인 현실을 떠나 시인이 시간을 초월한 지성과 영원의 세계인 비잔티움으로 떠나는 자세는 근시안적이고 쫓기는 듯한 요즘 세태를 꼬집기도 한다.

사실 내가 20대 때 처음 접한 예이츠의 시는 「이니스프리 호수섬」이다. 요즘의 임용 출제 유형에 어울릴법한, 편안하고 아늑한 시다. 예이츠를 모르더라도 시적 화자가 추구하는 바가 명확하고 여러 감각이 살아나 이미지의 축제처럼 보이기 때문이다. 그림에도 소질이 있었던 예이츠는 「이니스프리 호수섬」에서 시각적, 청각적, 공감각적 이미지로 섬의 경치와 화자의 섬에 가고픈 그리움을 수채화처럼 그린다. 3연 12행으로 된 이 시는 아일랜드에서 노래로도 불리는 만큼 동요의 분위기도 난다. 한국에서 정지용 시인의 「향수」나 김소월 시인의 「엄마야 누나야」가 생각나는 건 나와 학생들 모두 해당한다. 첫 연에서 오두막을 "윗가지와 진흙으로 지어of clay and wattles made"라는 현장감 있게 표현하고 "아홉 이랑 콩밭Nine bean-rows"을 일구고 "벌꿀 통a hive for the honey-bee"도 놓음으로써 "벌들 윙윙대는 숲속 빈터bee-loud glade"라는 청각적 이미지로 확대한다. 2연에서 "평화를 맛볼 수 있으리라, 평화는 천천히 떨어지면서 오는 거니까I shall have some peace there, for peace comes dropping slow"라는 표현으로 관념적이거나 머릿속만의 평화가 아닌 실제 평화의 분위기를 구체적인 대상과 이미지와 배경을 이후에 제시한다. "아침의 휘장들에서부터 귀뚜라미 노래하는 곳from the veils of the morning to where the cricket sings," "한밤중은 온통 반짝거림midnight's all a glimmer," "한낮은 자줏빛 작열灼熱 noon a purple glow," "저녁은 홍방울새 날갯짓 가득evening full of the linnet's wings" 등 다양한 감각적 이미지들이 평화롭게 잔치를 벌인다. 그리고 "길 위에 서 있을 때도, 회색 포장도로 위에서도, 가슴 깊숙이 한가운데서 그 물결 소리 들리네While I stand on the roadway, or on the pavements gray,/ I hear it in the deep heart's core"라는 마지막 말로 여운을 길게 남긴다. 독자는 처음에 이미지들이 외부에서 들어온 것처럼 보이다가, 마지막에는 독자 내부에서 이미지가 형성된 것처럼 느껴지게 만드는, 예이츠만의 주도면밀한 시 쓰기를 엿보게 된다.

예이츠는 어릴 적 자주 찾았던 아일랜드 북부 슬라이고Sligo의 길Gill 호수를 떠올리며 이 시를 썼다고 전해지는데, 학생들이 예이츠에 관한 배경지식 없이도 한국시 「향수」를 떠올린 건 시 이미지 자체의 힘이라 생각된다. 누구나 구체적인 장소든 아니든 마음의 고향을 품으려 하고, 사는 게 지치고 외롭다고 느껴질 때 그런 푸근한 장소나 때를 그리워하기 마련이다. 석사 때부터 예이츠의 시를 읽으며 그의 시학에 감탄했던 나로선 예이츠의 시 자체가 이미지의 출발점이다. 이미지즘의 대가인 에즈라 파운드Ezra Pound, 윌리엄 카를로스 윌리엄스William Carlos Williams, 엘리엇T. S.

Eliot 등도 있지만, 서정시에서 예이츠의 작품은 가장 회화적이고 공감각적으로 보이며 낭만적인 전통을 유지하면서도 호수의 잔잔한 물결처럼 잔영이 계속 맴돈다. 그래서 시의 형식이나 시어의 조탁에 골몰하기보다, 시어의 이미지와 상징에 주목한 한국의 20세기 초 여러 시인도 예이츠의 시에 열광했고 섬세한 묘사에 감탄했으리라 생각한다.

(목원대)

__ 예이츠와 타고르

신현호

예이츠 어머니의 고향이자 예이츠의 무덤이 있는 아일랜드 북서부 코낙트 지방에 있는 항구 도시 슬라이고Sligo 시내 중심가에는 예이츠와 타고르 동상이 있다. 인구 20,000명도 채 안 되는 슬라이고 시내 한가운데에 위치한 수염을 기른 인도의 노벨상 수상자이자 뛰어난 시인인 타고르Rabindranath Tagore, 1861-1941의 흉상은 2015년 아일랜드 주재 인도 대사관이 아일랜드에 헌정하여 제막된 것이다. 인도의 민족시인 흉상이 아일랜드 서부 지방 도시에 세워진 이유는 아일랜드의 가장 유명한 작가 가운데 한 명인 예이츠William Butler Yeats, 1865-1939와 관계가 있다. 예이츠의 동상은 아일랜드 조각가 로원 글래스피Rowan Fergus Meredith Gillespie가 조각한 것으로, 예이츠 서거 50주년 기념일인 1989년 1월 28일 스티븐 거리 모퉁이에 위치한 얼스터 은행Ulster Bank 앞에 제막되었다. 이 동상이 얼스터 은행 앞에 놓이게 된 것은 1923년 예이츠가 노벨문학상을 수상한 스웨덴 수도 스톡홀름Stockholm에 위치한 왕궁Royal Palace과 얼스터 은행 건물 모습이 닮았기 때문이다. 이 동상은 가라보그강Garavogue River 건너편에서 볼 수 있는 데, 그곳에는 예이츠학회The Yeats Society 본산이자 예이츠와 관련된 전시를 하고 있는 예이츠 기념관Yeats Memorial Building이 있다.

예이츠와 타고르는 여러 가지 유사성으로 인해 짝을 이루고 있다. 둘 다 노벨문학상을 수상한 것이고, 각각 그 나라에서 처음이라는 것이다. 타고르는 1913년 노벨문학상을 수상하였는데 아시아인으로는 처음이었으며, 예이츠는 아일랜드가 750년 만에 영국으로부터 독립하여 1922년 아일랜드 자유국이 된 이후 아일랜드 작가로 1923년 노벨문학상을 수상하였다. 각각 1861년과 1865년에 태어난 타고르와 예이츠는 대영제국의 수도 런던을 동시에 여행하며 유사한 서클에 가입해 활동하였다. 대영제국의 절정기에 이들은 각각 인도와 아일랜드를 대표하며 문화 및 정치 운동을 하였다.

현실의 문제와 영적인 체험의 적절한 조화와 통합을 모색한 예이츠는 신비주의와 아일랜드의 신화와 전설에 관심을 가질 뿐 아니라 동양사상에도 관심을 가지게 되는데, 특히 인도 전통과 사상에 깊은 관심을 보였다. 예이츠는 인도 성인과 시인 등과의 교류를 통해 인도 전통과 사상을 접하게 된다. 예이츠가 스무 살이던 1885년에는 그에게 두 가지의 의미 있는 사건이 일어난다. 대학교지 『더블린 유니버시티 리뷰*Dublin University Review*』에 처음으로 자신의 시 2편을 게재한 것이 첫째였고, '더블린 연금술협회The Dublin Hermetic Society'라는 단체를 설립한 것이 둘째였다. 당시 학교 급우였던 존스턴Charles Johnston, 러셀George William Russell과 함께 설립한 이 단체는 신비학 전반을 연구하기 위해 만들어진 것이었다. 이 시기 예이츠는 당시 신지학회Theosophical Society를 대표하는 사람 가운데 하나인 인도 변호사이며 신지학자인 차터지Mohini Chatterjee, 1858-1936를 만나, 신지학에 대한 지식은 물론 인도 전통과 사상에 대해 이해하게 된다. 예이츠는 우파니샤드Upanishads 철학사상과 인도 2대 서사시 가운데 하나인 「마하바라다Mahabharata」의 일부로 힌두교 경전 가운데 하나로 알려진 바가바드

기타Bhagavad-Gita와 인도의 베단타 학파Vedanta의 철학자인 샹카라Jagadguru Aadi Shankara의 작품에 매료된다. 인도 전통과 사상에 대한 예이츠의 관심은 1912년 타고르를 만나서 더욱 깊어진다.

동시대를 살았던 예이츠와 타고르는 1912년 6월 17일에 처음 만나게 된다. 1912년 세 번째 영국 방문에서 타고르는 에즈라 파운드Ezra Pound, 1885-1972와 아일랜드 시인인 무어Thomas Sturge Moore, 1870-1944 같은 다양한 문인들을 만나는데, 동시대를 살았던 예이츠와 타고르는 1912년 6월 27일 영국의 화가 로텐스타인William Rothenstein의 집에서 처음 만나게 된다. 로텐슈타인은 예이츠와 타고르가 만나기 전에 예이츠에게 타고르의 시집 『기탄잘리*Gitanjali*』 부분 번역 원고를 보냈다. 타고르는 1912년 영국으로 가는 배에서 『기탄잘리』에 수록된 157편의 일부를 번역하였는데, 이 번역한 시들을 로텐스타인이 예이츠에게 보낸 것이다. 이를 "여러 날 들고 다니면서 기차 안에서도 버스 안에서도 읽고 있었다."라고 감탄한 예이츠는 7월 7일 리스Ernest Rhys, 1859-1946와 에즈라 파운드를 포함한 당시 런던 문학 엘리트 집단 앞에서 이 시들을 낭독했으며, 7월 12일 예이츠는 타고르를 위한 만찬을 주최하였다. 이 낭독회 이후 예이츠와 타고르는 런던에 있는 동안 타고르의 『기탄잘리』의 나머지 부분을 번역하는 작업을 했으며, 예이츠는 노르망디Normandy에서 계속 편집하면서 타고르가 인도에 있는 동안 영국에서 『기탄잘리』의 번역시를 여러 번 낭독했다. 벵골어로 저술한 타고르의 『기탄잘리』는 영어로 번역되어, 『헌정하는 시*Song Offerings*』란 표제로 1912년 11월 런던에 있는 '인도 협회India Society'에서 처음 출판되었다. 영어로 번역한 103편의 영어 산문 시 모음으로 된 이 시집에는 『기탄잘리』에서 53편의 시와 타고르의 다른 작품에서 50편의 번역시가 포함되어 있다. 수록된 총 103편의 시편은 편편이 독립된 것이면서도, 생과 죽음과 자연과 신을 둘러싼 일종의 긴 연작시라고도 볼 수 있으며 신을 향한 인간의 온갖 열망이 깃들어 있다.

'인도협회'는 번역판을 내면서 타고르를 초서Geoffrey Chaucer, 1342?-1400와 같은 뛰어난 영국 작가들과 견주어 말하며, 타고를 현명하고 엄숙한 신비주의자로 표현하고 있다. '인도협회'는 인도에 대해 "매우 낯선 나라이지만 우리 아일랜드와 유사한 이미지들을 느낄 수 있었기에 깊은 감명을 받았다."라고 말하고 있다. 이 책은 1년에 12번 이상 다시 인쇄되었으며, 예이츠는 당시 런던 문화계에 명성을 얻고 자리를 잡고 있었으므로 그가 영향력을 행사할 수 있는 문학 서클에서 타고르를 강하게 시사하였다. 예이츠는 『기탄잘리』 영어번역판 시집의 초판본에 서문을 자신이 쓰겠다고 자청하였다. 예이츠는 서문에서 "타고르의 번역시들이 내 피를 휘젓고 있다. 요 몇 년간 그 어떤 것에도 지금처럼 동요한 적이 없었다."라고 술회한다. 예이츠는 타고르에 대해 다음과 같이 말한다: "그는 시뿐만 아니라 음악에도 뛰어나, 그의 노래들은 인도의 서쪽 지방에서부터 버마까지, 벵골어를 사용하는 곳이면 어디에서든지 불리고 있다. 그는 첫 소설을 쓴 열아홉 살 때부터 이미 유명했다. 그가 쓴 연극들이 지금도 콜카타Kolkata: 舊 캘커타에서 무대에 오른다. 그는 종일토록 명상에 잠겨 정원에 앉아 있곤 한다. 스물다섯 살 무렵부터 서른다섯 살까지 깊은 슬픔을 경험하고 우리 언어로 된 가장 아름다운 연애시를 썼다." "타고르는 영혼을 발견하고 자신을 그 영혼의 자발성에 맡기는 데 만족해 온 인도 문명 그 자체와도 같다."라고 말하며 예이츠는 번역시집의 60번째 산문시 「끝없는 세계의 바닷가에 아이들이 모여들다"On the seashore of endless worlds children meet"」를 인용해 서문 추천사를 마친다.

끝없는 세계의 바닷가에 아이들이 모입니다. 한없는 하늘이 머리 위에 멈춰 있고 쉼 없는 물결은 사납지요. 끝없는 세계의 바닷가에 아이들이 소리치고 춤추며 모입니다.

그들은 모래로 집을 짓고 빈 조개껍데기를 가지고 놀이를 합니다. 시든 가랑잎으로 배를 만들고 웃으며 이 배들을 넓고 깊은 바다로 띄워 보내지요. 아이들은 세계의 바닷가에서 놀이를 합니다.

그들은 헤엄치는 법을 알지 못하고, 그물을 던지는 방법도 알지 못합니다. 진주 잡이 어부들은 진주를 찾아 물에 뛰어들고, 장사꾼은 배를 타고 항해하지만, 아이들은 조약돌을 모으고 다시 흩뜨립니다. 그들은 숨은 보물을 찾으려 하지 않고, 그물을 던지는 방법도 알지 못합니다.

바다는 웃음소리를 내며 끓어오르고 해변의 미소는 희미하게 빛납니다. 죽음을 흥정하는 물결은 아이들에게 뜻 없는 노래를 불러주지요, 아가의 요람을 흔드는 어머니처럼. 바다는 아이들과 놀고, 해변의 미소는 희미하게 빛납니다.

끝없는 세계의 바닷가에 아이들이 모입니다. 폭풍은 길 없는 하늘을 떠돌고, 배들은 흔적 없는 물 위에서 난파하고, 죽음이 도처에 널려있는데 아이들은 놀고 있습니다. 끝없는 세계의 바닷가에 아이들의 위대한 모임이 있습니다.

On the seashore of endless worlds children meet. The infinite sky is motionless overhead and the restless water is boisterous. On the seashore of endless worlds the children meet with shouts and dances.

They build their houses with sand and they play with empty shells. With withered leaves they weave their boats and smilingly float them on the vast deep. Children have their play on the seashore of worlds. They know not how to swim, they know not how to cast nets. Pearl fishers dive for pearls, merchants sail in their ships, while children gather pebbles and scatter them again. they seek not for hidden treasures, they know not how to cast nets.

The sea surges up with laughter and pale gleams the smile of the sea beach. Death-dealing waves sing meaningless ballads to the children, even like a mother while rocking her baby's cradle. The sea plays with children, and pale gleams the smile of the sea beach.

On the seashore of endless worlds children meet. Tempest roams in the pathless sky, ships get wrecked in the trackless water, death is abroad and children play. On the seashore of endless worlds is the great meeting of children.

1913년 봄, 예이츠는 아일랜드 배우들에게 당시에는 공개되지 않은 타고르의 희곡 『우체국*The Post Office*』을 더블린의 애비 극장에서 공연하도록 했으며, 1913년 7월에 이 희곡작품은 더블린에 이어 런던에서 공연되었다. 1913년 11월 14일 타고르는 벵골의 집에서 전보를 통해 노벨문학상 수상을 통보받았고, 1913년 12월 10일 비유럽인 최초로 노벨문학상을 수상하였다. 무어Thomas Sturge Moore가 예이츠보다 노벨 위원회에 더 많은 영향력을 미쳤으며 타고르의 노벨문학상 수상 과정에서 예이츠의 참여와 역할에 대해 최근 논쟁이 되고 있지만, 예이츠가 중심이 되어 타고르가 벵골어로 쓴 『기탄잘리』를 영어로 번역하여 출간한 것이 타고르의 노벨 문학상 수상에 일정 부분 역할을 했다고 볼 수 있다.

예이츠는 타고르를 만나면서 아일랜드의 정치 상황으로 인해 잠시 거리를 두고 있었던 인도 사상에 대해 다시 관심을 가지게 되었다. 예이츠는 타고르와의 런던 만남을 "내 예술적 삶의 위대한 사건 중 하나"라고 말하고 있다. 타고르를 만날 당시 예이츠의 주된 영적 관심은 '문화와 존재의 합일Unity of Culture and Being'이었다. 이는 힌두교의 사상적 토대인 '우파니샤드Upanishads'에서 주장하는 대우주의 본체인 브라만Brahman, 梵과 개인의 본질인 아트만Ātman, 我는 일체라고 하는 범아일여梵我一如 사상과 유사한 것이었다. 이 사상은 타고르의 시적 주제 가운데 하나이다. 예이츠가 타고르 작품에 끌리게 된 또 다른 이유는 타고르가 보여준 고대 신화에 대한 관심과 목가적인 이미지를 사용한 낭만적 특성에 있었다. 타고르는 예이츠에게 인도 종교 서적에서 보여주는 인종적으로 그리고 문화 및 종교적으로 다른 집단들을 수용하는 것을 통해 얻을 수 있는 지혜와 힘과 능력에 대해 일깨워주었으며, 예이츠가 모히니 차터지와의 만남을 통해 얻었던 인도 철학에 대한 믿음을 강화시켰다. 예이츠는 타고르의 작품을 읽으면서 인도 전통에서 보여주는 종교와 예술과 문화와 삶의 통합 가능성에 대해 인식하게 되었고 자신이 추구하는 '존재의 합일Unity of Being' 개념을 발전시킬 수 있었다.

예이츠가 인도 문화에 대해 매력을 느낀 것은 타고르와의 만남에서 비롯된 것은 아니다. 인도 철학과 영성은 예이츠가 어느 한순간에 빠져 있었던 것이 아니라, 일평생 관심을 가지고 추구했다고 할 수 있다. 인도는 미학적으로나 영적으로나 예이츠의 생애 대부분에 걸쳐 영감을 주는 곳이었다. 예이츠가 24세였을 때인 1889년에 출판된 예이츠의 첫 시집 『교차로*Crossways*』에 실린 3편의 시, 「아나슈와와 비자야“Anashuya and Vijaya”」, 「신을 향한 인도인“The Indian Upon God”」, 「인도인이 그의 연인에게“The Indian to His Love”」는 인도를 배경으로 삼고 있으며, 인도와 힌두교의 영적 관습에 대해 언급하고 있다. 이 시들은 예이츠가 무수히 많은 출처를 통해 인도의 문학과 사상에 접했음을 암시한다.

예이츠가 인도 전통과 사상에 관심을 가지는 데 영향을 준 사람으로 일반적으로 세 사람을 드는데, 타고르를 기점으로 타고르 이전의 인물로 모히니 차터지를 들고 타고르 이후의 인물로 힌두교 학자인 푸로히트 스와미Shri Purohit Swami를 들고 있다. 프로히트는 주요한 힌두교 책들을 영어로 번역해 서구에 소개한 인물로 잘 알려져 있다. 예이츠는 프로히트가 저술한 『인도 승려의 자서전: 삶과 모험*The Autobiography of an Indian Monk: His Life And His Adventures*』에 서문을 써 1932년에 출간하였으며, 이후 예이츠가 죽을 때까지 계속해서 두 사람은 친구로 지내면서 함께 ‘우파니샤드’를 영어로 번역하는 등 공동 작업을 하였다. 예이츠는 이 힌두교 경전의 가르침이 보편적으로 적용될 수 있음을 주장한다.

예이츠가 시를 쓰는 동기는 국가적이거나 개인적이기는 하지만 예이츠는 사실상 보편적인 예술을 만들고자 했으며, 타고르의 시도 마찬가지로 정치적 경계를 넘어서려고 했다. 인도와 아일랜드의 다른 문화적, 정치적 문인들과 마찬가지로 두 시인은 차이점을 구분하기보다는 두 식민지 사이의 유사점을 강조했다. 예이츠와 타고르는 모두 영성, 음악, 시의 관계에 관심이 있었으며 모두 시적 이미지에 풍경과 자연을 사용한 공통점이 있다. 또한 두 시인은 모두 민족주의자들이었지만, 그들의 민족주의 형태는 자기 민족에 국한하지 않고 더 큰 연결성을 추구하는 민족주의의 글로벌 성격을 강조하는 새로운 '세계시민주의Cosmopolitanism'에 기인한 것이므로 자국의 반식민지 민족주의자들 사이에서는 호의적인 평판을 받지 못했다. 둘 다 작가로서 그들의 어떤 일정 부분에서 영국 제국의 대의에 호의적인 것으로 여겨졌기 때문이다. 민족주의자로 한계를 보이기는 했지만, 예이츠와 타고르는 일촉즉발의 정치적인 시기에 자신들의 국가에 대한 예술적 저항의 효력을 인식하고 있었다. 위대한 예술은 한 나라의 전통문화가 지닌 유산에서 비롯된다는 믿음을 가지고 있었던 예이츠는 예술작품은 민족의식을 가지고 있어야 한다는 신념이 강했다. 두 시인은 인도 및 아일랜드 각각의 특질을 이해시키고 국가의 문화 및 민족의식을 형성하기 위해 보통 일반 사람들과 시골의 이미지를 사용하였다. 아일랜드의 시골은 인도의 벵골과 마찬가지로 식민주의의 근대화 및 물질주의 세력으로부터 보호받을 수 있는 곳으로 그려지고 있다. 예이츠와 마찬가지로 타고르 역시 현대 유물론에 대한 신랄한 비평가였다. 종종 먼 문명을 하나로 모은 공유된 문화적 기억의 가능성에 대해 이야기했던 예이츠는, 아일랜드의 특유성을 드러내면서도 아일랜드가 가지는 이상주의적 보편주의를 강조하고 있다. 타고르 또한 자신의 작품에서 인도 벵골 지역이 갖는 특질을 말하면서, 동시에 그것이 가지는 보편적 특성에 대해 말하고 있다. 타고르의 시는 아일랜드 전통 게일 음유시인의 시와 유사하며, 문학을 감상하는 데 필요한 기술에 제약을 받지 않고 누구나가 쉽게 다가갈 수 있는 대중적 보편성을 가지고 있다.

타고르가 노벨문학상을 수상한 이후 예이츠와 타고르의 우정이 어떻게 전개되고 발전되었지 알 수 있는 기록은 별로 없다. 타고르는 영국에서 인도 벵골로 돌아가 노벨상으로 받은 상금으로 자신의 학교인 샨티니케탄Shantiniketan을 설립했으며, 예이츠는 이후 동양의 사상을 추구하는 것에서 다소 멀어져 아일랜드의 상황과 관련하여 정치적인 성격을 띤 시를 쓰는 데 몰두하였기 때문이다.

예이츠는 말년에 접어들어 타고르의 시에 대한 관심을 잃은 것처럼 보였다. 1935년 무어Thomas Sturge Moore에게 보낸 한 편지에서 예이츠는 타고르가 신에 대해 너무 지나치게 많이 썼다고 언급하며 타고르의 종교성에 대해 비판하면서, 『기탄잘리』 영역본 서문에서 보여주었던 타고르에 대한 찬미를 계속해서 드러내지 않았으며 타고르의 시에 대한 칭송도 없었다. 예이츠는 자신이 평생 우파니샤드 철학을 추구했지만 타고르의 신비주의에는 본인이 싫어하는 면이 있다고 말하고, 그의 시에는 비극이 없다는 것을 발견하였다고 술회한다. 심지어 1935년 5월 타고르의 영어 번역 시 몇 편을 예이츠에게 전해 준 로텐슈타인에게 보낸 편지에서, 타고르를 "Damn Tagore"라고 표현하며 타고르는 영어에 정통하지 않다고 언급하고 타고르의 작품을 '감상적인 하찮은 것sentimental rubbish'이라고 말하기도 했다.

타고르의 글에 대한 예이츠의 이러한 오해는 동양에 대한 접근을 통해 서구세계가 보여주는 한계일 수 있다. 타고르의 영어 번역이 그의 이데올로기의 세속적 성격을 거의 포착하지 못하기 때문에, 예이츠의 타고르에 대한 오해에는 충분한 이유가 있다. 예이츠 자신의 동양사상과 영성에 대한 집착으로 인해 타고르의 시를 단순히 신비주의로 각인시키고 타고르 작품들에 나타나 있는 민족주의나 인도 독립에 대한 열정 같은 것들을 예이츠가 인식하지 못한 면을 부정할 수는 없다. 예이츠는 타고르 철학의 근원이나 『기탄잘리』에 수록된 시 이외의 작품에서 나타나는 사회 문화적 삶에 대해 충분한 지식이 없었으며, 타고르에 대한 자신의 고정관념에 빠진 관념의 평면성을 보여주고 있다고 볼 수 있다. 타고르는 단순히 신비주의자가 아니라 그의 문학적 결과물은 가사, 시, 희곡, 소설, 그림, 정치 및 문화 비평의 전체 영역을 포괄하는 작가였다. 그는 인도와 방글라데시를 위한 두 개의 국가를 작곡한 유일한 작가이기도 하다.

세기의 전환기에 식민화, 산업 및 무역의 확대로 인해 식민자와 피식민자 사이의 만남뿐 아니라 식민지 간의 만남의 기회 또한 증가하였다. 1800년대 후반 아일랜드 문예부흥The Irish Literary Revival or Celtic Twilight의 핵심 인물인 예이츠와 벵골 르네상스의 초석인 타고르는 영국 제국의 식민주의가 이룩한 글로벌 연결망 내에서 자신들의 시가 가지는 위치와 잠재력에 대해 실감하게 되었다. 이 두 시인의 유사점은 그들이 대표하는 아일랜드와 인도의 유사점을 반영하고 있다. 영국 식민지 시기에 아일랜드와 인도 모두 유사하게 종교적으로 문화적으로 심하게 대립상태에 빠져 분열 직전에 놓여 있었다. 영국은 식민통치 수단의 하나로 자신들의 종교와 문화를 식민지에 주입하였다. 예이츠와 타고르는 침략당한 공간과 민족의 신화를 되찾기 위해 각각 민족 고유의 전통문화를 되살리거나 신화를 소생시키는 방법을 통해 모두 공유할 수 있는 '문화통합'을 추구하였다. 이 두 시인이 펼친 '문화통합'을 통한 민족주의 운동은 비록 성공을 거두지는 못했지만, 민족의식을 고취하고 후에 독립을 달성하는 데 기여하였다.

예이츠와 타고르의 관계는 인도와 아일랜드 관계의 상징이기는 하나, 십 대의 연애처럼 예이츠의 타고르에 대한 매혹은 강렬했지만 오래가지 않았다. 이는 당시 영국 식민세계 내에서 다른 문화 간의 만남과 교류에 대한 한계를 보여주며, 동시에 동양에 대한 서구세계의 이해 과정과 단계에서 나타나는 실례라고 볼 수 있다. 그럼에도 두 작가 모두 인도와 아일랜드의 독자성과 국제적 정체성에 대해 언급하며 국가 간의 상호 교통하는 '국제주의Internationalism'를 표방하므로 모두 후대 작가 세대들에게 영향을 끼치고 그들을 격려하며 도전하게 할 예술적 유산을 남겼다.

(백석대)

— 윌리엄 버틀러 예이츠 시를 읽는 두 개의 키워드: 비극과 유토피아

유배균

> 예술은 모든 신혼 첫날밤의 기쁨이다. 어떤 비극도 위대한 캐릭터들을 최후의 기쁨으로 인도하지 못한다면 정당하지 못하다.... 거칠 것 없었던 젊은 시절 나는 누구도 유토피아에 관해 노래하거나 글을 쓴 적이 없는 사람은 의회에서 발언하도록 허락되어서는 안 된다고 늘 말했다. 왜냐하면 유토피아의 비전이 없는 사람은 우리를 어디로 데려갈지 모르기 때문이다.
>
> (「보일러 위에서*On the Boiler*」)

예이츠가 죽기 불과 1년 전인 1938년에 쓴 글이지만 자신이 평생 써온 시의 철학이 함축되어 있다. 그 철학을 대표하는 두 단어는 바로 비극과 유토피아 최후의 기쁨이며, 이는 예이츠의 시를 읽는 두 개의 키워드이다. 여기서 말하는 비극은 매우 슬프고 비참한 사건을 의미한다.

상당수 예이츠의 시는 비극적인 또는 고난에 빠진 상황에 처한 인물에 대한 묘사로 시작한다. 1890년에 발표한 그의 대표작 「이니스프리 호수섬」의 시작 부분을 보자.

> 나는 이제 일어나리라 그리고 가리라 이니스프리로 가리라.

그 시작"나 이제 일어나리라."은 비극이다. 이게 비극? 전혀 비극적으로 보이지 않지만, 시는 주어진 글을 아무 생각 없이 받아들이면 많은 부분을 놓칠 수 있다. 평범한 글처럼 보이는 시어의 수면 아래에 많은 일이 벌어지고 있기 때문이다. 여기에서 주목해야 할 부분은 바로 "일어나"이다. 왜 일어난다는 말을 굳이 강조했을까? 이에 대한 힌트는 신약성경의 누가복음 15장 18절"나 일어나 나의 아버지 곁으로 가리라"에 있다. 예이츠는 의도적으로 "나 일어나"를 인용함으로써, 자신의 처지를 집과 부모 곁을 떠나 객지에서 헤매다 결국 돼지 농장에서 오물을 뒤집어쓰고 일하고 있는 탕자에 비유한다. 탕자가 경험하는 육체적으로 힘들고 정신적으로 피폐해진 상태는 하나님으로부터 멀어진 탓이고 시인이 느끼는 고난의 원인은 조국 아일랜드로부터 멀리 떨어진 탓이다. 그가 현재 있는 곳은 3연에 암시한"길 위에나, 잿빛 도로 위에 서 있는 동안" 대로 차갑고 황량하며 죽음을 연상시키는 삭막한 잿빛으로 가득 찬 영국이니 말이다. "나 일어나"에는 젊은 예이츠가 신약 속의 탕자처럼 돼지 농장에서의 고된 노동으로 기진맥진하여 쓰러져있는 비참한 상태와 유사한 처지에 있음이 암시되어 있다는 말이다.

이어지는 문장"이니스프리로 가리라"은 자신이 처한 비극에 대한 해결책이다. 이니스프리는 바로 그를 구해줄 최후의 기쁨, 즉 유토피아이기 때문이다. 이니스프리 섬은 슬라이고 카운티에 실제로 위치한 상당히 작은 크기의 호수 안에 있는 무인도이다. 그러나 시에 등장하는 이 섬은 현실과 꿈 사이의 공간에 존재하는 현재와 과거가 뒤섞인 다소 유토피아적 섬의 모습이다. 두 번째 연의 시작을 보면 이 섬을 현실의 섬으로 묘사한다.

그리하여 평화를 누리리라, 평화는 물방울 떨어지듯 천천히 오므로.

시인에게 평화는 생명수이다. 그러나 한 방울씩 떨어지는 평화로 어떻게 살 수 있단 말인가? 이는 당시 아일랜드는 가톨릭교도와 개신교도 간의 갈등으로 엄청난 내홍에 휩쓸려 있었던 현실 상황을 암시한다. 아일랜드에서 평화를 누리고 싶지만 현실적으로 두 세력 간의 평화 협상은 그리 녹록하지 않음을 토로하고 있다. 이후 이니스프리의 섬은 과거 고대 켈틱 아일랜드의 모습이 연상되는 신비의 섬으로 변화된다. 이 섬을 묘사할 때 쓴 시어들 「아침의 베일」, 「자정」, 「희미해지고」, 「보라색으로 반짝이는 곳」을 보자. 모두 색과 빛에 관계된 어휘로서 두 가지의 서로 다른 빛이나, 색이 겹쳐지거나 혼합되어 나타나는 이미지를 연출한다. 이는 육체와 영혼으로 구별되는 서로 다른 세계의 합일을 색채의 혼합으로 상징하려는 의도로 해석된다. 이를 예이츠는 점차 정과 동, 생과 사가 하나가 되는 존재의 통합Unity of Being으로 발전시킨다. 시인은 바로 이 통합의 분위기를 현실의 분열과 갈등이 사라지며 합일을 이루는 평화로 연결시키고 있다. 그러나 마지막 연에서 그의 꿈은 이제 그를 위로하는 소리로만 남는다. 그곳은 갈 수 없는 장소임을 시인 자신이 잘 알고 있기 때문이다. 유토피아는 행복한 장소이지만 사실상 없는ou 장소topos이기 때문이다.

비극과 유토피아를 연결하는 두 번째 시는 예이츠가 1928년에 발표한 「비잔티움으로의 항해」이다. 시작을 보자

그곳은 노인들을 위한 나라가 아니지.
젊은것들은 서로를 껴안고 있고, 나무 위의 새들은
—곧 죽어갈 것들이—연신 지저귀고 있지,

시작은 역시 비극이다. 그러나 여기에서 말하는 비극은 영국으로부터 독립을 원하는 아일랜드 청년 시인이 겪는 정치적인 문제는 아니다. 어느덧 60대가 되어 버린 예이츠. 이제 죽음의 그림자를 어렴풋이 느낄 법한 나이이다. 그가 처한 곤경은 어쩔 수 없이 죽어야만 하는 유한한 육체에 대한 해법을 찾을 수 있는가이다. 짝을 지어 껴안고 있는 젊은것들이나 짝을 찾아 지저귀는 새들을 보면서 회한에 빠지는 시인. 그러면 뭐하나 곧 죽을 텐데. 한심한 것들. 시인의 혀 차는 소리까지 들리는 듯하다. 그의 비극은 인간으로 태어나 숙명적으로 겪어야 하는 생로병사에 따른 고통이다. 이는 인간 고통의 근본은 변하고 일시적이며 결국 부패하고 마는 육체의 한계에 의한 것이라는 부처님의 가르침과 그 맥을 같이한다.

그러므로 난 먼 바다를 건너 성스러운 도시 비잔티움을 찾아온 것이라네.

생로병사의 문제에 대한 해결책은 비잔티움이다. 이곳은 예이츠 자신이 만든 유토피아이다. 예이츠가 찾아온 비잔티움은 번얀의 『천로역정』에서 고통에 신음하는 크리스천이 오랜 역경 끝에 마침내 찾아온 천상의 도시 같은 곳이다. 비잔티움은 금으로 포장된 도로가 있으며 금으로 만든 하프의 연주 소리가 울리는 천상의 도시처럼 벽을 금으로 도배한 도시이다. 금은 영원성 불멸성의 상징 아닌가? 이곳에서 황금새로 재탄생하여 황금가지 위에 앉아 시를 노래하고 싶노라고 말한다. 시인이 생각하는 죽음을 극복하는 유일한 방법이다. 황금새가 되고 싶은 희망을 토로하는 것으로 시를 맺는데 어쩐지 유토피아로서 비잔티움의 모습으로는 무언가 좀 부족해 보인다.

그래서 2년 후에 「비잔티움으로의 항해」의 속편이자 완결편 「비잔티움」이 선을 보인다. 이 시는 예이츠가 도착한 비잔티움의 실체를 보다 밀도 있고 충실하게 파고든다. 시의 시작을 보면 도시로서의 비잔티움은 유토피아의 모습이 영 아니다.

낮 동안의 혼란한 이미지들이 사라진다.
술에 취한 황제의 군인들이 침상에 든다.
밤의 공명, 밤거리를 배회하는 이들의 노랫소리는 물러나고

혼란한 이미지, 술 취한 군인들, 거리를 떠도는 창녀들. 유토피아가 아니고 타락의 도시 소돔과 고모라에 더 가깝다. 시는 비잔티움의 외부 묘사로 시작하여 점점 내적, 영적인 부분으로 향한다. 유토피아의 실체는 외부에 있지 않고 내적이며 영적인 장소임을 보여주려는 의도이다. 마지막 전 연을 읽어보자.

자정 황제의 도로는 불길이 인다
장작으로 지피지 않았고 쇠로 일으키지 않았는데도
폭풍에도 끄떡없고 불꽃은 불꽃을 낳는다
피로 잉태한 정령들이 불로 돌아온다.
그리고 온갖 복잡한 분노는 사라져
죽어서 춤이 되고
황홀한 고통이 되고
소맷자락도 그을릴 수 없는 고통의 불길

불이 스스로 타는 곳. 죽음이 춤이 되는 곳. 고통이 곧 환희인 곳. 분노가 사라지는 곳. 이를 다시 읽어보면 결국 죽음과 삶, 고통과 환희, 그리고 청각과 시각의 경계가 무너지고 합일되는 존재의 통합이 이루어지는 장이다. 블레이크의 제자답게 예이츠 역시 불을 이용한 연금술로 인간을 구속하는 인식, 감각, 언어의 틀을 순화시켜 통합의 경지에 도달할 수 있음을 시사하고 있는 것이다. 예이츠가 도착했다고 주장하는 비잔티움은 지리적으로 동서양이 합쳐지는 곳이고 시간상으로 아침과 저녁이 교차하는 시점이며 정신적으로 고통과 환희의 차이점이 없어지는 장소이다. 유한한 삶의 고통에서 해방되고자 찾아온 유토피아는 보이는 금의 세계가 아닌 바로 존재의 통합이 실현되는 영적 상태임을 천명하고 있는 것이다.

마지막으로 살펴볼 시는 「정치가의 휴일」이다. 이 글 서두에 잠깐 인용한 「보일러 위에서」를 마무리하는 시이다.

나는 위대한 가문에서 살았다.
부자들은 귀족들을 내몰았고
천한 피가 고귀한 혈통을 내몰았다.
몸과 마음은 쪼그라들었고
토론을 지배했던 오스카도 없지만
그러나 나는 많은 친구가 있었지
더 좋은 이야기의 시대는 이제 갔다는 걸 아는 친구들
그들은 그저 잡동사니만 늘어놓는다.
어떤 이들은 무엇이 세상을 병들게 했는지 안다.

시의 시작은 역시 비극이며 특히 아일랜드 사회의 비극에 초점을 맞춘다. 1930년대의 아일랜드는 여전히 가톨릭과 프로테스탄트가 서로 대립하고 반목하고 있었다. 대낮에도 상대편 정적을 서슴없이 총으로 쏴 죽이는 일이 발생했으며 졸부들이 아일랜드의 전통과 역사를 부정하는 폭도로 변하는 시기였다. 아일랜드 자치국Irish Free State에서 상원의원을 지내며 나름대로 조국의 정치발전에 일조한 시인이지만 병들어 가는 아일랜드의 현실에 무기력할 따름이다. 시인의 마음은 유토피아를 향한다.

늘씬한 처녀들이 푸르디푸른 아발론에서 걷고 있네.

매연 마지막에 반복되는 이 후렴구에 등장하는 아발론은 예이츠가 갈망하는 유토피아의 섬이다. 아발론은 켈틱 신화에는 과일의 섬 아서 신화에는 아서의 검인 엑스켈리버가 만들어진 전설의 섬, 또한 아서가 부상당했을 때 부상을 치료하고 건강을 회복한 치유의 섬으로 알려져 있다. 자신의 조국을 통째로 전설 속의 아발론으로 옮겨놓고 아일랜드의 병을 치유하고 싶은 시인의 간절함이 전달된다.

예이츠 마지막 시집에 수록된 마지막 시 「정치」(1938)의 마지막 두 줄로 이 글을 맺고자 한다.

그러나 내가 다시 젊어진다면
그녀를 내 품에 안아보고 싶네.

나이 든 시인의 성적 욕망 혹은 생에 대한 애착으로 해석될 수도 있으나, 필자는 이 두 문장에서도 평생 상반된 두 요소의 합일, 즉 존재의 통합에 대한 시인의 일관된 정신이 느껴진다. 남녀의 합일은 예이츠가 말한 바로 그 첫날밤의 기쁨이 아닌가? 시인이 평생 열망했던 그 유토피아 말이다.

(백석대)

PHOTO BY YOUNG SUCK RHEE

드럼클리프의 예이츠 묘비

눕혀 있는 것은 부인 조지 묘비

_ 삶을 즐겨라, 지나가라

이경아

나에게 예이츠는 누구인가? 그의 시집을 한 손에 늘 들고 있다가, 언제든지 펴서 읽으면서 나의 삶의 이정표를 제시해주는 경전과 같은 것인가? 나는 문예창작학과 박사과정에서 황동규 시인을 통해 예이츠를 접하게 되었다. 황동규의 시에 나타난 '황홀경' '사랑의 자세' 등을 읽으며 예이츠 시에 대한 관심이 증폭되었다. 그즈음에 대학원총학생회에서 주관하는 '해외학술탐방'에 지원하여 지원비를 받고 아일랜드를 방문하게 되었다. 예이츠가 어린 시절을 보낸 슬라이고와 설화시의 기원이 된 아란섬 등과 같은 서부지방을 여행했다. 그리고 더블린에서는 애비극장에서 예이츠의 극작품 연극도 보았다.

예이츠 시에 대한 공부는 내가 신경림 시인을 연구하여 박사학위 논문을 쓰는 데에 커다란 도움을 주었다. 신경림 시인의 장시를 연구하면서 예이츠의 설화시를 같이 읽었다. 신경림의 「남한강」의 분위기는 예이츠의 슬라이고와 유사하며, 「남한강」에서 목 잘린 영웅 '돌배'의 서사와 예이츠의 「어쉰의 방랑」의 서사는 맞닿는 부분이 있었다. 예이츠를 통해서 신경림의 시 사상을 더욱 폭넓게 이해하게 된 뒤 예이츠의 사랑시와 김종삼의 순수시를 같이 읽어보기도 했다. 또한 김춘수의 시를 읽으며 김춘수의 추상주의와 예이츠의 상징주의에 제시된 서로 다른 세계관과 시대적 배경을 이해해보려고도 했다. 이렇게 예이츠는 내가 한국 시인들의 시 연구를 하는 동안 즐거운 길이 되어주었고 폭넓은 이해와 연구의 길을 열어주었다.

인간의 삶은 그동안 배운 지식과 경험을 확인하고, 성장을 준비하는 시간을 즐기는 것이 아닐까 한다. 예이츠는 삶을 배움으로 채우는 게 아니라 장작에 불을 지피는 것이라고 했으니, 예이츠를 향한 열정의 불을 지펴보고 싶다. 예이츠의 묘비명이 떠오른다.

싸늘한 시선을 던져라
삶과 죽음에.
말을 탄 자여, 지나가라!

예이츠의 「불벤산 기슭에서」의 한 대목이다. "말을 탄 자"는 어느 곳으로 가는 걸까? 지금 어느 곳을 지나가고 있을까? 죽음 앞에서도 멈추지 않고, 죽음을 지나 말을 달릴 수 있을까? 죽음이 다가오기 전에 모든 삶을 즐겨야 한다. 고통, 슬픔, 병듦, 이별 등과 같은 고통도 지나간다. 그 속에서 자신을 잃지 않을 때, 고통의 순간은 즐거움으로 변화되어 지나가게 되어있다.

나는 예이츠처럼 운명에 굴복하지 않으려고, 예이츠의 시를 사랑하게 되었다. 예이츠의 초기시는 낭만적이고 아름다우며, 가슴으로 읽을 때 고난을 초월한 영웅처럼 스스로 승리감을 만끽하게 된다. 그의 시는 삶의 고통을 초월하여 삶에서 평화와 안식을 얻게 해준다. 특히, 「이니스프리 호수섬」을 읽으면, 편안한 마음과 고요함이 넘실댄다. 이 순간에, 우리는 예이츠의 시를 통해 현실의 고통에서 벗어나 초자연의 세계, 즉, 천국에와 있다. 크린트 이스트우드가 직접 출연하고 감독한 영화 <밀리언 달러 베이비>에서 권투도장의 코치는 권투선수가 되겠다고 찾아온 나이 많은 불행한 여주인공에게 「이니스프리 호수섬」을 읽어준다. 그 코치에게 권투는 고통에 굴복하지 않는 자발적인 방어이며, 예이츠의 시도 그와 같은 역할을 한다. 다른 영화, <칠드런 액트>에서는 예이츠의 「버드나무 정원에서」를 주인공인 판사가 한 소년에게 노래로 불러준다. 그녀는 어떠한 법적 판단을 내리기에 앞서 종교적 신념으로 수혈을 거부하는 소년에게 이 노래를 부르면서 인생에 관해 조언해준다.

예이츠는 젊은 시절에 모드 곤을 만났다. 그는 그녀를 진정으로 사랑했고, 사랑이라는 고통을 누리려고 했고, 그 고통에 굴복하기보다는 스스로 그 고통을 극복했다. 그 결과로 예이츠는 많은 사랑의 시편을 창작했다. 이처럼 고통은 사람을 성숙하게 만든다.

예이츠의 「정치」 시의 한 대목은 '늙음'의 실체를 인식하도록 만든다.

전쟁이나 전쟁의 경고에 대해선
그네들 말하는 게 맞을지 모르겠다.
하지만 오 나는 다시 젊어져
저 아가씨 안아볼 수 있다면!

늙어간다는 것은 죽음이 언제든지 다가올 수 있다는 것을 아는 것이다. 늙음이란 젊음이라는 끈을 놓고, 삶이라는 춤을 추는 자가 아니라 그것을 바라보는 자가 된다는 것일 것이다. 예이츠는 현실을 이겨낸 영웅신화를 극화시켰을 뿐만 아니라 예술에 경의를 표하고, 삶과 죽음의 상호 연결성을 예술적으로 승화시켰다.

즐겨라, 그리고 지나가라. 나는 오늘 어떠한가? 아마도 예이츠의 「선택」의 한 구절처럼 살아가고 있을 것이다.

행운이 있든지 없든지 간에 노고는 그 흔적을 남겼다오.
그 오래된 당혹감도 빈 지갑,
낮은 공허함을, 밤은 회한을 남겼다오.

(단국대)

_ 예이츠를 연구하면서

이철희

그동안의 예이츠 연구에서 내게 가장 인상적으로 남아있는 표현이 하나 있다. 그것이 바로 "다재다능한 작가"라는 평가이다. 이 평가는 특히 국내 연구자들보다는 해외의 연구에서 자주 등장한다. 더욱이 필자의 시선을 모으는 것은 "다재다능한 작가"라는 표현의 범위이다. 이 표현을 사용한 이유들을 간단히 열거하면 낭만주의자, 상징주의 시인, 이미지스트 그리고 모더니스트이면서 동시에 하이모더니스트 계열의 작가라는 카테고리 안에 예이츠를 넣고 있다. 물론 이외에도 신비주의자, 접신술사 등이 등장한다. 이렇듯 예이츠를 다양한 종류로 분류한다. 이러한 사실이 필자의 호기심을 자극했으며 필자 역시 이 표현의 진위를 알아보려고 열심히 연구하고 있는데, 현재까지 예이츠가 다재다능한 작가라는 사실에는 어느 정도 동감을 느끼고 있는 것만은 자명한 듯 보인다.

우리가 현대 시 형성에 매우 큰 공헌을 한 예이츠의 작품을 읽어보면, 어느 단일 유파로만 단정 짓기에는 솔직히 무리가 따라 보인다는 것도 사실이다. 그런 이유로 국내외의 연구 범위 역시 매우 다양하다. 예이츠의 작품 창작 방법에 대한 자세한 연구는 물론 그의 신비주의와 철학사상 등에 관해서도 심도 있는 연구들이 등장한다. 이런 점 때문에 우리가 예이츠를 다재다능한 작가라고 부를 수 있을지도 모른다. 물론 작품이 매우 많아서 다양한 특징을 지닌 시인으로 분류하는 것이 가능할 수도 있을 것이다. 왜냐하면 단시短詩에서 장시長詩에 이르기까지 예이츠가 생전에 창작해 놓은 작품은 무수히 많은 편에 속한다. 대충 헤아려 보아도 400여 편 가까이 되는 것으로 보인다. 이들 작품의 주제나 기법 역시 천편일률적이거나 결코 획일적인 것만은 아니다. 그것이 곧 예이츠를 어느 특정 유파의 시인으로만은 단정할 수 없는 요인이 된다. 그래서 우리는 예이츠의 작품을 감상할 때 이러한 사실을 염두에 둬야 한다. 물론 주제적인 측면에서의 다양성도 있지만, 작품 창작 스타일에 있어서도 그는 매우 다양한 성격을 보이고 있다. 그만큼 예이츠가 창작한 작품의 범위가 폭이 넓다는 이야기이다. 이 글에서는 내게 인상적으로 남아 있는 몇몇 작품을 간단하게 소개하려고 한다.

우리에게 가장 익숙한 작품인 「이니스프리 호도"The Lake Isle of Innisfree"」, 아마 이 작품은 예이츠의 시 중에서 일반인들에게도 매우 잘 알려진 작품일 것이다. 필자 역시 이 작품을 고교 시절에 접하고 지금까지도 자주 읊는 시 중 하나이다. 그것이 풍기는 낭만적 심상과 전원풍경, 그리고 음악적 리듬과 멜로디의 매력에 흠뻑 빠지곤 한다.

나 이제 일어나 가리. 아니스프리로 가리.
거기 진흙과 윗가지 엮어 오두막집을 짓고,
아홉 이랑 콩밭 일구고 꿀벌 한 통 치며,
벌 소리 요란한 숲속 빈터에서 혼자 살리라.

. . . .

나 이제 일어나 가리라. 밤낮으로 내 귀에는
기슭의 호숫물이 나직이 철썩이는 소리 들리며

내가 차도에서나 회색 인도에 서 있을 때,

깊숙한 마음속에 그 소리 들리나니.

I will arise and go now, and go to Innisfree,

And a small cabin build there, of clay and wattles made:

Nine bean-rows will I have there, a hive for the honey-bee,

And live alone in the bee-loud glade.

. . . .

I will arise go and go now, for always night and day

I hear lake water lapping with low sounds by the shore;

While I stand on the roadway, or on the pavements grey,

I hear it in the deep heart's core.

이 작품은 『장미*The Rose*』에 수록되어 1893년에 출판되었으므로, 예이츠가 젊은 시절에 창작한 작품으로서 매우 초기에 해당하는 작품이다. 아마도 예이츠 시 중에서 가장 유명한 작품 중 하나라고 할 수 있다. 위에서 볼 수 있듯 일상적인 언어표현과 리듬감을 가미하여 한편의 동요나 동시로 감상하기에도 편리해 보이며, 무엇보다도 독자가 바로 '나'와 일치되는 것처럼 보인다. 물론 최근에는 이 작품을 예이츠의 또 다른 깊은 사상과 철학 연구에 응용하면서 자주 언급하는 것도 하나의 특징이다. 물론 여기서는 "나(I)"가 바로 예이츠 자신이라는 사실을 어렵지 않게 알 수 있다. 이 작품을 좀 더 자세히 읽어보면 예이츠 자신의 내적 소망이 솔직한 이미지로 표현되고 있음을 알 수 있다. 어떤 특별한 시적 장식이나 기교나 꾸밈없이 매우 자연스러운 기법으로 전개되고 있다. 여기서 우리는 예이츠가 표현하고 있는 이미지스트로서의 면모를 살펴볼 수 있으며, 어떤 특별한 사상 내지는 특별한 철학보다는 오히려 예이츠 개인의 소망이 우리 모두의 소망처럼 전원풍에 의존하여 자연스럽게 전개되고 있다. 이것이 예이츠 작품의 단면이기도 하다.

또한 1913년에 출판된 「쿨 호수의 야생백조들"The Wild Swans at Coole"」 역시 매우 아름답고 정겨운 필치로 그려지고 있다.

> 내가 처음 세어본 이후로
> 열아홉 번째 가을이 내게 왔다.
> 내가 미처 모두 세기 전, 갑자기 날아올라
> 요란한 날개로 빙빙 돌아 흩어지면서
> 커다란 끊긴 원들을 그리는 것을
> 나는 보았다.

> The nineteenth autumn has come upon me
> Since I first made my count;
> I saw, before I had well finished,
> All suddenly mount
> And scatter wheeling in great broken rings
> Upon their clamourous wings.

이 작품은 예이츠 자신의 현재 상황을 백조와 대조시키고 있는 것으로 매우 잘 알려져 있다. 19년 동안 모든 것이 변했지만, 백조만은 결코 변함없이 그대로 있는 모습으로 나타나고 있다. 사실 백조는 영원불멸을 상징하는 것으로 예이츠 자신과는 반대의 위치에 있는 것이다. 이같이 예이츠는 '백조'라는 하나의 생물체를 영혼 불멸이라는 멋진 시적 상징으로 그려내고 있다. 시 전개가 단순명료하면서도 그 속에서 전달되는 분위기는 매우 심오하다고 볼 수 있다.

그리고 필자에게 다가오는 또 하나의 작품이 바로 1928년에 출판된 「비잔티움으로의 항해"Sailing to Byzantium"」이다.

오, 황금 모자이크 벽에서와 같이
신의 성화 속에 서 계신 성현들이시여,
그 성화에서 나와 빙빙 선회하며 내려오사,
내 영혼의 노래 스승이 되어 주소서.
내 심장을 소멸시켜 주소서, 욕망에 병들고
죽어가는 동물에 얽매여서
내 심장은 제 처지도 모르오니. 그리하여
나를 영원한 세공품으로 만들어 주소서.

O sages standing in God's holy fire
As in the gold mosaic of a wall,
Come from the holy fire, perne in a gyre,
And be the singing-masters of my soul.
Consume my heart away; sick with desire
And fastened to a dying animal
It knows not what it is; and gather me
Into the artifice of eternity.

이 작품에서 볼 수 있듯 예이츠 혹은 화자speaker의 소망이 그대로 담겨 있다. 설령 화자가 이 세상에서 살고 있을지라도 그것을 초월하기를 바라는 염원이 담겨 있다. 변하는 물질계와는 대조적으로 변하지 않는 것의 대표자로 '새'가 등장하는데 인류를 향한 영혼의 갈망이 잘 담겨 있다. 사실 이 작품은 최근에 예이츠 연구에서 각광받고 있는 작품 중 하나로서 이 시 속에 담긴 사상을 연구하는 데 많은 연구자의 호기심을 자극하고 있는 작품이다. 그래서 비교적 전원풍의 단순 멜로디로 구성된 「이니스프리 호도」와 「쿨 호수의 야생백조들」과는 사뭇 다른 분위기를 연출한다. 물론 예이츠 자신의 내적 소망을 표현한다는 점에 있어서는 동일한 측면도 있다. 그러나 특이하게도 이 작품은 이미지와 상징에 의하여 예이츠의 심연의 세계를 읽을 수 있는 작품 중 하나라고 할 수 있다. 결국 「이니스프리 호도」와 「쿨 호수의 야생백조들」 그리고 「비잔티움으로의 항해」는 공통적으로 현실에서의 해방 또는 일견 도피라고도 하지만 시 구절과 표현 방법은 낭만주의적이며 상징주의적인 특성을 매우 효과적으로 전달하고 있다.

또한 1933년 「동요"Vacillation"」에서는 또 다른 예이츠 작품의 면모를 느낄 수 있다.

양극 사이에서
인간은 자신의 길을 달린다.
횃불, 혹은 불길 같은 숨결이,
낮과 밤의
그 모든 이율배반을
파괴하러 나온다.

육신은 그것을 죽음이라 부르고,
마음은 그것을 회한이라 부른다.
그러나 이들이 옳다고 한다면
즐거움이란 무엇일까?

Between extremities
Man runs his course;
A brand, or flaming breadth,
Comes to destroy
All those antinomies
Of day and night;
The body calls it death,
The heart remorse.
But if these be right
What is joy?

이 작품은 앞서 등장했던 작품들과는 달리 예이츠의 세계관을 엿볼 수 있는 좋은 시이다. 그러므로 예이츠의 우주관 및 세계관에 대한 연구에서 자주 등장하는 작품이다. 단적으로 상반, 대립, 갈등의 통합을 여실히 보여주는 작품으로서 예이츠가 단정 짓는 세계관을 효과적으로 요약하고 있다. 이같이 예이츠는 세계관에 대해서도 큰 관심을 보여주고 있다.

물론 예이츠는 우리 인간사에도 관심을 보여주고 있다. 그 대표적인 작품이 바로 「바퀴"The Wheel"」이다.

겨울철을 통해서 우리는 봄을 부른다.
그리고 봄을 통해서 여름을 부른다.
그리고 무성한 산울타리가 울릴 때
겨울이 가장 좋다고 선언한다.
그리고 그다음에는 좋은 것이 없다.
왜냐하면 봄철이 오지 않았기 때문이다—
우리의 피를 어지럽히는 것은
무덤을 동경할 뿐이라는 것을 모른다.

Through winter-time we call on spring,
And through the spring on summer call,
And when abounding hedges ring
Declare that winter's best of all;
And after that there's nothing good
Because the spring-time has not come—
Nor know that what disturbs our blood
Is but its longing for the tomb.

영원한 반복과 순환의 의미로 바퀴가 사용되었다. 이렇듯 예이츠는 우주 만물의 현상에 대해서도 관심을 보여주고 있다. 물론 이같이 필자가 정리한 것 외에도 히니Seamus Heaney에 대한 예이츠의 영향, 예이츠와 엘리엇T. S. Eliot의 관계, 심리학적 연구, 중국에서의 예이츠의 인식, 신화와 역사, 예이츠와 기독교, 예이츠 시에 나타난 시간, 예이츠 시의 서사성, 예이츠와 우파니샤드Upanishads, 예이츠 시에 나타난 사후 세계 등등의 연구들이 등장한다. 결국은 도입부에서 언급한 것처럼 작가로서의 예이츠의 다재다능성은 어느 정도 입증되었다고 볼 수 있다.

(인하대)

— 연극 공부를 통해 알게 된 아일랜드에 대한 친근감의 또 다른 이유

정윤길

한반도의 약 0.3배 면적의 대서양 북동부의 섬나라 아일랜드는 정치적으로 영국의 식민지배와 독립, 북아일랜드와의 갈등 그리고 한때 금융과 제약, IT 산업의 고도성장을 바탕으로 '켈틱 타이거Celtic Tiger'로 불리었던 나라로 우리에게 기억된다. 예술 분야에 관심이 많은 사람에게 아일랜드는 윌리엄 버틀러 예이츠William Butler Yeats, 제임스 조이스James Joyce, 사무엘 베케트Samuel Beckett와 같은 위대한 작가들의 고향으로, 록그룹 크랜베리스The Cranberries와 유투U2의 음악으로, 그리고 맥주 애호가들에게는 세계 최대 흑맥주 양조장인 기네스Guinness의 나라로 인식된다.

나는 기네스 드래프트를 꽤 좋아하는 편이다. 맥주잔설마 기네스를 캔으로 그냥 마시는 우愚를 범하지 않기를에 피어난 황금물결 같은 크림 거품의 맛과 부드러운 목 넘김, 그리고 여기에 커피 같은 향과 맛까지, 매력이 가득한 맥주다. 절대 서둘러 마시면 안 된다. 기네스 드래프트를 먹어본 사람은 캔 속에 들어있는 구슬을 경험하였을 것이다. 위젯이라 불리는 이 구슬에는 삶에 대한 아일랜드인들의 기다림의 자세가 묻어있다. 캔을 여는 순간 압력 차이로 인해서 구슬에서 질소가 배출된다. 여기서 1차 기다림의 순간이 필요하다. 캔을 딴 후 질소가 충분히 나오게 5초 정도를 기다린 다음에 잔을 기울여 최대한 부드럽게 따라야 한다. 80% 정도 맥주가 채워지면 잔을 똑바로 세워 기네스 고유의 진한 크림 거품을 충분히 잔에 채워준다. 그리고 여기서 또다시 기다림이 필요하다. 2분 정도 기다리면서 모양을 감상한 후 마시면 기네스 드래프트의 진정한 맛을 음미할 수 있다. 기네스 드래프트의 거품 유지력은 정말 대단해서 다른 맥주의 거품과 비교할 때 너무나 깔끔한 모양을 하고 있다. 개인적으로 기네스 거품을 볼 때마다, 아일랜드의 서쪽 3개의 주요 섬으로 이루어진 척박한 환경의 아란 제도가 떠오른다. 아일랜드의 원시적 생명력과 정신을 간직한 곳으로 간주되었던 아란 제도를 감싸고 있는 바다, 그리고 바다의 전령이라 할 수 있는 파도가 머금고 있는 거품. 마치 그 거품의 신비로운 힘을 기네스 거품이 보여주고 있는 것 같은 인상을 받기 때문이다.

나에게 그리고 많은 한국인에게 아일랜드는 왠지 모를 친근감이 느껴지는 곳인 것 같다. 이러한 친근감의 근저에는 여러 이유가 있겠지만 아무래도 이웃 나라로부터의 식민지 지배 경험, 감자 기근과 이주로 대표되는 굶주림의 슬픈 역사, 북아일랜드와의 분열과 국토 분단 그리고 뛰어난 기술력을 바탕으로 한 IT 분야의 경쟁력 등과 같은 아일랜드의 과거와 현재가 한국의 그것과 참 많이 닮아있다는 유대감이 자리하고 있지 않을까 생각한다.

여기서 한 가지 흥미로운 사실은 아일랜드에 대한 이러한 유대감이 비단 오늘날의 현상만이 아니라는 점이다. 브라이언 프리엘Brian Friel, 마리나 카Marina Carr, 마틴 맥도나Martin McDonagh와 같은 아일랜드 현대 극작가들의 아일랜드에 대한 새로운 인식적 지도 그리기에 관심을 갖고 연구하던 나는 아일랜드 연극과 한국 연극 사이의 영향 관계를 확인하게 되었다. 그것은 시기적으로 한국 근대 연극의 토대가 형성되던 1900년대 초반까지 거슬러 올라간다. 정말 아이러니하게도 한국인으로서 아일랜드 연극을 공부하던 나는, 그 과정에서 다시 한국 연극으로 회귀하는 경험을 하게 된 것이다. 그러면서 아일랜드에 대한 친근감이나 유대감이 역사적으로 존재해왔으며, 이것에는 정치적 경험이 은연중에 내재하여 있음을 확인할 수 있게 되었다.

두 나라 사이의 연극의 연관성을 설명하기 위해 먼저 아일랜드 연극을 언급하는 것이 좋을 것 같다. 현대 아일랜드 연극 이야기에서 빼어놓을 수 없는 것이 있는데, 바로 19세기 말에서 20세기 초에 걸쳐 아일랜드에서 일어난 '아일랜드 문예부흥 운동Irish Literary Renaissance'이다. 이 운동을 진정한 의미에서의 문학운동으로 만든 대표적 인물이 바로 예이츠이다. 그는 레이디 그레고리Lady Gregory와 함께 아일랜드 근대극의 출발이 된 애비 극장Abbey Theater의 모태라 할 수 있는 아일랜드 문예극장을 설립하였다. 이곳은 당시 민족주의자의 연극 활동의 거점이 되었으며, 이후 숀 오케이시Sean O'Casey, 존 밀링턴 싱John Millington Synge과 같은 극작가들이 함께 참여하였다. 이때 싱은 예이츠의 영향을 받아 아란 섬의 구전과 전설을 연구한 후, 극작가로서 아일랜드 연극에 근대적 사실주의를 도입하였다. 식민지 시대 아일랜드 연극의 이러한 모습은 한국의 그것과 오버랩된다.

한국의 극예술 연구회와 토월회 같은 극 단체 그리고 유치진, 함세덕 같은 극작가들의 활동이 바로 아일랜드에서 일어난 변화 흐름과 유사하게 나타나고 있는 것이다. 바로 이 시기가 아일랜드 연극이 한국 근대극에 끼친 영향과 관계의 첫 출발선이라 할 수 있다. 한마디로 일제로부터의 해방 전후 한국에서 진행되었던 근대 연극 운동의 전개는 유럽의 서쪽 끝자락에 위치한 섬나라 아일랜드 연극의 극적 특징과 배경을 적극적으로 활용하면서 진행되었다고 할 수 있을 정도로 영향 관계가 깊다.

한국 근대극 운동의 성립과 정착기 내내, 아일랜드 연극은 근대극 운동 지도자들을 포함한 한국 지성계 전체에 상당한 영향을 끼쳤다. 일본 유학생이 중심이 되었던 한국 근대극 운동의 초기 그룹들은 서양 근대극을 들여오는 것을 통해 자신들의 기반을 구축하려 하였다. 극예술 연구회에 의해 주도된 한국에서의 신극운동은 아일랜드 극운동에 의해 고무된 바가 컸다. 초기 한국의 신극운동을 이끌었던 인물들은 대부분이 외국문학 연구 동인으로 영문학, 불문학, 독문학, 노문학 등을 전공한 문학도들이었는데, 특히 아일랜드 국민운동에 영향을 받은 것이 많았다. 같은 처지의 피압박 식민지인으로서 일제 치하 한국의 연극인들이 아일랜드 극운동에 공명하여 한국 신극운동의 모범으로 삼고자 한 것은 어쩌면 너무나 자연스럽고 당연한 귀결이라 할 수 있다.

이 과정에서 한국의 근대극 운동을 이끌던 사람들은 영국의 식민지배에 맞서는 민족주의적 문화운동으로 출발하여 세계적인 명성을 획득한 아일랜드 연극 운동이 자신들과 같은 약소민족 문화운동의 가장 이상적인 지표가 될 수 있을 것으로 판단하였다. 물론 그 당시 한국과 아일랜드 사이에는 직접적인 문화교류가 이루어진 것은 없었다. 앞에서 언급하였듯이 일본에서 유학하고 있던 지식인들 중심의 한국 연극의 초기 그룹들은 아일랜드 연극에서 문화적, 정치적 동질성을 느끼고 로드 던세니Lord Dunsany, 레이디 그레고리, 밀링턴 싱, 오케이시 같은 작가의 작품을 의욕적으로 번역, 소개하였다. 그중 일부는 공연으로 제작되기도 하였다.

이 같은 활동에 앞장섰던 이들은 연극의 가치를 '계몽의 극장'에서 찾고 있었다. 오늘날 우리에게는 너무 이념적이고 기능적인 태도로 보일 수 있지만, 이들은 학교에서 학생들을 교육하는 것처럼 극장에서는 일반 민중을 교육하여야 한다는 생각을 가졌다. 특히, 극예술협회 같은 단체는 순회공연의 방식을 통해 이러한 사회적 요구를 실천하는 데 매우 적극적이었다. 극예술협회는 그러한 사회적 요구에 답하는 방편으로 해외 연극작품, 그중에서도 아일랜드 연극을 선택한 것이다. 극예술협회가 아일랜드 극을 선택한 가장 큰 이유는 당시에 영국으로부터 독립을 눈앞에 두고 있던 식민지 아일랜드의 정치적 상황이 자신들이 생각하는 계몽 효과를 가장 극대화할 수 있는 소재가 될 수 있었기 때문이다. 수백 년에 걸쳐 영국의 식민지였던 아일랜드는 1922년 12월에 자유국으로 독립하게 된다. 극예술협회 순회연극단이 공연을 기획하고, 진행할 무렵에는 아일랜드의 독립에 대한 협상이 한창 진행될 때여서 그 소식이 식민지조선의 신문 지상에도 연일 보도가 되고 있었다. 그러한 시점에 아일랜드 연극은 독립에 대한 식민지조선인의 열망을 담아내기에 아주 적합한 방편이었음은 의문의 여지가 없다.

이 같은 배경 아래 식민지조선에서 아일랜드 연극은 1921년의 극예술협회 공연 때부터 계몽의 연극으로 각인되기 시작했다. 이러다 보니 계몽이라는 일종의 브랜드 효과를 지니게 된 식민지조선에서는, 아일랜드 극작품의 원래적 가치보다 식민지조선이 필요로 하는 의미를 부가할 수 있는 가능성을 더 중요하게 여기는 현상도 나타나게 되었다. 다시 말하자면, 아일랜드 연극을 수용하는 판단 기준으로 식민지조선의 현실을 상기시킬만한 요소가 들어 있느냐 없느냐가 가장 중요한 요소가 되었음을 말한다. 이렇게 되면서 1920년대 한국의 근대연극의 범주에는 '식민지조선의 아일랜드 극작품'이라 불러도 무방한 새로운 작품들이 등장하게 된 것이다.

20세기 중엽 극작가, 연출가 그리고 비평가로서 왕성한 활동을 통해 한국 근대 연극의 기틀을 다졌다고 할 수 있는 유치진을 통해 우리는 당시 한국의 극작가들에게 아일랜드 연극이 어떤 의미를 지니고 있었으며, 어떤 식으로 수용되었는지를 엿볼 수 있다. 유치진이 아일랜드 연극에 관심을 갖게 된 것은 일본에서 대학에 다니던 3학년 시절, 본격적으로 영문학을 공부하면서 숀 오케이시의 작품을 접하게 되면서였다고 알려져 있다. 그는 오케이시를 통해 아일랜드 민족연극에 깊은 관심을 갖게 되었고 결국에는 자신의 학부 졸업 논문을 「숀 오케이시 연구」로 작성하기도 하였다.

유치진이 오케이시의 작품 세계에 특히 관심을 갖게 된 데에는 다음과 같은 배경이 있었다. 먼저, 애비 극장으로 대표되는 아일랜드 문예부흥운동에 대한 관심이다. 오케이시는 예이츠, 그레고리 부인 등과 함께 애비 극장과 관련된 활동에 적극적으로 참여한 작가였다. 이들은 연극이 다른 어떤 장르보다 대중적 공감을 형성할 수 있다는 사실을 인지하고, 아일랜드 민담, 전설, 영웅신화에 나오는 소재들을 통해 민족 공동체의 문화적 근거를 재확인시키려 노력하였다. 일제 식민지배 상황에서 민족을 계몽시키기 위한 대중적 파급력이 있다는 점에서 연극 장르를 선택하였던 유치진에게 이러한 작가들의 입장은 좋은 본보기가 되기에 충분하였다.

두 작가에게 연극은 힘들고 혼란스러운 당시 조국이 처한 상황을 극복하고 민족 통합을 이루는 데 의미 있는 역할을 할 수 있는 것으로 문학적이면서도 대중적인 연극을 창조하는 것이 중요한 것으로 인식되었다. 다음으로 오케이시가 노동자 출신이라는 사실이다. 대학 시절 사회주의 사상에 관심을 갖고 있었던 유치진이기에 가난한 노동자 출신의 작가라는 오케이시의 성장 배경은 유치진이 관심을 갖기에 적절한 이유가 되었다. 마지막으로, 오케이시의 작품 세계에서 볼 수 있는 여러 가지 극작법의 특징에 대한 흥미였다. 자신의 논문에서 유치진은 오케이시의 극작 특징을 원심적 극작법을 지닌 구성법, 웃음과 눈물, 페이소스를 지닌 비극적 요소, 그리고 극적 긴장을 무대 이면으로 가져가는 무대이면 효과 등으로 정리하여 제시하기도 하였다.

예이츠가 아일랜드의 전설과 신화를 중심으로 아일랜드를 구현하고, 밀링턴 싱이 아일랜드 농민들의 삶을 중심으로 아일랜드의 삶을 조명했다면, 오케이시는 자신이 살았던 더블린 빈민가를 통해 아일랜드를 보여준 작가라 할 수 있다. 오케이시는 독립운동에서 희생당하는 더블린 빈민들의 삶에 관심이 있었다. 그가 초기에 쓴 3편의 극은 일명 '더블린 3부작 Dublin Trilogy'은 1923년에서 1926년이라는 4년 동안의 시기에 집필된 것으로 창작연대와 소재가 된 시간적 배경이 거의 일치되는 작품들이다. 3부작은 바로 당시의 아일랜드에서 벌어지던 사건들을 대상으로 삼았던 매우 전형적인 작품으로, 이들 작품이 바로 오케이시의 자서전이자 아일랜드의 삶의 단편이며 아일랜드의 역사서라 평가할 수 있다.

이 극들은 사실주의 극이며 독립운동 시기의 더블린 빈민가를 배경으로 했다는 공통점이 있으며, 오케이시를 세계적인 작가로 자리 잡게 해 준 작품이자 그의 최고작들로 손꼽힌다. 세 작품 모두 영국 식민지로서의 아일랜드의 상황 속에서 민족과 국가적 통일과 독립을 쟁취하기 위한 끝없는 정치적 소요와 유혈사태로 이어지는 아일랜드의 비극적 역사의 한 시점을 보여주고 있다.[1) 『총잡이의 그림자*The Shadow of a Gunman*』는 1920년의 협정을 가져왔던 영국과 아일랜드 전쟁의 시기인 1920년을 배경으로 한 작품이며, 『주노와 공작*Juno and the Paycock*』은 협정을 수용했던

---

1) 아일랜드 드라마연구회, 『아일랜드, 아일랜드』(서울: 이화여자대학교출판부, 2008), p. 141.

자유국가파와 조국의 분할에 반대했던 다이하드 간의 내전의 시기가 배경이며, 그리고 『쟁기와 별*The Plough and the Stars*』은 1916년 부활절 봉기가 배경이 되고 있다. 3부작에 공통으로 등장하는 더블린 빈민가의 공동주택이라는 공간적 배경은 바로 아일랜드의 국토 전체를 담아낸 아일랜드의 축도이며, 이 공동주택에서 나타나는 정치적, 경제적 어려움에 처한 민중들의 삶은 바로 아일랜드 전체가 경험하고 있던 현실을 보여주는 것이라 할 수 있다.

유치진의 경우 초기 사실주의 계열에 속하는 '농촌 3부작'은 그의 전 작품 가운데 매우 중요하며 대표작으로 간주할 수 있다. 이 작품들에서 오케이시의 영향이 잘 드러나고 있다. 무대 위에서 현실을 리얼하게 보여주는 것에 관심이 많았던 유치진은 당시 일제에 압박받는 한국 농촌이라는 소재가 있었고, 이를 극화하는 데 있어서 숀 오케이시라는 교본이 마련된 셈이었다. 오케이시의 더블린 빈민층과 유치진의 농민들 모두 불행한 시대에 비극의 중심에 놓여 있는 인물들이라는 공통점을 지닌다. 일제강점기 암담한 현실로부터의 탈출구가 막혀 있었던 당시 한국의 농촌은 암흑과 같은 감옥이었다. 이러한 암울한 현실을 무대 위에 재현하고, 이에 대해 저항하거나 비판하는 것만이 극작가의 사명이고 리얼리즘의 실현이라고 믿었다. 한편으로 두 작가는 이러한 빈민들의 암울한 생활을 그리는 데 있어서 희극적인 면을 삽입하여 관객을 웃음으로 이끌면서 그 과정에서 비극을 부각하는 방식을 취하고 있다. 한마디로 암울한 삶을 살아가는 사람들의 절망과 애환을 웃음 뒤에 오는 눈물을 통해 더욱 효과적으로 전하고 싶었던 것이다.

이외에도 유치진의 작품에서 오케이시의 영향은 여러 측면에서 드러난다. 한 가지만 짚어보자면, 두 작가의 작품에서는 배경이 되는 중심

사건은 주로 무대 뒤에서 처리되고 무대 위에서는 농민들의 일상 모습만이 펼쳐지고 있다는 점이다. 오케이시의 극에서는 무대 뒤에서 전쟁의 총성과 외침 소리가 계속 들리고 관객들은 이러한 무대 뒤에서 들리는 전쟁의 소용돌이를 항상 의식하게 되는 것이다. 유치진의 극에서 무대 위에서는 일제에 의해 수탈당하는 1930년대 식민지 한국 농촌의 참상이 보이지만 그것의 원인이 되는 일본 제국주의자의 모습은 등장하지 않고 무대 이면의 배경으로 작용한다. 가령, <토막>에서 명서 가의 유일한 희망이던 아들 명수는 일본에서 해방운동을 하다가 백골이 되어 돌아온다. 무대 위에는 아들의 백골을 끌어안고 오열하는 어머니의 모습만 보이고, 일제에 대항하는 해방운동 장면이 전개되는 것은 아니다. 경서 가의 경우도 집의 물건이 경매당하는 것은 무대 밖에서 이루어지며 이러한 사실이 말로써 전해질뿐이다. 이처럼 한국 근대연극 형성에 대표적 인물이라 할 수 있는 유치진의 극 세계에는 아일랜드 극작가인 오케이시의 영향이 짙게 깔려있다. 여기에는 식민지배로부터의 독립과 계몽이라는 특수한 역사적 상황이 배경적 요인이 된 것은 주지의 사실이다.

다시 처음으로 돌아가 보면 아일랜드에 대한 이러한 유대감은 시대적 상황의 변화에도 불구하고 여전히 우리들의 밑바탕에 남아있는 것이 아닐까 한다. 기네스 드래프트의 거품이 예사롭지 않게 느껴지는 것은 아일랜드 연구자로서의 친근감을 넘어 이러한 공유된 경험의 내재화의 결과가 아닐까 생각해본다.

(동국대)

__ 미국 대학교에서 "이니스프리 호수섬" 수업실습

최윤주

2009년부터 몇 년간 미국 콜로라도 주립대학Colorado State University에서 새로운 도전으로 테솔TESOL: Teaching English to the Speakers of Other Language 전공으로 학업을 계속할 때였습니다. 영어 의사소통에 대한 부담을 안고 소심한 유학생으로 지냈는데, 두 번째 학기에 수업실습Practicum 과목을 필수로 듣게 되었습니다. 수업은 다음과 같이 진행되었습니다.

1교시: 발표자의 수업실습
2교시: 3, 4그룹으로 나눠 수업내용에 대한 토론discussion
3교시: 전체 토론 및 교수 논평comments

학기 초에 학습지도안Lesson Plan 작성 및 수업 실습 진행방식에 대한 강의를 듣고, 본격적으로 수강생들이 차례로 약 50분 정도 동급생들을 학생으로 삼아 수업 실습을 하게 되었습니다. 수업실습 후 3, 4그룹으로 나눠 수업내용에 대한 장단점을 토론하고, 다시 전체가 모여 토론 내용을 공유하는 방식으로 진행되었습니다. 수업 실습은 발표자가 선택한 분야의 듣기, 읽기 자료를 활용하여 어휘, 문장연습, 감상, 토론을 진행하는 형식이었습니다. 수업 자료는 각자 학부 전공을 활용해서 어떤 분야든지 허용된 상황이었고, 약 15명의 동급생은 영어학, 교육학 전공자가 다수였고 일부 심리학, 사회학, 신문방송학 등의 전공자들도 있어서 성격 테스트나 유튜브Youtube 영상 등을 활용한 흥미로운 수업이 진행되었습니다.

드디어 제 차례가 다가왔는데 이전에 강의경력은 있었지만, 영어를 모국어로 하는 학생들 앞에서 수업 실습을 한다는 것은 또 다른 문제였습니다. 특히 콜로라도주는 미국 중산층 백인 비율이 아주 높은 지역이라, 소위 원어민들 앞에서 영어로 수업을 한다는 것이 심히 부담스럽게 느껴졌습니다. 고심하다가 학교 도서관을 갔더니, 『예이츠 시를 통한 시 교육학*Pedagogy of Poetry through the Poems of W. B. Yeats*』라는 얇은 책자가 눈에 띄었습니다. 대학원에서 배웠던 예이츠 수업의 기억을 되살리고 구글Google에서 자료를 찾아 겨우 학습지도안을 작성하였습니다.

1. 수업: E 6XX
2. 제목/주제: W. B. 예이츠의 "이니스프리 호수섬"을 읽고 감상하기
3. 학습 목표: 학생들은 자연의 아름다움을 감상하는 능력을 개발하고, 그들의 삶에서 자연의 평화와 평온을 관찰하고 채택하는 법을 배울 것이다.
4. 언어 목표: 학습자는 자연 상태에서 새와 생물의 활동을 묘사할 수 있다.
5. 주요 어휘

   clay: 흙

   wattle: 윗가지/ 울타리를 만들기 위한 꼬인 막대기

   hive: 벌집

   glade: 숲 사이의 빈터/ 개방 공간

veil: 덮개/ 장막

6. 보충 자료

플래시 카드: 단어와 정의

녹음

읽기 유인물

질문 유인물

7. 수업 순서

5분: 인사말 및 준비 질문

5분: 내용 및 언어 목표 소개

5분: 목표 어휘 소개—학생들이 급우들과 주요 단어 및 정의를 연결해본다.

5분: W. B. 예이츠 소개

10분: 학생들은 시와 질문을 읽는다.

15분: 학생들은 자신의 감상에 대해 토론하고 질문에 답한다.

5분: 어휘 복습 및 감상 공유

8. 수업 도입

시인 윌리엄 버틀러 예이츠는 어린 시절 많은 시간을 보냈던 이니스프리에 가고 싶어 했다. "이니스프리 호수섬"에서 시인이 원하는 것이 무엇이며, 자연에서 어떤 경험을 느끼고 싶어 하는지를 시에서 읽어보자.

9. 토론 및 질문

1) 시인은 밤과 낮을 어떻게 즐길까?

2) 이니스프리 호수 섬과 포장도로가 어떻게 다른가?

3) 이니스프리는 어떤 곳인가?

4) 시인이 돌아가면 하고 싶은 세 가지 일

a) 그는 진흙과 물방울로 된 작은 오두막을 지을 것이다.

b) 그는 아홉 고랑의 콩 밭을 가질 것이다.

c) 그는 꿀벌을 위한 벌집을 가질 것이다.

5) 시인이 그곳에서 듣고 보는 것과 그에게 미치는 영향.

6) 시인이 이니스프리에서 보고 듣는 것을 묘사할 때 사용하는 표현을 보자. 당신의 마음속에 어떤 그림이 그려질까?

a) 벌떼 활공

b) 날개가 가득한 밤

c) 호숫물이 낮은 소리로 찰싹찰싹[1]

Class: E 6XX

Unit/Theme: Reading and appreciating "The Lake Isle of Innisfree" by W. B. Yeats

Content objective(s): Student will develop the ability of appreciating the beauty of nature, learning to observe and adopt peace and tranquility of nature in their lives

Language objective(s): Learners will be able to describe the activities of the birds and creatures in natural conditions

Key Vocabulary

clay: soil

wattle: twisted sticks for making fences/walls

1) 수정 후 인용: http://nvseng9.weebly.com/the-lake-isle-of-innisfree.html

hive: honeycomb

glade: cleaning/ open space

veil: covering / a thing that hides

Supplementary Materials

Flash cards: Words and definitions

Recording

Reading handout

Questions handout

Lesson sequence

5 mins: Greetings and warm up questions

5 mins: Introducing content and language objectives

5 mins: Introducing target vocabulary — students will match key words and definitions with their classmates

5 mins: Introducing W. B. Yeats

10 mins: Students will read a poem and questions

15 mins: Students will discuss their appreciations and answer the questions

5 mins: Reviewing vocabulary and sharing the appreciation

Warm up

The poet William Butler Yeats wants to go to Innisfree, where he spent a lot of time as a boy. Let's read the poem to see what the poet desires and what kind of experiences he wants to feel in the natural scenes in the poem "The Lake Isle of Innisfree".

Discussion Questions

1. How will the poet enjoy the night and the day?
2. How are the pavements different from the 'the lake isle of Innisfree'?
3. What kind of place is Innisfree?
4. The three things the poet wants to do when he goes back there
   a) He will build a small cabin of clay and wattles.
   b) He will have nine bean rows.
   c) He will have a hive for the honey bees.
5. What he hears and sees there and its effect on him.
6. Look at the words the poet uses to describe what he sees and hears at Innisfree. What pictures do words create in your mind?
   a) Bee-loud glade
   b) Evenings full of the linnet's wings
   c) Lake water lapping with low sounds[2)]

이렇게 학습지도안을 작성하고 수업에 필요한 영어 표현을 대충 외운 다음, 괴로운 마음으로 집에서 연습을 조금 하고 데모 수업에 갔습니다. 사실 부담스러운 점은 수업 진행 자체보다 발표 후 토론 시간이었습니다. 왜냐면 토론문화에 익숙한 미국 친구들의 질문을 이해하고 그에 대한 답변을 즉시 하려면, 지식과 의사소통 능력을 총동원해야 하는 고강도 작업이었기 때문입니다. 저는 궁리 끝에 토론용 질문을 많이 제시하고, 나름 모범 답안을 준비해서 원고를 들고 갔습니다.

2) Adapted from http://nvseng9.weebly.com/the-lake-isle-of-innisfree.html

그런데 정작 수업 발표 후 친구들은 동양에서 온 최Choi라는 학생이 아일랜드의 영시에 대한 수업을 한 것을 신기하게 여겼고, 한국의 영어교육, 영문학 교육, 대중의 영문학에 대한 관심 등에 대한 질문이 꼬리를 물고 계속되었습니다. 저는 "한국 교과서에 예이츠 작품이 실려 있었다, 현재는 확실치 않지만 교과서가 여러 종류이므로 지금도 주요 교재에 수록되어 있을 것이다."라고 알려주었습니다. 또 "한국에서 영시 수업은 한국어로 해석을 한 뒤 의미를 파악하는 경향이 많지만, 영시 자체의 형식을 살피거나 낭독을 통해 시어의 고유한 리듬을 느끼는 작업도 포함된다."라고 긴장한 상태로 생각나는 단어를 최대한 동원해서 답변했습니다.

또 다른 친구들은 한국문학, 한국의 시에 대해 질문했고, 주고받는 답변 속에 문학이 갖는 공통의 주제/의미는 자연과 사랑, 인간애가 아닐까 하는 공감대를 느끼게 되었습니다. 칠레 출신 이민자인 담당 교수님의 말씀 중 기억나는 것은 "같은 작품에 대한 한국인, 중국인, 미국인의 감상은 공통점과 차이점이 있을 수 있다. 외국인 학생이 읽는 예이츠 시의 감상은 그래서 또 귀중한 자산이다. 그러나 인간의 삶에 대한 본질적인 추구는 유사성이 더 많은 것 같다."라는 의견입니다. 걱정과 부담으로 짓눌렀던 수업실습은 저에게 새로운 배움의 기회가 되었고, 작은 자신감을 얻게 해주었습니다.

그렇게 다시 만난 예이츠 시인과 작품을 마음에 담고 한국에 돌아와 지도교수님의 노고에 힘입어 박사학위를 받게 되었으며, 예이츠 학회에서 훌륭한 선생님들을 만나 뵙고, 학술논문을 읽고 쓰게 된 소중한 인연에 감사드립니다.

(한양여대)

— 예이츠와 모드 곤의 사랑

최희섭

아름다운 사랑도 아플 때가 있다. 이러한 사랑의 한 예로 예이츠와 모드 곤의 사랑을 들을 수 있다. 예이츠는 그의 나이 24세 때인 1889년 1월 30일 모드 곤을 처음 본 후 계속 구혼하며 52세 때인 1917년 마지막으로 청혼할 때까지 미혼 상태를 유지했다. 예이츠는 "그녀의 안색은 그 사이로 빛이 쏟아져 들어오는 사과꽃의 색깔처럼 빛났고, 나는 그녀가 바로 그 첫날 커다란 꽃 더미 옆, 창문에 서 있던 것을 기억한다."라고 그녀를 처음 만난 순간을 말하고 있다. 모드 곤을 처음 만난 지 4일 후에 엘렌 오리어리에게 보낸 편지에서 그는 "내가 당신에게 미스 곤을 얼마나 숭배하는지를 말했나요? 그녀는 많은 사람을 그녀의 정치적 믿음으로 개종하게 할 겁니다. 만일 그녀가 세상이 평평하다거나 달이 하늘에 던져진 모자라고 말한다면, 나는 기꺼이 그녀의 편에 설 겁니다."라고 말했다.

사랑을 하면 눈이 먼다고 하지만 예이츠의 사랑은 눈이 먼 정도가 아니라 숭배하는 사랑이었고, 모드 곤이 자명한 사실을 부정하더라도 그녀를 믿겠다고 말하고 있다. 이는 그가 그녀의 아름다움에 매혹되어 그녀의 모든 것을 긍정적으로 받아들이고 있음을 보여준다. 예이츠는 모드 곤이 참여하는 활동에 적극적으로 참여한다. 사색적인 예이츠가 행동가인 모드 곤을 따라 정치활동에도 참여한 것은 모드 곤 때문이라는 것이 정설로 굳어져 있다. 모드 곤이 참여를 요청하지 않더라도, 예이츠는 그녀의 활동에 동참함으로써 자신의 사랑을 표현하고자 한 것으로 짐작된다. 그는 러셀에게 1898년 1월에 보낸 편지에서 다음과 같이 쓰고 있다.

> 나는 '켈트 신비주의'에 깊이 몰입해 있소. 모두가 정교한 비전을 형성하고 있소. 모드 곤과 나 자신은 아마도 한두 주 동안 아일랜드의 어떤 시골 지역으로 가서 당신이 그랬던 것처럼 신과 정령의 형체들을 파악할 것이고 초혼招魂을 위한 어떤 신성한 땅을 찾을 것이오. 아마도 우리는 당신이 있는 어떤 곳으로 갈 예정을 할 수도 있소. 그렇게 하면 우리 모두가 함께 일할 수 있을 것이오. 모드 곤은 영웅들의 작은 사원의 환상을 보았다오.

신비주의에 몰두한 이유가 전적으로 모드 곤 때문이라고 할 수 없지만, 이 편지를 보면 모드 곤과 함께 하고자 하는 마음이 이 모임에 참석하게 된 주된 이유 중의 하나라고 할 수 있다.

1908년 말에 예이츠에게 보낸 그녀의 편지는 그들의 관계를 명확히 보여준다. 모드 곤은 떨어져 있는 것이 몹시 외롭고 함께 있기를 고대하지만, 자신이 제안하는 영적 사랑을 수용할 만큼 강하고 고귀한 예이츠의 깊은 사랑에 기쁨과 긍지를 느낀다고 말하며, 자신의 사랑에서 지상적 욕망들이 제거되기를 바라는 만큼 그에게서도 육체적 욕망이 없어지기를 기도해왔고 앞으로도 기도할 것이라고 말한다.

예이츠의 시 중에서 모드 곤을 직접적으로 그린 작품이 50여 편에 이른다. 모드 곤을 묘사한 작품은 초기에서부터 후기까지 시대적으로 넓게 퍼져 있다. 초기에는 상징적, 암시적으로 묘사되어 있고 후기에는 보다 직접적으로 묘사된 점이 차이점이기는 하지만, 모드 곤이 지상 최고의 아름다움이나 아름다운 여인 나아가 미의 여신으로 그려지고 있는 것은 시종일관된다. 이는 예이츠와 모드 곤의 전기적인 사실에서 볼 수 있듯이 평생에 걸친 교류 관계를 보여준다.

예이츠의 초기 시집 『장미』에서 장미는 하나의 상징으로 다양한 의미를 내포하고 있지만, 모드 곤을 상징하기도 한다. 1892년에 발표된 「세상의 장미」에서 예이츠는 모드 곤을 트로이의 헬렌 및 아일랜드 전설의 데어드라와 동일시하며 그녀의 아름다움을 찬양한다.

> 아름다움이 꿈처럼 사라진다고 누가 꿈꾸었던가?
> 그 모든 슬픈 오만과 더불어,
> 어떤 새로운 경이도 생기지 않을 정도로 슬픈, 이 붉은 입술 때문에,
> 트로이는 높이 타오르는 장례식 불길 속에 사라졌고
> 우스나의 아이들은 죽었다.

여기에서 트로이는 헬렌의 납치에서 비롯된 싸움으로 인해 그리스에 의해 파괴된 도시이다. 모드 곤을 직접 언급하지는 않지만, 예이츠가 다른 작품에서 모드 곤을 트로이의 헬렌이나 데어드라와 동일시하고 있는 점을 생각하면 여기의 붉은 입술은 모드 곤의 입술을 암시한다고 할 수 있다.

모드 곤은 예이츠의 육체적 욕망의 대상으로 특정한 시간과 공간에 존재하는 현실적 여인이 아니라, 관념적인 장미와 같은 존재였다. 그녀는 단순한 관념적 존재에만 머물지 않고, 시인이 좇는 관념 세계의 초월적 존재들이나 전통적 가치와 함께 섞인 다중적인 상징이었다. 그가 장미를 노래할 때, 그것은 이상적인 미와 사랑의 상징이고 조국에 대한 관념적 사랑이기도 하며, 여러 신비술의 상징이기도 한 동시에 모드 곤의 상징이

기도 하다. 예이츠가 「시간의 십자가에 핀 장미에게」에서 "붉은 장미, 오만한 장미, 내 생애의 슬픈 장미여"라고 노래할 때 장미는 모드 곤을 암시한다.

사랑하는 여인을 영원한 아름다움이나 여신으로 생각하고 시에 묘사하는 것은 이상적이고 낭만적인 젊은 시인에게 자연스러운 일이다. 정신적이고 초월적인 세계에 존재하는 이상적인 숭배의 대상인 여인을 동경하면서도 예이츠는 성적 욕망의 대상으로 그녀를 갈망하기 때문에 내면적 갈등을 겪는다. 이상적인 숭배의 대상인 여인은 성적 욕망을 억제하는 동경과 헌신을 필요로 하고, 성적 욕망의 충족은 숭배의 대상을 현실로 끌어내려 꿈과 이상을 망가지게 하므로 예이츠는 갈등한다.

그 갈등에서 예이츠는 모드 곤의 반대 때문에 어쩔 수 없이 전자를 선택하게 된다. 모드 곤은 현실 속의 인물이지만, 예이츠는 관념적인 대상으로 삼아 이상화했다. 예이츠는 모드 곤을 사랑하면서도 현실적으로 결합할 수 없었기 때문에 그녀를 신격화할 수밖에 없었다. 예이츠의 거듭되는 구애에도 불구하고 모드 곤이 정신적인 사랑만을 강조하기 때문에 현실적인 애정 관계를 가질 수 없었던 예이츠는 그녀를 이상화한다.

현실적인 사랑을 얻을 수 없는 상황이 계속 이어지고 있지만 예이츠는 1892년에 발표된 「그대가 늙었을 때」에서 모드 곤을 평생 사랑하리라고 다짐한다.

그대가 늙어 흰머리가 되고 잠이 많아지고,
난롯가에서 졸 때 이 책을 꺼내어,
천천히 읽고, 그대의 눈이 예전에 지녔던
부드러운 표정과 그 깊은 그늘을 꿈꾸어라.

얼마나 많은 사람이 그대의 우아한 순간을 사랑했던가,
진실하거나 거짓된 사랑으로 그대의 아름다움을 사랑했던가를,
오직 한 사람이 그대 내면의 순례하는 영혼을 사랑했고,
그대의 변화하는 얼굴의 모습을 사랑했음을.

빛나는 창살 옆에 굽은 허리로 앉아
다소 슬프게 읊조려라, 사랑이 어떻게 달아나
머리 위의 산 너머로 걸어갔고
별들의 무리 속에 그의 얼굴을 숨겼는가를.

모드 곤이 자신의 청혼을 거절하는 것은 예이츠로 하여금 만물은 변하고 인간은 늙어 죽음을 면치 못할 존재라는 사실을 자각하게 한다. 그는 그녀도 결국은 늙어서 꼬부라질 것이지만 그래도 그녀를 계속 사랑하리라고 다짐한다. 왜냐하면 세월은 모드 곤이 늙어가도록 하겠지만, 「위안받는 것의 어리석음」에서 보이듯이 늙어가더라도 그녀는 "위대한 고귀함"을 지니고 있기에 새로운 아름다움을 가질 것이기 때문이다.

「둘째 트로이는 없다」도 모드 곤의 실제의 삶과 그녀의 아름다움을 이야기하고 있다.

왜 내가 그녀를 책망해야 하나 그녀가 내 생애를
고통으로 채운 것을, 또는 그녀가 최근에
무지한 사람들에게 매우 폭력적인 방법을 가르친 것을,
또는 작은 거리들을 큰 거리로 내던진 것을,
만일 그들이 욕망에 상응하는 용기를 가졌다면?

무엇이 그녀를 평화롭게 할 수 있었을까,
고상함이 불처럼 단순케 한 마음과,
이런 시대에는 자연스럽지 못한 종류인,
팽팽히 당겨진 활 같은 아름다움을 지닌 그녀를,
만일 그녀가 높고 외롭고 매우 엄격했다면?
아니, 무엇을 그녀가 할 수 있었을까, 그녀가 오늘날의 그녀였다면?
또 하나의 트로이가 있었단 말인가 그녀가 불태워버릴?

1910년에 발표된 이 작품에서도 그녀는 트로이의 헬렌에게 비유되고 있다. 예이츠의 젊은 시절은 그녀에 대한 이루지 못한 사랑으로 채워져 있으며 그녀 때문에 아일랜드 독립운동에 더욱더 열심히 참여했다고 해도 과언이 아니다. 그녀가 독립운동에 헌신하고 있으니 불태워버릴 트로이와 같은 어떤 도시가 있는지 물으며 트로이와 같은 도시는 있을 수 없다는 사실을 말하고 있다.

첫 질문은 예이츠 자신이 화자가 되어 자신이 모드 곤을 책망할 이유가 없음을 수사적으로 표현한다. 그녀가 시인 자신의 젊은 시절을 비참하게 했다고 해서 책망할 일은 아니다. 또한 그녀가 최근에 선동가가 되어 우매한 민중들을 무장 봉기하도록 부추긴 것도 책망받을 일은 아니다. 그녀는 아일랜드인의 마음속에 용기를 불어넣은 것일 뿐 잘못을 범한 것이 아니라고 그녀를 옹호한다.

그다음 질문은 모드 곤의 정신과 육체의 아름다움을 묘사한다. 그녀의 고상함은 갑자기 피어오르는 불길과 같고, 그녀의 아름다움은 팽팽하게 잡아당겨 언제라도 터질 것 같은 활에 비유된다. 그녀의 성격은 고고하고 외롭고, 엄격하다. 그녀는 지금의 아일랜드에서 할 수 있는 일이 아무것도 없다. 비록 그녀가 트로이의 헬렌만큼이나 아름답지만 불태워 버릴 또 하나의 트로이가 그녀에게는 없다. 여기서 그녀는 트로이를 불태운 헬렌에 직접적으로 비유된다. 예이츠는 이 작품에서 그녀가 정신적인 힘과 육체적인 아름다움을 지니고 있음을 강조한다.

1914년에 발간된 『책임』에도 「몰락한 권위」와 「친구들」 및 「추운 하늘」과 「밤이 오도록」 같은 모드 곤의 아름다움을 노래한 작품이 수록되어 있다. 이 시집에 수록된 작품은 주로 정치적, 사회적 주제를 다루고 있으며 모드 곤을 노래한 작품도 정치나 사회와 무관하지 않다.

1919년에 나온 『쿨호의 야생 백조』에도 「그녀의 칭찬」, 「민중」, 「그의 불사조」, 「깨어진 꿈」과 같은 모드 곤의 아름다움을 노래한 시편이 많이 수록되어 있다. 그녀가 "지나갈 때 젊은이들이 숨을 멈추는" 아름다움을 더 이상 지니고 있지 않으며, 머리는 희게 변했지만 "내 젊은 시절에 나는 불사조를 알았다"라는 후렴구가 붙어있는 「그의 불사조」에서 그녀는 "흠 없는 몸매"를 지닌 "명랑한 소녀"로 그려진다. 비록 그녀가 예전의 아름다움을 간직하고 있지는 않지만, 그녀는 여전히 예이츠에게는 불사조로 남아 있는 것이다.

1921년에 나온 『마이클 로바티즈와 무용수』에 실린 "무시무시한 아름다움이 태어났다"라는 후렴구가 있는 「1916년 부활절」에서도 모드 곤은 아름답게 그려지고 있다.

그 여인의 낮들은 보내졌다
무지한 선의 가운데,
그녀의 밤들은 토론 가운데 보내졌다
그녀의 목소리가 날카로워질 때까지.

젊고 아름다운 그녀가

말 타고 사냥개를 좇을 때,

어떤 목소리가 그녀의 목소리보다 감미로웠는가?

비록 모드 곤이 낮에는 선의에서 무지몽매한 민중들을 선동하고, 밤에는 정치토론을 하면서 목이 쉬고 지쳐갔지만, 시인에게 그녀의 목소리는 여전히 감미롭게 들린다. 이제 기억 속에서만 존재하는 아름다움이지만, 예이츠에게는 그 아름다움이 변함없이 존재하고 있다. 그러므로 예이츠는 뒤늦게 결혼한 부인 조지 하이드 리즈와의 사이에서 태어난 딸이 모드 곤을 한편으로는 모범으로, 또 다른 한편으로는 반면교사로 삼기를 기원한다.

1921년에 발표된 「내 딸을 위한 기도」에서 모드 곤은 자신의 아름다움으로 인하여 비극적인 삶을 산 여인으로 묘사되어 있다. 이 작품은 예이츠가 자신의 첫딸을 낳고 딸이 평온한 삶을 영위하기를 기원하는 내용으로 되어 있다. 사실적인 묘사를 통하여 현실에 대한 감각을 보여주고 있으므로, 여기에 묘사된 예이츠가 바라는 자신의 딸의 미래의 모습을 이상적인 여인의 모습으로 보아도 무방하다. 왜냐하면 시인은 양심의 가책이든, 잃어버린 사랑이든, 아니면 단지 외로움이든, 항상 자신의 개인적인 삶에 대하여 쓰기 때문이다.

이 작품에서 시인은 외모가 지나치게 아름다운 여인을 이상적인 아름다움의 구현으로 생각하고 있지 않음을 보여준다. 외모만의 아름다움은 그 아름다움을 간직한 여인을 파멸로 이끌 수 있기에 바람직하지 않다. 그러므로 시인은 자신의 딸의 외모가 지나치게 아름답지 않기를 바란다.

그녀에게 아름다움이 허용되기를 그러나
낯선 사람의 눈이나 거울 앞에 선 자신의 눈을
혼란케 할 아름다움은 아니기를, 왜냐면 그것은,
지나치게 아름답게 되어,
미가 충분한 목적이라고 생각하고,
타고난 친절과 아마도
옳은 것을 선택하는 마음을 드러내는 친교를 잃고
친구를 결코 발견하지 못할 것이기에.

여기에 분명히 밝혀져 있듯이 시인은 외모의 아름다움은 그 아름다움을 지닌 사람으로 하여금 자만심에 빠지게 하거나 타인을 현혹하여 어려운 삶으로 이끌 수 있다고 생각하고 있다. 이는 모드 곤의 태도를 비판한 말이기도 하며, 외모가 아름다운 사람은 자신의 외모에 지나치게 자만하는 나머지 다른 사람들을 무시하거나 타인과의 교제의 단절로 인한 소외상태에 빠질 수 있다는 일반적인 진술이기도 하다.

예이츠는 자신의 딸이 아름답기를 바란다. 그러나 지나치게 아름다워 남자들을 현혹하거나 외면의 아름다움에 도취하여 내면의 아름다움에 무관심하게 되기는 바라지 않는다. 외면의 아름다움에 자만하면 내면의 아름다움에 무관심해지는 것이 일반적인 경향이므로, 시인은 자신의 딸이 지나치게 아름답지는 않기를 원한다. 외면의 아름다움보다는 타고난 친절을 지니고 있으며, 마음을 터놓고 친교할 수 있는 사람이기를 바란다. 예이츠는 모드 곤이 "타고난 친절과 아마도 / 옳은 것을 선택하는 마음을 드러내는 친교를 잃고 / 친구를 결코 발견하지 못"했다고 생각하고 있다. 이는 모드 곤이 아일랜드를 위해 많은 노력을 기울였으나 아일랜드 민중으로부터 소외당한 것을 암시하기도 한다.

시인은 외모의 지나친 아름다움 때문에 배우자를 잘못 선택하고 그로 인하여 비참한 삶을 산 여인으로 헬렌과 아프로디테를 예로 들고 있다.

> 선택받은 헬렌은 삶이 단조롭고 무료함을 발견했고
> 후에 한 멍청이 때문에 많은 고통을 겪었다,
> 물보라에서 태어난 그 위대한 여왕은,
> 아버지가 없었기에 마음대로 할 수 있었는데
> 안짱다리 대장장이를 남편으로 골랐다.
> 멋진 여인이 그들의 고기와 함께
> 미치게 하는 샐러드를 먹는 것은 확실하다
> 그로 인하여 풍요의 뿔은 망쳐진다.

헬렌은 백조로 변신한 제우스와 아에톨리아의 공주인 레다 사이에서 태어난 여인이다. 예이츠는 「레다와 백조」에서 그녀의 출생에 대하여 말한 바 있다. 그녀로 인하여 트로이 전쟁이 일어나고 트로이가 불타게 되었다. 그녀는 선택받은 여인이지만 미넬라우스 왕의 부인이 된 후 트로이의 파리스와 잘못된 사랑을 하기 때문에 편안한 삶을 살지 못했다. 여기에서 "멍청이"는 헬렌의 남편인 미넬라우스왕을 가리킨다.

모드 곤을 암시하는 물보라에서 태어난 그 위대한 여왕은 사랑과 미와 풍요의 그리스 여신인 아프로디테를 가리킨다. 그녀는 바다에서 태어났다고 전해지기 때문에 아버지가 없다고 한다. 아프로디테는 불의 신인 헤파스터스와 결혼했는데 그는 절름발이였다. 그녀도 행복한 삶을 살았다고는 할 수 없다.

예이츠는 여기서 외모의 지나친 아름다움 때문에 두 남자 사이에서 불행을 겪은 여인과 불구의 남편을 얻은 불행한 여신을 예로 들어, 외모의 아름다움은 삶을 행복하게 하는 요소가 아님을 밝힌다. 시인은 "멋진 여인이 고기와 더불어 미치게 하는 샐러드를 먹는 것이 확실하다"라고 단언한다. 이 말은 외모가 아름다운 여인은 그 외모를 계속 아름다운 상태로 유지하기 위하여 노력하지만 정신적으로는 타락하여 올바른 삶을 살아갈 자세를 잃게 된다는 뜻으로 해석될 수 있다. 그렇기 때문에 풍요의 뿔이 망쳐지는 것이다. 풍요의 뿔은 제우스가 아말테스에게서 얻은 것으로 거기에서 신의 음료와 음식이 나온다. 이것은 그 소유자가 마법의 대상으로부터 그가 원하는 무엇이든 얻을 수 있는 물건을 의미한다. 외모가 아름다운 여인들은 자신의 외모에 자만하는 나머지 자신의 정신을 황폐화하고 나아가 자신이 편안하게 얻을 수 있는 것들을 모두 상실하게 되는 잘못을 범하게 된다는 의미를 담고 있다.

헬렌이 모드 곤을 암시하는 것은 앞에서 여러 번 나왔으므로 더 이상 이야기할 필요가 없을 것이다. 또한 미의 여신인 아프로디테도 모드 곤을 암시한다. 예이츠가 모드 곤을 전설적인 아름다움을 지닌 헬렌이나 미의 여신 아프로디테에 비유하는 것은 젊은 시절이나 나이 든 지금이나 변함이 없다. 그러나 관점은 다소 바뀌었다. 젊은 시절에 쓴 초기시에서는 모드 곤의 부정적인 면이 거의 그려지지 않았지만, 중기 이후 후기시에서는 부정적인 면도 상당히 그려지고 있다. 예이츠의 관점이 이렇게 바뀐 것은 모드 곤의 아름다움이 덜하다고 생각했기 때문이라기보다는 삶을 좀 더 폭넓게 보는 안목을 길렀기 때문이다.

그녀가 아일랜드의 민중을 위해 평생 노력했지만, 민중들이 그녀에게 등을 돌린 것이라든지, 그녀의 행복하지 못한 결혼생활을 보고 예이츠는 그녀를 안타까워하고 있다. 그녀는 예이츠가 「1916년 부활절」에서 "술주정뱅이 허영심에 들뜬 촌놈"이라고 부른 존 맥브라이드와 결혼했고, 그 결혼은 행복하지 못한 결혼이었다. 모드 곤이 1903년에 민족주의자인 존 매브라이드와 갑자기 결혼했다는 소식을 강연 중에 전해 들은 예이츠는 그 강연의 내용을 기억하지 못할 정도였다고 한다. 맥브라이드가 1916년 부활절 봉기에 가담한 죄로 처형당하여 그녀가 미망인이 되자 예이츠는 다시 그녀에게 청혼한다. 그 청혼마저 거절당하자 그녀의 양녀인 이졸트에게 청혼한다. 이 청혼도 거절당했음은 물론이다. 이렇게 기다리고 청혼하는 오랜 세월이 지난 후인 1917년 그는 조지 하이드-리즈와 결혼한다.

조지 하이드-리즈와의 결혼이 예이츠에게 "정서적 충만감"을 가져왔지만 결혼 후에도 모드 곤은 아름다운 여인으로 변함없이 남아 있었다. 결혼 이후의 작품인 「내 딸을 위한 기도」나 「학생들 사이에서」에서도 모드 곤은 이상적인 아름다움을 지닌 여인으로 그려지고 있다. 이는 본스타인이 말하듯이 그가 연인의 어떤 면을 이상화했기 때문이다. 예이츠는 계속되는 실연에도 불구하고 끝내 그녀에 대한 사랑을 간직할 수 있었다.

모드 곤은 두 사람의 사랑이 항상 고결하고 순수했기 때문에 예이츠가 그녀를 위해 쓴 시들은 영원할 것이라고 말하며 예이츠의 시를 자기의 아이들이라고 한다. "우리의 아이들은 당신의 시입니다. 내가 그들을 가능하게 한 불안과 폭풍을 뿌린 아버지이고, 당신은 고통과 최고의 아름다움 가운데 그들을 낳은 어머니입니다. 우리 아이들은 날개를 가졌어요." 모드 곤은 예이츠의 현실적인 사랑을 받아들이지 않고, 정신적인 사랑과 우정만 받아들임으로써 예이츠의 감정을 끊임없이 동요시켰고, 이러한 사랑과 우정 사이에서 예이츠의 시가 생겨난 것이므로 모드 곤은 자신이 아버지이고, 시를 창작한 예이츠는 어머니라고 말한다. 두 사람이 육체적으로 결혼하지는 않았지만, 정신적으로 결합하였기에 시라는 아이들이 태어났으므로 현실적으로는 아픔이 수반되는 사랑이지만 이상적인 사랑이었다고 해도 과언은 아니다.

(전주대)

5장

창작시: 예이츠, 아란섬

PHOTO BY YOUNG SUCK RHEE
이니쉬모어 해변

월상

한태호

오컬트 보름달 뜨고, 강산이 훤하다. 물은 물이고, 산은 산이다.
애란 위로 달이 기울며, 굴곡진 주름살이 늘어난다. 바다는 파도가 아니고, 산은 절벽이 아니다.
하룻밤 사이에 달이 동그란 획을 그린다. 다시 바다는 물이고, 산은 흙이다.

삼차원 세계를 비전 속에서 오가면서도, 달의 발이 없자, 모두 웃는다.
야, 네 생각의 그림자는 어딨냐?
산과 물이 생각이라면, 월상이 차고 기우는 걸 알지만, 생각하지 않는 신비주의 시인에게는 변화가 없네! 처음부터 끝까지 달라진 것은 아무것도 없다네.
그대에게 신비는 무지가 아닌, 설명할 수 있는 이해심인 듯하이.
해동의 한 도사가 개구리 등에서 대꾸한다. 강물 위에 타오르는 월악산이 붉은 빛을 헤치며 물살을 가른다. 처음과 끝이 모두 같으니, 그 그림자는 과히 진실이로다!
법석法席에서 듣던 **그**가 '*예*, 그곳에서 머뭅시다*staeY*, *에이츠*'라고 자기 법호法號를 거꾸로 외치면서, 깨닫는다.
모두 사라진all gone *모드 곤Maud Gonne*이다!

레다의 의문

한태호

언어로 영혼을 잴 수 있는가요?
예:잇:츠 영혼, 높고 낮은 ***예, 그것***이라는 예이츠 영혼을 가진 존재,
누가 ***저기 있소***의 제우스 영혼 측정기를 댈 수 있나요?
지혜의 정도는 진실한 영혼의 도수를 제대로 보여주나요?
실제로는, 지능이 낮은 미친 제인은 당신 거리에서 살 가치도 없지요?
암므, 아모, 대답 없는 수수께끼 푸는 해동의 땡중 머리가 웃는다.

촉촉이 먼지 낀 허공의 함허涵虛, 해머 대머리로 오도송을 뇌까린다.

본래 마음은 두 다리를 가지고 있노라.
한 다리는 중천의 달로 떠 있고,
또 한 다리는 내 눈 안에 숨은 다리요.
내 안 다리를 뻗어 밖으로 걸어나가지 못하면,
저 밖의 다리가 어찌 걸어들어올꼬!

(토론토대)

PHOTO BY YOUNG SUCK RHEE
이니쉬모어 대서양 쪽 해변

PHOTO BY YOUNG SUCK RHEE
실 뮈르비그 해변

아란

이영석

싱, 이니쉬만에 왔소, 그대를 만나려.
맥도넉스 오두막 잔디에는, 아! 검은 줄무늬 고양이 한 마리만 졸고 있네.

이니쉬에르 작은 섬 향해 눈 돌리니, 편편한 화강암 들판
해안 끝에서 끝까지 펼쳐지네.

황량하구나, 황량해!

이니쉬만에는, 게일릭어를 배우려 왔었소?
이니쉬모어는 변했소, 황량함과는 거리가 있어요:
뭍에서 온 구경꾼들로 찻길이며 오솔길이 넘친다오.
그래요, 해지면 잠잠해지지: 더 쓸쓸하고, 더 짙어지는 회색빛.
그래도, 싱이여! 내일 해가 돋으면 대서양의 푸른 바다 빛깔들 볼지도 모르지.

나는 이제 이니쉬모로 가는 3시 15분 막배를 타야 해요:
나는 그곳을 상상하고 있어요,
그대에게 첫 게일릭어 단어를 가르친
눈먼 남자와 함께
굽이굽이 돌아가는 오솔길을 따라 걸어가는 그대.

(2013. 8. 12. 월요일. 이니쉬만에서)

Aran

by Young Suck Rhee

Synge, I have come to Inishmaan to see you;

I see a black and white cat dozing on the lawn of McDonagh's cottage instead.

I look down the hill toward Inisheer; the fields of flat stones with walls of
black stones

Running from coast to coast:

Desolate!

Did you go to Inishmaan, to learn Gaelic?

Inishmore is changed, far from desolate:

Tourists overflow the roads and trails of the hills.

Yet in the evening it is quiet: more desolate, grayer.

But tomorrow, we may see, Synge, the blues of the sea shine at sunrise.

I have to catch the 3:15 last ferry for Inishmore:

I am already seeing you there

Wind along the trails with the blind man

Teaching you first Gaelic words.

(Mon., 12 August 2013 Inishmaan)

둔 두차해르

이영석

둔 두차해르의 그림자 아래
한 나그네 돌벽에 기대어 쉬네:
들리는 소리는, 절벽 아래서 이어지는 뇌성 같은 파도
소리; 또 한순간 바람소리, 나비 한 마리,
파리 한 마리, 허공을 메우고; 야생화들
고개 까닥거리네

바람에게.
돌벽들이 편편한 화강암 들을 가로질러 수평선을 향해 달리네.
갈매기들 절벽 아래서 위로 솟아오르네.
바다는 수평선 너머로 사라지고
수평선과 바다는
구름과 안개가 피어오르자 하나가 되네.
바람이 묻네, 누가 이 검은 돌의 벽들을 세웠느냐고.
하늘과 말을 섞으려고 아니면
적으로부터 자신들을 지키려고?
그들의 근심과는 멀게,
돌의 들은 고요하네, 간혹
뇌성 치는 파도, 바람 속에 휘날리는 생명의 소리들 외에는:
블랙 포르트, 대서양을 등지고 평화롭네.

(2013. 8. 13. 화요일. 이니쉬모어에서)

Dun Duchathair

by Young Suck Rhee

Under the shadow of Dun Duchathair
A traveler rests reclining against the stone wall;
He hears nothing but the constant thundering of the waves from below
The cliffs; in a moment he can discern the wind,
A fly, a butterfly, in the air; he hears the flowers nodding hello

To the wind.
The walls of stones run toward the horizon crossing the fields of flat stones.
Seagulls soar up from below the cliff.
The sea disappears beyond the horizon.
The horizon and the sea meld as the clouds and the mist rise.

The wind pauses, wondering who built these walls of black stones.
Did they want to speak with the Heaven or
To protect themselves from enemies?
Despite their worries,
The fields of stones are quiet except
The thundering waves, the cries of life wafted in the wind:
The Black Fort is in peace against the Atlantic Ocean.

(Tues., 13 August 2013 Inishmore)

실 뮈르비그 해변

이영석

뭍의 구경꾼 태운 마차의 발굽 소리 다가오다 멀어지네:
침묵. 어린 아이의 칭얼대는 소리, 멀어지네.
게일어 투의 영어의 웅성거림이 지나가네.
해변으로 밀려드는 파도 소리,
안개와 이슬비 속 야생화들의 떨림,
파리 한 마리 휭 지나자,
황량한 침묵.

(2013. 8. 14. 수요일. 이니쉬모어에서)

(한양대)

Cill Mhuirbhigh Beach

by Young Suck Rhee

The sound of hoofs of a tourist carriage nears and disappears:

Silence falls. A child's clamoring, and it disappears.

A murmuring in English with Gaelic accents passes by.

The sound of the rushing waves,

The trembling of wild flowers in the drizzle and mist.

A fly whizzing by. Then

Desolate silence.

(Wed, 14 August 2013 on Inishmore)

(Hanyang Univ.)

한국예이츠학회 창립 30주년 기념문집
예이츠, 아일랜드, 그리고 문학: 이니스프리에서 델피까지

초판 1쇄 발행일 2021년 12월 20일

엮 은 이 한국예이츠학회
발 행 인 이성모
발 행 처 도서출판 동인 / 서울특별시 종로구 혜화로3길 5, 118호
등록번호 제1-1599호
대표전화 (02) 765-7145 / FAX (02) 765-7165
홈페이지 www.donginbook.co.kr
이 메 일 dongin60@chol.com
I S B N 978-89-5506-853-5 (03840)
정 가 20,000원